BERNARD CLAVEL

L'hercule sur la place

Éditions J'ai Lu

BERNARD CLAVEL | *ŒUVRES*

Romans

LE TONNERRE DE DIEU (QUI M'EMPORTE) — *J'ai Lu*
L'OUVRIER DE LA NUIT
L'ESPAGNOL — *J'ai Lu*
MALATAVERNE — *J'ai Lu*
LE VOYAGE DU PÈRE — *J'ai Lu*
L'HERCULE SUR LA PLACE — *J'ai Lu*
LE TAMBOUR DU BIEF

LA GRANDE PATIENCE :

I. LA MAISON DES AUTRES (*Prix du Roman populiste* 1962)
II. CELUI QUI VOULAIT VOIR LA MER
III. LE CŒUR DES VIVANTS
IV. LES FRUITS DE L'HIVER (*Prix Goncourt* 1968)

Divers

PIRATES DU RHÔNE
PAUL GAUGUIN
LÉONARD DE VINCI
CÉLÉBRATION DU BOIS
L'ARBRE QUI CHANTE
VICTOIRE AU MANS

L'hercule sur la place

BERNARD CLAVEL

L'arbre s'appuie à l'arbre.

(Proverbe africain)

Un être qui s'habitue à tout, voilà, je pense, la meilleure définition qu'on puisse donner de l'homme.

DOSTOÏEVSKY.

PREMIERE PARTIE

LE BARON

1

Il pleuvait. Une pluie lourde que le vent secouait, obligeant les badauds à incliner leur parapluie. Les bâches des baraques foraines se soulevaient, claquaient, retombaient ; pesantes, ruisselantes et raidies. La place était une vaste flaque où trempaient des confetti et des serpentins. Les derniers semés avaient encore un semblant de couleur, d'autres se mêlaient à la boue, piétinés, étirés, accrochant çà et là le reflet d'une lampe.

C'était une fin d'après-midi, un vendredi du mois de mai. Malgré l'averse, il y avait du monde entre les baraques et les manèges.

Pierre Vignaud et Guy Lemoine marchaient lentement, la tête rentrée dans les épaules, s'attardant sous les auvents. Guy portait une veste à carreaux rouges et noirs dont il avait relevé le col. Pierre portait un blouson de cuir noir dont le coude gauche, ouvert sur plusieurs centimètres, laissait voir la manche de sa chemise vert pâle.

Ils demeurèrent un long moment devant un petit stand de tir, à regarder deux garçons qui cassaient des pipes. Lorsque les garçons s'éloignèrent, une femme brune et bien en chair qui tenait le stand leur sourit en disant :

— Un carton, les jeunes, essayez votre adresse, ça vous réchauffera.

Guy haussa les épaules et fit lentement demi-tour. Pierre le suivit.

— Si j'avais trois cents balles à foutre en l'air, grogna Guy, j'irais plutôt me jeter quelque chose de chaud.

— C'est pas ici qu'on se fera de l'oseille.

— C'est à voir.

— Ça fait deux heures que tu me chantes ça. Moi je te dis qu'on n'aurait jamais dû rester dans ce bled à la con.

Guy s'arrêta soudain et se planta devant son camarade qui le dominait d'une bonne tête. Levant les yeux, il le dévisagea durement, avec un rictus mauvais, avant de lancer :

— T'as toujours fait le mariole. T'es plus malin que les autres, mais si je t'avais écouté, on serait en cabane, à l'heure qu'il est. La gare de Perrache, t'es comme moi, tu y as jamais mis les pieds. Tu te figures peut-être que c'est comme dans un trou de campagne, tu suis les voies et tu te tires par les champs.

— On se serait démerdé.

Pierre avait dit cela sans conviction. Guy marqua une hésitation puis, haussant encore les épaules, il se détourna et reprit sa marche en grognant :

— Tu me débectes, tiens. Ça fait six mois que je te traîne et t'arrêtes pas de me faire faire des conneries...

Sans élever la voix, Pierre l'interrompit.

— Le camion, c'est peut-être moi qui ai eu l'idée... ?

Guy s'emporta. Les dents serrées, il grinça :

— Ah ça va ! Moule un peu ! C'est moi qui ai voulu le piquer, mais la connerie, c'était pas ça. La connerie c'est d'avoir foutu le zing dans un fossé. Et qui c'est qui conduisait ?

Il se tut. Pierre Vignaud avait baissé la tête, comme pris en faute.

Ils firent quelques pas sans desserrer les dents puis, comme ils passaient devant un manège de petites autos qui tournait pour quelques enfants encapuchonnés, Guy eut un nouveau ricanement.

— Tiens, fit-il, quand j'aurai de l'oseille, je te paierai un tour. Avec ça, tu pourras te prendre pour Fangio.

Les musiques se confondaient, mais le haut-parleur des autos tamponneuses, plus puissant que les autres, lançait *La Bohême* chantée par Charles Aznavour. Pierre observa un moment la ronde saccadée des voitures et la course violette des étincelles sur le plafond de grillage. Comme réveillé en sursaut, Guy sortit soudain sa main droite de sa poche et empoigna le bras de son compagnon.

— Dis donc, des fois, y cherchent des mecs pour le dimanche. Si on essayait... Allez, va demander.

— Non, vaut mieux que ce soit toi.

Guy hocha la tête, apitoyé.

— T'as raison, t'es tellement bille, même si on a une chance, tu foutras tout par terre.

Guy se dirigea vers le long manège qu'il contourna pour atteindre la caisse vitrée contre laquelle un homme d'une cinquantaine d'années était adossé. Pierre les regardait parler. Le reflet bleuté des étincelles zébrait le dos mouillé de Guy et ses longs cheveux noirs luisants d'eau. Il ne parla que quelques minutes. Lorsqu'il revint, il fumait une cigarette.

— Alors ?

Guy tira une longue bouffée et tendit la cigarette à Pierre en expliquant :

— Tu parles, y sont déjà trop nombreux. Le daron m'a dit : « Avec ce temps, on bouffe des ronds. » Y m'a tout de même filé une tige. Il a une bonne gueule ; sans la flotte, on avait une chance.

Ils restèrent là un moment, debout sur le plancher de ronde secoué par les heurts des petites voitures, puis ils traversèrent la rue en direction d'un grand café dont la salle était pleine. Une odeur chaude de fromage et de pain grillé venait en vagues jusque sur la terrasse.

— Des croque-monsieur, y s'envoient, les salauds, grogna Guy. Viens, ça me fait mal de voir ces mecs là. Y me paieraient que je voudrais même pas boire avec eux.

Les deux garçons regagnèrent la place et se dirigèrent vers une longue baraque à bâche verte où trois ampoules venaient de s'éclairer. Il y avait là un auvent très large sous lequel les curieux commençaient à se grouper, attirés devant l'estrade par le roulement sourd d'un tambour dont l'humidité devait détendre les peaux. L'homme qui battait était grand et gros. Son visage coloré et flasque vibrait au mouvement de ses bras. Il portait un pull-over rouge à col roulé et un pantalon de toile bleue très large du bas. Il regardait le public, criant de loin en loin, comme pour appeler un chien :

— Allez, allez ! Viens, viens, viens, viens !

Les premiers mots étaient dits d'une voix grave qui montait peu à peu, pour se terminer par une espèce de cri éraillé et haut perché.

— Y paie, le vieux, avec son culbutant d'avant-guerre, remarqua Guy.

L'homme s'arrêta soudain de battre sa caisse au cuivre cabossé, posa ses baguettes sur la chaise où se trouvait déjà l'instrument, et empoigna une énorme chaussette bourrée de paille ou de crin. Comme il lançait de nouveau son cri, deux hommes sortirent de la baraque et s'avancèrent sur l'estrade. Le premier était un grand nègre vêtu seulement d'un slip en fausse panthère. Le second, beaucoup plus petit, portait un survêtement marron à fermeture Eclair. Aussitôt arrivé, le nègre gonfla sa poitrine et banda ses muscles. Il lançait çà et là des sourires qui découvraient ses dents blanches, clignait de l'œil et passait sa langue rose sur ses lèvres épaisses.

— Faut pas dire, remarqua Pierre, il est taillé.

— Tu parles, c'est du vent. Ces trucs-là, c'est comme le catch à la télé, c'est tout du bidon.

— Peut-être, mais il est tout de même baraqué.

Le gros homme à pull-over rouge s'était approché du petit homme au blouson marron. Il lança plusieurs fois sa chaussette en l'air, la rattrapant pour la faire claquer contre sa main large et épaisse. Soudain, au lieu de taper dans sa main, il assena un grand coup de chaussette sur le crâne du petit homme. Le petit homme roula des yeux tout blancs et ébaucha un sourire qui s'ouvrait de côté, déportant sa bouche jusqu'au milieu de sa joue droite.

— La tête la plus dure du monde, cria le gros homme. Mesdames, messieurs, ceux qui veulent confier à Kid Léon leur planche à hacher remporteront du petit bois pour allumer leur feu. Ceux qui ont des planches à repasser peuvent en faire faire des allumettes. Ceux qui ont des briques à réduire en poussière, des œufs à casser, ou du sucre à mettre en poudre peuvent se présenter, travail à la demande... Et-tout-ça-uni-que-ment-avec-l'os-fron-tal.

A chaque syllabe de la dernière phrase, il cognait sur la tête de Kid Léon qui continuait à sourire, roulant toujours ses yeux qui semblaient deux grosses billes claires dans son visage bronzé.

Le public commençait à rire. L'homme cria encore :

— Et vous pouvez remarquer : aucune protection camouflée sous les cheveux.

Kid avait en effet le front légèrement dégarni et le reste du crâne rasé très court. Lorsque le gros homme lui assena un coup magistral sur le front, Kid lança la tête sur le côté et poussa un aboiement rauque, comme pour mordre la chaussette. Un long rire courut sur la foule.

— Tiens-toi tranquille, Kid, fit le gros homme. Tu mordras tout à l'heure, quand on t'aura trouvé un bon poulet bien tendre.

— Le poulet, patron, moi ça me botte, c'est champion.

Kid avait un accent parisien très prononcé et blessait légèrement les S. Comme les gens riaient, il se tourna vers eux, l'air faussement furieux, et prit à partie un spectateur qui se trouvait au premier rang, non loin de Pierre Vignaud.

— C'est toi, gros sac, qui rigoles, comme ça ! cria-t-il. Monte une minute on s'expliquera.

Le patron lui imposa silence.

— Tais-toi, Kid. On sait que tu peux les bouffer tous, même en travers. Mais faut être gentil. Faut pas les forcer. Faut dévorer que les volontaires.

— J'ai jamais forcé personne, patron, mais celui-là, y m'énerve. Y rit mal : il en saute la moitié.

Kid avait sans cesse des mouvements brusques, des gestes de menace, des contractions de tout le corps et des ébauches de détente, comme s'il se fut retenu de bondir au milieu des curieux.

L'autre s'était remis à parler :

— Kid Léon, c'est l'homme qui trompe son monde. Si je le présente comme ça en offrant la prime à celui qui le tombe, j'ai tout de suite une vingtaine d'amateurs qui lèvent la main.

Personne ne broncha, mais l'homme eut un large geste du bras, comme pour repousser mille demandes à la fois et réclamer le silence.

— Minute, hurla-t-il. Minute les enfants !... Nous autres, on n'a pas l'habitude de rouler le client. On le roule sur le tapis, ça suffit. On donne toujours un petit échantillon avant de livrer la marchandise.

Il se tourna vers son partenaire puis, se ravisant soudain, il pointa son index en direction d'un badaud.

— Tenez, fit-il. Une devinette... Vous, monsieur, vous qui avez l'air intelligent ; à votre avis, combien peut peser Kid Léon, l'homme à la tête d'acier ?

Pierre se haussa sur la pointe des pieds pour tenter de voir le spectateur interrogé, mais des parapluies ouverts le gênaient.

— Allons, poursuivait le patron, un chiffre... Quoi ?... Combien ?... Soixante kilos ? Dites donc, vous êtes peut-être intelligent, mais je vous conseille pas de faire confiance à votre boucher.

Il laissa s'éteindre le rire montant de la foule, avant de reprendre :

— Vous pouvez ajouter quarante livres, et ça fera le compte.

Il y eut un murmure, et le gros homme hurla :

— Discutons pas ! Allez Kid, tombe la veste !

Le petit homme eut un mouvement des épaules pour faire sauter en arrière son blouson qui glissa sur l'estrade. Il apparut en maillot d'haltérophile. Un maillot bleu qui n'était qu'une étroite bavette retenue par une simple lanière passant derrière la nuque. Les pectoraux et les épaules se trouvaient ainsi complètement dégagés. Il y eut un silence, avec seulement quelques murmures d'admiration et de surprise. Kid était une masse de muscles et de tendons.

Le gros homme parcourut l'assistance d'un long regard soupçonneux, avant de dire simplement :

— Alors ?

Personne ne souffla mot.

Se présentant de profil, Kid saisit son poing droit dans sa main gauche et banda son bras. Un murmure d'admiration monta des parapluies et des cirés trempés pour courir sur la foule comme une houle.

— Cinquante-deux centimètres de tour de bras, annonçait le gros homme. Champion d'Europe de poids et haltères, champion de lutte libre et ceinture noire de judo... Avec Kid Léon, c'est à choisir : la lutte, le catch ou les poids.

Kid Léon avait empoigné un poids de vingt kilos qu'il lança en l'air pour le rattraper. Le poids tournait très vite. L'anneau tintait. La masse de métal semblait voltiger autour du petit homme tout en muscles. Elle volait de sa main droite à sa main gauche, montait derrière son dos, frôlait sa nuque rasée pour venir tournoyer tout près de son oreille, comme si elle eut roulé sur son épaule. Kid laissait descendre la masse tourbillonnante, pour la rattraper au ras du plancher. Parfois, la masse tournait si vite sur elle-même, que l'anneau était à peine visible. Et pourtant, Kid le bloquait toujours à coup sûr, exactement comme si sa main eût été aimantée.

Dès qu'il reposa son poids, le gros homme et le nègre donnèrent le signal des applaudissements.

Pierre se tourna vers son camarade pour remarquer :

— Il est taillé, ce mec-là.

— Tu parles, c'est toujours du chiqué, ces trucs-là.

Pierre allait répondre, mais comme le silence reprenait, le gros homme reprit la parole.

— Alors, demanda-t-il, où elles sont les grandes gueules de tout à l'heure ?

Les gens des premiers rangs se retournaient, interrogeant du regard les visages impassibles sous l'ombre triste des parapluies dégoulinants. L'homme au pull-over rouge s'était remis à haranguer cette foule agglutinée, figée par l'averse, secouée de loin en loin par une rafale glacée. Après un long moment, alors que le forain criait qu'il n'y avait plus d'hommes forts dans la vallée du Rhône, une main se leva :

— Les poids ! cria une voix.

— Voilà un costaud ! hurla le patron. Regardez-moi ça, c'est pas des mains, qu'il a, c'est des battoirs à lessive !

Il parla encore tandis que Kid Léon grimaçait. L'amateur qui avait attrapé la chaussette bourrée de crin, approchait lentement.. Lorsqu'il longea l'estrade pour pénétrer dans la baraque, Pierre et Guy remarquèrent qu'il devait avoir une quarantaine d'années. Il portait une veste de cuir élimée et un béret enfoncé jusqu'à son col relevé.

— Tu parles, dit Guy, c'est un baron, on connaît la combine... Tout du bidon.

— Et le poids de vingt kilos, c'est du bidon ? demanda Pierre.

— Je te dis que les mecs sont d'accord.

— Pas forcément.

— Tu penses qu'y vont balancer dix sacs à chaque séance ? Y boufferaient la taule en trois jours.

— La prime, ils la donnent seulement aux mecs qui gagnent.

— Alors, si c'est ça, t'as qu'à prendre le nègre. Tu roules toujours ta caisse en disant que t'as fait de la boxe et de la lutte, si t'es si mariole, c'est une occasion de nous renflouer.

Pierre se contenta de hausser les épaules.

— C'est ça, reprit Guy. T'es toujours en train de chercher des crosses à des mecs quand t'es sûr d'être le plus fort, mais là, tu mouilles. T'es un pauvre type, tiens !

Pierre écoutait le gros homme qui, à présent, présentait le nègre.

— Avec Joë Nelson, c'est la boxe et la lutte... Nelson est un boxeur ancien champion du Mississipi, mais comme les courageux sont rares, il accepte même de rencontrer les catcheurs dans leur spécialité. La semaine dernière, à Valence, il en a mangé trois. Et aujourd'hui, il se sent un creux à l'estomac.

Le nègre, qui avait sauté à la corde pendant la harangue du patron, s'arrêta pour se livrer à quelques effets de muscles. Gonflant sa poitrine, il creusait son ventre et mimait l'homme qui dévore un quartier de viande en le tenant à deux mains. Peu à peu, son ventre s'arrondissait. Le patron l'arrêta d'un geste.

— Assez Joë. Laisse de la place pour nos invités. Avec un temps pareil, ils vont tous vouloir se mettre à l'abri.

Le Noir, sans doute beaucoup plus jeune que Kid Léon, était plus grand et mieux proportionné. Pourtant, sa musculature, légèrement enrobée de graisse, était moins impressionnante.

L'homme au pull-over rouge parla encore un moment, s'étonnant qu'une ville comme Vienne fût si pauvre en sportifs.

— Vas-y, répéta Guy, si vraiment y cherche un amateur, tu peux toujours demander mille balles pour te faire casser la gueule.

Pierre ne répondit même pas.

— T'aimes mieux te faire dérouiller pour rien par des flics, dit encore Guy en le bourrant du coude.

Je te jure que si j'étais comme toi, je me déballonnerais pas, moi.

Le forain se lamentait toujours ; comme il parlait d'annuler la séance et de plier bagage pour aller dans une ville plus sportive, une voix lança :

— Lo négro ! Lo négro !

Les spectateurs des premiers rangs se retournèrent, regardant tous vers une main qui s'agitait au-dessus des parapluies et des chapeaux mouillés.

Le gros homme jeta une deuxième chaussette en criant :

— Allons, voilà un courageux... Faites de la place... Laissez avancer l'amateur...

Il y eut un remous, et la foule s'ouvrit pour livrer passage à un homme qui ne cessait de répéter :

— Lo négro ! Lo négro !

A mesure que l'amateur approchait de l'estrade, le patron se penchait en avant, une main en visière au-dessus de ses yeux, l'air de plus en plus étonné.

— Ma parole, finit-il par dire, c'est un vieillard !... Ho ! grand-père, y a erreur. Ici, c'est pas une maison de retraite, c'est la baraque des hommes forts.

Après chaque phrase, il s'arrêtait pour laisser au public le temps de réagir. Jouant des coudes, le vieux avançait lentement. Il était voûté et portait une casquette grise enfoncée jusqu'aux sourcils. Visage glabre à la peau olivâtre. Joues creuses. Une bouche aux lèvres minces qui s'ouvrait sur des dents noires lorsqu'il répétait :

— Lo négro ! Lo négro !

Des cheveux blancs sortaient entre sa casquette et le col de sa veste grise que la pluie noircissait sur les épaules et le dos. Arrivé au premier rang où se trouvaient les deux garçons, il posa ses mains sur le bord de l'estrade et répéta encore :

— Lo négro !... Lo négro !

— Vous avez des chagrins d'amour, grand-père, demanda le forain. Vous voulez en finir avec la vie ?

Comme les gens se mettaient à rire, le vieux se retourna pour les injurier dans une langue que personne ne semblait comprendre. A plusieurs reprises, il désigna le nègre du doigt et répéta :

— Lo négro !... Lo négro !

Kid Léon, qui s'était éloigné, revint à la hauteur du gros homme et intervint :

— Ça doit être un Espagnol.

Le vieux cria encore, puis le patron remarqua :

— Non, c'est pas de l'espagnol, ce charabia. Ça doit être du portugais.

Il essaya d'engager le dialogue, mais le vieux s'obstinait à désigner le Noir en répétant :

— Lo négro !... Lo négro !

Par une mimique compliquée, il parvint à faire comprendre qu'il voulait lutter à mains plates.

— Et alors, demanda Pierre, tu crois que c'est du chiqué ?

Guy avait toujours son sourire dur et méprisant.

— C'est probable, dit-il.

— Je crois plutôt que c'est un vieux qui a dû être un sacré lutteur. A voir sa gueule, il est sûrement aussi fauché que nous. Y va peut-être se faire démolir pour essayer d'avoir la prime.

Pierre se tut. L'homme au pull-over rouge s'était redressé en criant :

— Je vous jure, faut venir ici pour voir ça !

— Moi, déclara le nègre, je veux pas lutter avec ce pauvre homme... Un grand-père, ça se respecte... Et puis, je risque la prison, moi. Un homme de cet âge-là, il peut se tuer en tombant. Suffirait de le pousser un peu fort.

Il s'ensuivit une dispute, avec des explications confuses que couvrait par moments le brouhaha de la foule mécontente. Finalement, le patron imposa le silence et expliqua :

— On ne peut pas refuser un amateur. Le public croirait que j'ai peur de risquer la prime. Alors voilà ce qu'on va faire. Je vais demander quatre témoins qui entreront gratis. S'il arrive un accident, je leur demanderai seulement de prouver que j'ai bien averti ce vieillard... Qui veut être témoin ?

Sans réfléchir, Pierre Vignaud leva la main. Aussitôt, il reçut une bourrade de Guy, mais déjà le gros homme se penchait vers lui.

— En voilà un... Et cette petite dame... Vous, monsieur...

— T'es maboule, grogna Guy. Qu'est-ce que tu vas te mêler de ça ?

— Laisse mouler, je veux voir à l'œil... qu'est-ce qu'on risque, puisque tu dis que c'est du chiqué ?

Guy cracha devant lui et leva la main à son tour.

— Ça suffit, lança le patron, j'en ai quatre.

Déjà les gens s'alignaient devant la caisse où une femme maigre et noire de cheveux vendait les billets.

— Je te préviens, ragea Guy, si tu entres sans moi, je te laisse tomber.

Pierre réfléchit un instant, son front bas tout plissé de rides. Puis, se dirigeant vers l'estrade, il appela le patron.

— Je suis avec un copain, est-ce qu'on peut entrer deux ?

— C'est bon, dit le patron, je suis pas chien.

2

Le patron fit avancer les témoins en les conduisant jusqu'à l'entrée où une fille déchirait les billets des autres spectateurs. Elle était maigre et brune comme la caissière, et semblait âgée d'une quinzaine d'années.

Les témoins s'installèrent au premier rang. Tout près du ring. La bâche verte, où se devinaient des poches d'eau, laissait filtrer une clarté que la lumière électrique ne parvenait pas à réchauffer, et qui donnait à tous les visages un air malade. Il n'y avait qu'une seule ampoule nue, suspendue au-dessus du ring et qui se balançait chaque fois qu'une rafale bousculait la tente. Tout était triste, froid et humide. Le bois des bancs étroits et sans dossier était gluant. Les cordes du ring avaient été rafistolées à l'aide de ficelles et de chiffons de plusieurs couleurs.

Devant une salle à moitié pleine, la séance débuta par un match de poids. Le petit hercule à la mâchoire désaxée portait à bras tendu un haltère de trente kilos, puis jonglait avec. Jambes écartées, il le balançait deux fois, le lâchait, frappait des doigts sur l'une des sphères pour lui imprimer un mouvement de rotation ; lorsqu'il avait fait deux tours sur lui-même à hauteur de sa tête, il le rattrapait pour le renvoyer en l'air. Il plia ensuite une barre de fer et empoigna une brique qu'il cassa en la cognant contre son front.

Son adversaire avait l'air d'un ouvrier d'usine, timide et bien embarrassé de se trouver là. Il ne parvint pas à ployer la barre de fer, ne put mettre que vingt kilos à bras tendu et fut déclaré battu.

— C'est de la connerie, leur bidule, déclara Guy. Je te l'avais dit.

— Je voudrais t'y voir, avec vingt kilos.

— Pauvre mec !

— C'est toi, le pauvre mec.

Leur dialogue n'alla pas plus avant. Kid et l'amateur venaient de quitter le plateau sous quelques maigres applaudissements. Le nègre monta sur le ring. Dans le coin opposé, le vieux enjamba les cordes. Il avait gardé son pantalon de coutil mouillé sur les cuisses et en bas, mais son torse et ses pieds étaient nus. Il était toujours aussi pâle.

— C'est une crevure, remarqua Guy, tu vas voir que c'est du chiqué.

— Ce vieux, observa Pierre, il a dû être vachement balèze, ça se voit encore.

La peau du vieil homme était flasque, trop ample pour ses muscles. Ses biceps étaient encore gros, mais flottaient comme perdus à l'intérieur d'une gaine molle et deux fois trop large. Un pli profond, que l'ombre accentuait, soulignait ses seins plats. Son crâne chauve luisait au centre d'une couronne de cheveux gris qui portait encore l'empreinte de sa casquette. Il semblait souffrir, fixant tour à tour le public, le nègre, le gros homme mais surtout la bâche grise et tachée de brun qui recouvrait le plancher du ring.

— Bon Dieu, ricana Pierre, ce serait tout de même marrant que ces débris foute une avoine au noircicaud.

— T'es bien un vrai plouc. On te dirait que ce vieux c'est le Jules à Brigitte Bardot, tu le croirais.

Le gros homme présentait les deux lutteurs, sans avoir pu obtenir le nom du vieux qui, ne comprenant rien à ce qu'on lui demandait, s'obstinait à répéter :

— Lo négro !... Lo négro !...

Le combat commença. Il était lent et mou, comme imprégné de cette humidité qui glaçait tout. Malgré le froid, le Noir se mit à transpirer dès le début, et, chaque fois que le vieux lui portait une prise, ses mains glissaient. Le public se réveilla peu à peu et se mit à encourager le vieillard à l'air triste qui semblait mettre toute sa science et toute sa force dans ce combat. Le nègre souriait, montrait ses dents blanches et poussait des rugissements venus du fond de sa poitrine. A plusieurs reprises, le patron qui arbitrait suspendit le combat pour adresser des reproches au vieux Portugais ; mais le vieux s'énervait, répondait en sa langue avec force gestes de ses longs bras blancs que la lutte avait déjà zébrés de rose. Le public, prenant parti pour lui, commençait à crier.

Le patron avait annoncé : « Un match en deux manches et la belle s'il y a lieu », mais le Noir gagna les deux premières manches. Il y eut quelques protestations du public, et le vieux réussit à faire comprendre qu'il ne se tenait pas pour battu. Il voulait revenir à une autre séance, prendre « lo négro » entre ses grandes mains, et le casser sur son genou comme une brindille de bois mort. Le gros homme commença d'expliquer que ce vieillard avait sans doute été, autrefois, un grand lutteur, peut-être le champion de son pays, mais déjà les spectateurs se levaient. Tous paraissaient déçus, plus fatigués que les hommes qui s'étaient battus.

— Pour encourager l'amateur et le récompenser, cria le gros homme, la maison lui offre une prime de consolation de mille francs.

Les gens n'écoutaient plus que distraitement, en se dirigeant vers la sortie.

— Tu vois, grogna Guy. T'y serais allé, on pouvait au moins grailler ce soir.

— Alors t'y crois, à présent ?

Comme pris en défaut, Guy s'énerva :

— T'es une bille, tiens. Chiqué ou pas, t'aurais toujours récolté un sac. A présent, qu'est-ce qu'on va foutre ?

3

La pluie tombait toujours. Le ciel semblait descendre à mesure que le jour déclinait. Du bas de la place, une brume froide montait, colorée par le bleu et le rouge des enseignes au néon. Toutes les baraques étaient éclairées, mais les promeneurs semblaient de plus en plus rares.

— Qu'est-ce qu'on va foutre ? répéta Guy.

— Faut qu'on trouve à grailler. Je crève, moi.

Ils passèrent devant une baraque de confiseur. A l'extrémité, un homme en toque et veste blanches étendait de la crème rose sur des gaufres. Deux enfants attendaient. Guy s'arrêta.

— Si les merdeux passent derrière les baraques, on leur cravate leurs gaufres.

Ils patientèrent un moment, suivirent les enfants qui s'arrêtèrent pour manger en regardant une grande loterie dont la roue tournait en cliquetant.

— Des queues, lança Guy. Ces lardons, y boufferont ici, tu peux être tranquille.

Guy s'énervait peu à peu. Il bouscula un groupe de filles qui s'écartèrent en riant.

— Déconne pas, dit Pierre, on aura des histoires.

L'autre se planta devant lui. L'œil mauvais. Les dents serrées.

— Quoi, quoi, déconne pas ! Ça te va bien de dire ça. Qui c'est qui nous a foutus dans le merdier ? Qui c'est qui a balancé le barlu et qui nous a foutu la flicaille aux trousses ? C'est moi peut-être ?

Pierre fit demi-tour, courbant l'échine sous l'averse,

il s'engagea entre une loterie et un tir. Guy le suivit, continuant à l'insulter. Au moment où Pierre allait traverser la rue, Guy l'empoigna par le bras en disant :

— T'as rien remarqué, en passant à côté de la roulotte ?

Pierre se retourna.

— Quelle roulotte ?

— Celle qui est derrière la loterie.

— C'est une roulotte, quoi !

— Pauvre bille ! Je viens de voir sortir une femme. Elle est allée dans la loterie, mais j'ai vu qu'elle fermait pas la porte à clef... Même si on trouve pas de pognon là-dedans, on trouvera toujours à bouffer.

Pierre ne répondit pas. Il regardait tour à tour la loterie, la roulotte, les autres baraques et ce qu'il pouvait apercevoir de la place. L'endroit où ils se trouvaient était dans l'ombre et personne ne passait à proximité.

— Et si y a des mecs ?

— Tu vois bien que c'est tout éteint.

Pierre eut encore une hésitation avant de proposer :

— On peut essayer, mais faut attendre qu'il fasse complètement nuit.

— Tu débloques. T'as entendu ce qu'a dit la grosse gonfle rouge dans la taule des lutteurs : pas de séance ce soir, avec ce temps-là. Si ça se trouve, la vieille va boucler sa loterie et revenir dans la roulotte.

Comme Pierre hésitait toujours, son camarade retourna sur l'esplanade, passa devant la loterie et revint rapidement.

— La vieille que j'ai vu sortir est avec deux gosses. Pas d'homme, c'est un bon truc. Puisque t'as les foies, tu vas faire le guet. J'entre, tu restes au pied de l'escalier. Si la vieille sort, tu cognes contre la roulotte et tu cavales... Allez, viens.

Ils restèrent quelques instants au pied de l'escalier, l'oreille tendue. Le crépitement de la pluie sur le toit de tôle, la musique des manèges, quelques bruits de moteur plus lointains, c'était tout. Guy monta lentement les marches de bois. Tout en surveillant la petite porte par où la femme pouvait quitter sa loterie, Pierre suivait le mouvement de son camarade. Il vit sa main appuyer lentement, presque insensiblement sur la poignée, il vit la porte de la roulotte s'ouvrir. Pas un bruit. Guy était calme, très sûr de lui.

La porte était ouverte complètement, Guy avait déjà fait deux ou trois pas à l'intérieur lorsqu'une voix d'homme venue du fond obscur de la roulotte demanda :

— C'est toi, Kid ? Allume donc.

Machinalement, comme si le danger fût venu de l'extérieur, Pierre cogna contre la tôle de la roulotte. Mais déjà Guy jaillissait, sautait dans la boue en criant :

— Merde, y a un mec !

Guy avait fait un bond qui l'avait porté jusqu'au milieu de l'allée. Comme un ressort, aussitôt tombé, il repartit en courant vers la rue. Pierre démarra aussi, mais, dès sa deuxième foulée, il sentit un choc contre son tibia gauche et partit en avant, de tout son long dans la boue. De la roulotte, la voix hurlait :

— Angèle... Kid... Vite... Vite !

Pierre se relevait lorsqu'un choc au milieu du dos le fit retomber dans la boue. Il eut le temps de voir un tabouret atterrir à côté de lui, puis, comme il tentait encore de repartir, il fut de nouveau plaqué au sol. D'un effort violent, il fit basculer la masse qui tentait de l'immobiliser et vit qu'il s'agissait d'un homme aux jambes nues et d'une femme. Le femme hurlait :

— Kid... Kid !

Elle était par terre et s'agrippait au blouson du garçon qui réussit pourtant à se dégager. Il comprit que l'homme avait du mal à se relever. La rue était là, à deux pas, et Guy avait disparu dans l'obscurité. Un saut par-dessus cet homme et cette femme, et c'était la liberté. Pierre allait s'élancer lorsqu'il sentit une main se refermer sur son poignet droit. Le bras replié dans le dos, il se cambra et tomba sur les genoux en hurlant. Le front contre le sol, une douleur brûlant toute son épaule, il entendit la femme qui demandait :

— Qu'est-ce qu'il a fait ?

L'homme expliqua, d'une voix malade, hachée par la colère.

— Ils étaient deux. L'autre a filé... Il est entré doucement, j'ai cru que c'était toi, Kid. Des fois, tu fais comme ça quand tu sais pas si je dors. Alors, j'ai parlé. Et ils se sont barrés. Celui-là, il a dû se prendre les pieds dans le câble... Je m'étais levé. Un réflexe, je prends un tabouret... J'ai bien fait... Il allait se relever quand il l'a reçu dans le dos.

— Vous avez du mal ? demanda Kid.

— Ça va, dit l'homme.

— Allez, Angèle, reprit Kid, occupe-toi de Gégène. Moi je me charge de cette ordure. C'est tout de même un coup de veine, je venais juste vous voir.

— Faut l'emmener au commissariat, dit la femme.

— T'inquiète pas, fit Kid. Je sais ce que j'ai à faire.

Pierre entendit les pas de l'homme et de la femme qui s'éloignaient dans la boue, tandis que Kid l'obligeait à se relever en tirant sur son bras douloureux.

— Viens, ordure, on va s'expliquer.

La voix du petit homme était calme. Il dit encore :

— C'est pas la peine de se faire remarquer. On va passer par derrière, tu vas marcher tranquillement à côté de moi.

Il lâcha le poignet de Pierre dont le bras retomba le long du corps. Kid ajouta :

— Essaie pas de filer, ça te ferait trop mal.

Pierre osait à peine regarder Kid. Il se laissa conduire jusqu'à la baraque des lutteurs dont l'auvent était rabattu. Kid le souleva légèrement et poussa Pierre dans l'obscurité en disant :

— Bouge pas, je vais allumer.

La lumière se fit derrière le rideau séparant l'entrée de la tente où était le ring. Kid écarta le rideau et s'effaça pour laisser passer le garçon qui se frottait le coude.

4

Lorsque le petit lutteur eut refermé le rideau, il entraîna Pierre jusqu'au pied du ring. Le bruit des manèges était plus lointain, amorti encore par la course de la pluie et du vent sur le toit et les murs de toile. Kid examina Pierre en silence, parut le soupeser du regard, puis, s'adossant au ring, les deux bras posés sur la corde la plus basse, il dit doucement :

— Tu peux t'asseoir.

Pierre se laissa tomber sur un banc du premier rang. Il distinguait mal les traits de Kid dont l'ampoule éclairait uniquement par transparence, la brosse de cheveux blonds très courts. Il y eut un long silence. Pierre entendait son sang battre ses tempes. Baissant la tête, il remarqua que sa main droite tremblait et recommença de se frictionner le coude.

— Te plains pas, observa Kid Léon, si j'avais appuyé la prise, t'étais bon pour l'hosto. Et c'était pas seulement le coude qui pétait, mais l'épaule aussi. Tu t'offrais un mois de plâtre.

Pierre respira profondément avant de pouvoir parler. Se touchant prudemment l'épaule, il finit par dire :

— Justement, l'épaule, ça a craqué.

Kid s'approcha en disant :

— Enlève ta veste.

Pierre eut envie de lui crier : « Me touchez pas. Je veux pas. » Mais les mots restèrent dans sa gorge. Presque malgré lui, il quitta son blouson. Kid lui ouvrit sa chemise qu'il écarta sur le côté. Prenant d'une main son bras droit, il le fit aller d'avant en arrière, puis de bas en haut, tandis que, de l'autre main, il palpait les muscles de son épaule. Cette main ferme pétrissait la chair où les doigts semblaient fouiller, se promener comme en un lieu connu. Il y eut un léger craquement, et, presque aussitôt la douleur devint moins vive.

— C'est rien, constata le lutteur, c'est le deltoïde qui a un peu trinqué. J'ai pourtant l'habitude, mais t'étais froid, c'est pour ça.

Il semblait presque s'excuser. Tandis qu'il regagnait sa place le dos au ring, Pierre remit son blouson. Kid attendit encore quelques instants puis, toujours calme, il demanda :

— Alors ?

Pierre baissa la tête et Kid, un peu plus haut, répéta sa question.

— On voulait pas faire de mal, dit Pierre. On voulait voir, c'est tout.

Kid vint se planter devant lui et, l'obligeant à lever la tête en l'empoignant sans brutalité par ses cheveux longs et épais, il dit :

— Ecoute, petit, je veux bien être bon bougre, mais faut pas te payer ma tête. On va pas visiter une verdine comme ça, à l'aveuglette, pour faire du tourisme. Qu'est-ce que tu voulais, du fric ?

— D'abord, je suis pas entré, moi.

— Tu faisais le pet ?

— Oui, mais j'étais pas d'accord... C'est mon copain qui a tout décidé.

Pierre eut à peine le temps d'apercevoir une ombre, une gifle magistrale arrivait. La douleur lui fit monter les larmes aux yeux.

— Ça, lui dit Kid, j'aime pas. J'aime pas les mecs qui fauchent, mais je crois que j'aime encore moins ceux qui se dégonflent.

Timidement, Pierre grogna :

— Vous avez pas le droit...

Kid l'interrompit.

— C'est bon, fit-il. J'ai pas le droit de te calotter, alors c'est pas la peine de perdre du temps. Viens avec moi, tu verras si les flics vont se gêner pour t'arranger la gueule.

Comme Pierre ne bougeait pas, Kid le prit par le bras pour l'obliger à se lever.

— Allez, j'ai pas de temps à perdre.

Pierre se leva lentement. Ses jambes tremblaient. Il fit trois pas, s'arrêta, eut une hésitation, et d'une voix étranglée, presque suppliant, il dit :

— Non, pas les flics. Foutez-moi une trempe si vous voulez, mais pas les flics.

Kid passa plusieurs fois sa main courte et épaisse sur son crâne. Il semblait réfléchir, tout en observant Pierre qui s'était de nouveau laissé tomber sur un banc.

— Ecoute-moi, petit. Je crois que tu ne m'as pas bien compris. Je t'ai donné à choisir entre les flics et une raclée. La raclée, si j'avais voulu te la mettre, tu serais resté la gueule dans une flaque. Mais j'aime pas ça. Et j'aime encore moins les flics. J'ai quarante-sept piges. J'ai jamais donné personne, et ça me ferait mal de commencer aujourd'hui. Et avec un gamin, encore.

Il fit trois pas dans l'allée qui menait au ring puis, s'arrêtant soudain, il demanda :

— Quel âge tu as ?

— Bientôt dix-huit.

— T'es pas mal baraqué, pour ton âge.

Kid revint devant Pierre, s'assit face à lui, sur un autre banc, toujours le dos tourné au ring.

— Alors, demanda-t-il, c'est du pognon, que vous cherchiez ?

— On voulait juste trouver de quoi bouffer.

— Ah.

Kid avait dit ce simple mot en hochant la tête.

— Je vous jure, ajouta Pierre.

Kid eut un sourire de sa bouche désaxée.

— T'es encore un pilon, hein ! Tu jures : croix de bois, croix de fer, si c'est pas vrai je vais en enfer.

— Je suis plus un gamin, dit Pierre. Mais je vous dis qu'on voulait bouffer, c'est tout.
— T'as si faim que ça ?
— On n'a pas mangé depuis hier matin.
— Hé bien moi, mon gars, ça m'est arrivé de rester plus longtemps que ça sans croquer, et j'ai pourtant jamais rien piqué à personne.
— Moi je voulais pas.
Kid éleva la voix et se souleva sur son banc, avec un geste de menace pour lancer :
— Ah ! non, hein ! Recommence pas. Si t'es pas une merde, personne t'obligera à faire un sale coup quand t'en as pas envie.
Il s'interrompit soudain, puis, très vite, et sur un autre ton, il demanda :
— C'est la première fois, que vous essayez de piquer, ton pote et toi ?
— Oui.
— Te paye pas ma tête.
Pierre ne put soutenir le regard du petit homme. Des mots étaient en lui, des mots qu'un seul regard de cet homme suffisait à refouler.
— Quand j'ai parlé des poulets, reprit Kid, t'as vraiment eu les foies. Y a bien une raison ?
— Non.
— Regarde-moi.
Pierre leva la tête. Le petit homme semblait calme. Seule sa mâchoire dont les muscles se crispaient légèrement, trahissait un peu d'agacement. Ses deux mains bourrelées de muscles étaient posées à plat sur ses genoux, comme deux bêtes prêtes à bondir.
— Alors, demanda-t-il, c'est grave ?
— On a eu un accident de bagnole.
— De bagnole volée, acheva Kid.
— C'était un petit camion, j'avais pas l'habitude.
— Et alors ?
— On était à Marseille... On travaillait.
— A voler des camions ?
— Non, sur le port.
— Il y a eu des blessés ?

— Non. C'est arrivé la nuit, sur une petite route. J'ai queuté un virage.

Kid se leva lentement. Marcha de long en large devant le ring pendant un moment, tout en continuant de questionner Pierre, toujours de son ton calme, se bornant seulement à le fixer dans les yeux lorsqu'une réponse ne lui semblait pas satisfaisante. Il apprit ainsi que les deux garçons avaient pris le train à Avignon et s'étaient arrêtés à Vienne parce qu'ils n'avaient pas assez d'argent pour aller plus loin.

— Et qu'est-ce que vous comptiez faire ? demanda-t-il.

— Essayer d'aller au moins jusqu'à Lyon. Là, on aurait trouvé du boulot.

— Et pour aller à Lyon, vous auriez encore piqué une tire ?

— Non, on voulait aller à pied ou faire du stop.

Kid s'approcha de lui, l'examina une minute et déclara :

— Avec des tronches comme vous en avez, vous auriez sûrement trouvé.

— Qu'est-ce que j'ai ?

Kid lui rabattit les cheveux en avant.

— T'as une tignasse de voyou. Et ton copain, c'est encore pire, il a l'air d'une tante.

— Vous le connaissez pas.

— Il était avec toi, pendant la séance. Figure-toi mon petit, repérer les gueules, ça fait aussi partie du métier, chez nous.

Kid se tut et retourna près du ring. Il se baissa, souleva un coin de la bâche qui pendait jusqu'au sol, tira une énorme valise qu'il posa sur un banc, l'ouvrit et revint vers Pierre avec une serviette de toilette.

— Tiens, dit-il, essuie-toi un coup, t'as de la boue plein la figure.

Pierre s'essuya. Il sentit la terre qui grattait son front et ses joues.

— Frotte-toi aussi les cheveux, ordonna Kid. Ta

veste et ton pantalon, faudra attendre que ça sèche pour les brosser.

Quand ce fut terminé, Kid lança la serviette sur une corde de ring. Lorsqu'il se retourna, Pierre demanda :

— Qu'est-ce que vous allez faire ?

Le lutteur se mit à rire.

— Tu te fais du mourron, hein ? Mais qu'est-ce que tu veux que je fasse ? T'as rien piqué dans la roulotte ?

Pierre fit non de la tête. Kid était revenu tout près de lui. A présent qu'ils étaient debout tous les deux, face à face, le garçon se rendait compte que le crâne rasé du lutteur lui arrivait à peine à l'épaule. Il constatait cela, et, en même temps, il pensait à son bras où la douleur était comme une bête à demi endormie.

— Moi, reprit Kid, je fais mon métier, les flics n'ont qu'à faire le leur. Quand on n'est pas en règle, c'est des gens qui ne nous font pas de cadeau. Je vois pas pourquoi je leur en ferais un. Et puis, je te l'ai dit : je suis pas un donneur. Je pense que ton pote doit t'attendre quelque part ?

Pierre eut un geste qui voulait dire : celui-là, je le connais, il est sûrement loin.

— Bien sûr, observa Kid, il a eu peur que je t'emmène au commissariat et que tu te mettes à table.

Pierre ne répondit pas. Kid parut réfléchir quelques instants puis, faisant pivoter Pierre dans l'allée, il le poussa vers la sortie en disant :

— Ça vaut peut-être mieux pour toi. T'as pas l'air d'un mauvais cheval. Tout seul, tu feras sans doute moins de conneries.

Pierre atteignait le rideau lorsque le lutteur ajouta :

— Ah dis donc, pour la roulotte où vous vouliez piquer, je te signale que c'était mal choisi. Ces gens-là sont sûrement aussi fauchés que vous.

La phrase demeura en suspens. Comme si l'homme eut renoncé à aller jusqu'au bout de son idée.

Pierre souleva le rideau que Kid maintint écarté afin qu'il eût assez de lumière pour faire les quelques pas qui le séparaient de l'auvent.

— Pour sortir, dit Kid, pousse au coin.

Pierre poussa le cadre de bois où la lourde bâche était tendue. Les lumières de la place apparurent, toutes noyées de pluie. Le garçon hésita, puis, avant de s'engager sous l'averse, il se retourna pour dire :

— Vous êtes un bon type.

— Tu n'as pas à me remercier.

Kid laissa retomber le rideau et s'avança jusqu'à lui. Le prenant par le bras, il le serra en demandant très vite :

— Qu'est-ce que tu vas faire ? Où tu vas crècher, par un temps pareil ? Qu'est-ce que tu vas bouffer ?

Pierre soupira en haussant les épaules. Par l'entrebâillement de l'auvent, les gifles du vent mouillé entraient.

— Tu vas encore faire des blagues, dit Kid.

Il y eut un temps. La fête semblait s'éteindre peu à peu. Seul le haut-parleur du manège d'autos tamponneuses fonctionnait encore, lançant par-dessus les bourrasques *Poupée de cire, poupée de son*. Kid secoua le bras de Pierre et se remit à parler très vite, à voix presque basse :

— Ecoute-moi. Je peux te faire manger, et tu peux passer la nuit ici. Mais... mais faut pas te tromper, c'est pas pour te faire plaisir que je fais ça... Seulement, t'as pas l'air d'un mauvais cheval... Et puis, si tu faisais une connerie dans le coin et que tu sois pris, çà pourrait revenir jusqu'à moi. On se demanderait pourquoi je t'ai pas fait coffrer. Et moi, les histoires, j'aime pas ça.

Sa voix était devenue très dure. Sa main serra plus fort, et, sans ménagement, il tira le garçon vers l'intérieur en ajoutant :

— Allez, amène tes os, on va arranger ça.

5

Kid poussa la porte vitrée de la roulotte et entra. Par-dessus son épaule, Pierre vit la femme qu'il avait remarquée à la caisse de la baraque des lutteurs. Elle était penchée sur une cuisinière à gaz. Sans même se tourner vers eux, elle cria :

— La serpillière !

Kid se baissa et tira sur le lino à fleurs une serpillière grise qu'il étala devant l'entrée. Il la piétina un moment puis, avançant d'un pas, il dit à Pierre de faire comme lui. La femme les regarda.

— C'est un copain, dit Kid. Il va coucher près de moi, est-ce que tu peux le faire bouffer avec nous ?

— Ma foi...

La femme montrait un visage fermé, presque crispé, avec des lèvres minces, des joues creuses et des yeux noirs très durs.

— On s'arrangera, dit Kid... Seulement...

— Y a pas à s'arranger. Tu sais bien que je fais toujours largement, et je suis pas à ça près.

Lorsqu'ils avancèrent vers le centre de la pièce, Pierre remarqua un homme immobile, dans la pénombre, tout au fond de la roulotte. L'homme grogna en remuant la main. Le femme cria :

— Taisez-vous, Pat. Taisez-vous. C'est un copain à Kid.

— Viens, dit Kid. C'est le grand-père, faut lui dire bonjour.

Ils s'approchèrent de l'homme qui était assis dans un fauteuil d'osier, les jambes enveloppées d'une couverture de laine écossaise.

— Donne-lui la main, dit Kid à voix basse.

Pierre tendit sa main à l'homme qui la serra très fort. Criant presque, Kid expliqua :

— C'est un ami à moi. Je l'ai connu, il était tout môme. Ses vieux habitaient Montreuil, pas loin de chez moi. C'était le bon temps, Pat. C'était le bon temps.

Le visage du vieillard s'éclaira d'un sourire qui creusait ses rides. Son œil gauche semblait plus fixe que le droit, sous une paupière lourde qui retombait sans cesse. Il grogna doucement. Il tenait toujours la main de Pierre dans la sienne qui était large et serrait convulsivement. Il lâcha enfin au moment où la fille que Pierre avait remarquée à l'entrée de la baraque ouvrait la porte. Elle essuya ses pieds sur la serpillière et posa quatre gros pains sur la table.

— Tu mettras un couvert de plus, dit la mère. Kid a une visite.

La fille s'approcha et s'arrêta à deux pas des hommes. Il y eut un instant de silence.

— C'est Pierre, un copain à moi, dit Kid.

Pierre tendit la main à la fille tandis que Kid ajoutait :

— Elle s'appelle Diane. C'est la fille des patrons.

— Vous étiez à la séance, dit-elle, dans les témoins, je vous reconnais.

Kid s'empressa d'intervenir.

— Oui, il a pas osé me parler à ce moment-là. Et moi, depuis plus de cinq ans que je l'avais pas vu, je l'ai pas remis tout de suite. A son âge, on change.

La porte s'ouvrit à nouveau, et le gros homme à pull-over rouge entra.

— Tes pieds ! glapit la femme.

— Merde, grogna-t-il.

Il prit pourtant la serpillière et sécha soigneusement ses chaussures. Kid recommença la présentation de Pierre, puis le patron leur dit de s'asseoir.

— Faut que je fasse un saut chez Gégène, dit Kid. J'en ai pour une minute.

Le patron s'était assis lourdement sur un tabouret.

— Mets-toi là, fit-il.

Pierre se glissa entre la table et le banc de bois fixé à la cloison de la roulotte et s'assit en face de l'homme qui réclama à boire. La fille apporta un litre de vin rouge et deux verres que l'homme emplit aussitôt.

— A la tienne, dit-il.

Il vida son verre d'un long trait, puis il souffla très fort, du fond de la gorge. Il sortit ensuite un paquet de tabac et se mit à bourrer une grosse pipe courte. Pierre avait bu la moitié de son verre. Le vin était âpre et glacé. Il le sentit descendre jusqu'à son estomac vide.

— Alors, demanda l'homme en soufflant sa fumée sur la table étroite où il s'était accoudé, t'es un copain à Kid ?

— Oui.

Il fixait Pierre d'un regard trouble. Son haleine était forte : tabac, vin, et une espèce d'aigreur qui soulevait le cœur. Comme il empoignait le litre, sa femme le lui retira en disant :

— Ça suffit comme ça, tu boiras en mangeant.

Le gros homme eut un rire gras qui fit trembler la table.

— C'est chiant, les femmes, dit-il.

Diane avait commencé de disposer les assiettes et les couverts. Il y eut un long moment avec seulement le bruit qu'elle faisait, mêlé au crépitement irrégulier de la pluie qui courait sur le toit de métal.

— T'as quel âge ? demanda l'homme.

— Dix-huit ans.

— J'ai un garçon qui a un an de plus que toi.

— Ah !

— Parfaitement, dit l'homme.

Pierre se sentait gêné. Il osait à peine parler. Ce demi-verre de vin lui montait un peu à la tête à cause du manque de nourriture. Il suivait des yeux les gestes de la femme préparant le repas. Une bonne odeur de soupe s'échappait d'un grand fait-tout d'aluminium dont le couvercle se soulevait pour laisser filer des bouffées de buée blanche.

— Et mon garçon, reprit l'homme, c'est quelqu'un ; intelligent et tout. Avec ce qu'il a dans le cerveau, celui-là, s'il avait voulu m'écouter...

Sa femme l'interrompit en criant :

— Tais-toi donc ! Il veut se sortir de ce merdier, et il a bien raison.

Le gros homme frappa la table du poing, faisant tressauter les assiettes et les verres .

— Ce merdier te nourrit ! rugit-il.

Il s'arrêta, comme illuminé soudain. Son visage se détendit et il partit d'un gros rire en ajoutant :

— Je n'irai pas jusqu'à dire qu'il t'engraisse, mais c'est ta nature d'être grasse comme un trousseau de clefs.

Le vieillard assis au fond de la roulotte agita la main en grognant. Le patron se tourna dans sa direction pour crier :

— Tu as raison, Pat ! Le merdier les nourrit. Et il t'a nourri toute ta vie. Mais tais-toi, je cause avec un ami.

Reprenant sa position face à Pierre, le patron expliqua :

— C'est mon père. Il va sur ses quatre-vingts. Il a eu une attaque voilà bientôt cinq ans. Un truc épouvantable. On était en route. Cent vingt kilos, qu'il pesait Il a fallu le traîner, on s'en souviendra.

Tandis qu'il parlait, sa femme s'était dirigée vers le fond emportant un bol qu'elle avait empli d'une tisane qui sentait bon les fleurs des champs. Le dos tourné aux hommes, inclinée en avant, elle devait faire boire le malade.

— Il a toute sa connaissance, expliqua le patron, seulement il n'a que le bras droit de valide. Mais tu sais qu'avec ce bras, il pourrait encore assommer un bœuf. Ce qui lui manque, c'est l'adresse. Il renverse tout ce qu'il essaye de toucher.

L'homme expliqua que son père avait été un hercule comme on n'en rencontre plus. Il parlait avec admiration et une sorte de respect qui l'obligeait à baisser la voix. A un certain moment, Pierre eut même l'impression que ses yeux injectés de sang commençaient à s'embuer de larmes. Brusquement, l'homme cessa de parler de son père pour revenir à son fils.

— Quand il était petit, dit-il, il était toujours fourré avec les lutteurs. Moi j'espérais. Et le vieux aussi. Mais c'était un garçon qui lisait. Toujours la tête à fermenter.

La mère revint à eux et posa son bol vide sur la table.

— Il n'était pas fait pour la vie que nous menons. soupira-t-elle.

— Est-ce que tu peux dire pour quelle vie il est fait ? demanda le père.

Il avait parlé sans colère, mais la mère se détourna de lui en grognant :

— Tu dis qu'il est intelligent, mais tu n'as jamais voulu l'écouter.

— Si je l'avais écouté, j'aurais bazardé la baraque...

Il se tut soudain, parut hésiter entre la colère et le silence. Son regard descendit jusqu'à la table où il se fixa sur le verre que Pierre avait laissé à moitié plein. Il l'observa un moment puis, lentement, il avança la main. Arrêtant son geste, il demanda :

— Tu bois pas ?

— Non, ça va comme ça.

— Pourquoi tu bois pas ?

Pierre n'osa pas dire qu'il n'avait rien mangé depuis la veille, et que le demi-verre absorbé lui brûlait l'estomac et commençait de lui tourner la tête. Pris de court, il bredouilla :

— Parce que je... je fais du sport.

Le patron saisit le verre qu'il vida goulûment, puis, le reposant, il éclata de rire en disant :

— Nous aussi, on en fait. C'est même notre métier. Mais ça nous empêche pas de boire, bon Dieu !

Au contraire, ça nous donnerait plutôt soif... Et puis, faut pas dire, mais le vin, ça nourrit.

La femme dit quelques mots que Pierre ne put saisir et que l'homme n'entendit probablement pas. La tête dans les mains, il se tut soudain, plissa son front bas et fronça ses sourcils épais au-dessus de son regard trouble. Il semblait, en même temps, soupeser Pierre et réfléchir à une chose très compliquée. Enfin, se penchant davantage par-dessus la table, il demanda :

— Tu fais du sport, dis-tu ? Mais quoi donc comme sport ?

Pierre ne se donna même pas quelques instants de réflexion.

— J'ai joué au foot, dit-il. Et puis, j'ai fait surtout de la boxe et un peu de lutte.

L'homme se redressa soudain. Gonflant sa poitrine et levant les mains, il regarda tour à tour sa femme et sa fille en répétant :

— Vous entendez ! Vous entendez ce qu'il dit ? Mais nom de Dieu, un copain à Kid, j'aurais dû m'en douter !

Se penchant vers Pierre, il lui souffla très fort à la figure son haleine insupportable et demanda :

— Où tu bosses ?

— Pour le moment, j'ai rien.

L'homme eut une nouvelle exclamation de triomphe.

— Des coups comme ça, ça vous ferait presque croire au bon Dieu !

Il criait très fort, riait, postillonnait abondamment.

— Et cet imbécile de Kid qui n'avait rien dit ! Tu vas travailler avec nous, petit. Tu vas travailler avec nous !

— Mais... protesta Pierre.

L'homme lui assena sur l'épaule une claque qui faillit le faire hurler de douleur.

— Tais-toi, dit-il. Je te dis qu'on va travailler ensemble. Tu verras.

Il se tourna vers sa femme et cria :

— Tu te rends compte, Tine, la veine qu'on a ? On va pouvoir liquider l'autre tordu de la fonderie. Tu verras, petit...

Kid venait d'entrer. Aussitôt, le patron se mit à l'insulter en riant. Le petit hercule paraissait éberlué. Il commença à comprendre quand l'autre lui lança :

— Bougre de salopard, tu m'avais pas dit que ton copain était du métier et qu'il cherchait du boulot.

Kid vint s'asseoir à côté de Pierre qu'il regarda en clignant de l'œil. Pierre se sentait la gorge serrée et le visage brûlant.

— Moi, observa Kid très calmement, ça fait cinq ans que je l'avais pas vu. Je pouvais pas savoir qu'il avait continué l'entraînement.

— Tu sais jamais rien, toi, dit le patron. T'es une vraie gaufre. Mais tu vas tout de même nous sortir de la merde. Même si tu l'as pas fait exprès.

Pierre voulut encore protester, mais il reçut un coup de pied et comprit qu'il devait se taire. Déjà le patron s'était tourné vers sa fille pour lui dire :

— Diane, tu peux appeler les autres, faut qu'on leur annonce ça !

6

Diane ouvrit une petite fenêtre, prit un balai, et frappa du manche contre la roulotte voisine. Une vague d'air froid coula dans la pièce et modela sous la table un large remous. Le patron parlait toujours.

— Ça fait trois jours qu'on a ce temps sauvage, disait-il. C'est une catastrophe. Et avec un tocasson dans l'équipe, faut se crever au baratin pour gagner tout juste de quoi bouffer. Les poids, ça n'attire plus les gens... Et puis, pour la lutte et la boxe, la télévision nous fait du tort.

La porte s'ouvrit. L'homme qui entra le premier était le vieux Portugais qui avait demandé à lutter avec le Noir. Il frotta ses semelles sur la serpillière en disant :

— Le temps n'a pas l'air de s'arranger.

Il avait un accent assez prononcé, mais semblait parler le français sans difficulté.

— C'est justement ce que j'étais en train de dire, fit le patron.

Le vieux leva ses yeux tristes vers le plafond noir, et soupira :

— Le Bon Dieu n'est plus avec nous.

Pierre serra la main que lui tendait le Portugais, elle était froide et mouillée. Le nègre qui était entré derrière le vieux s'approcha également. Sa main était douce et tiède. Le patron qui s'était remis à rire, fut pris d'une quinte de toux. Dès qu'elle fut calmée, il dit au vieux :

— Détrompe-toi, Tiennot. Je sais pas si c'est ton

Bon Dieu ou saint Kid Léon, mais il vient de nous tomber du ciel, celui-là.

Il frappait de nouveau l'épaule meurtrie de Pierre qui serra les dents.

— Quoi, y va travailler avec nous ?

— C'est sûr. Il va remplacer le mec de la fonderie. C'est un copain à Kid.

Le Portugais s'adressa au petit hercule pour demander :

— Vous avez déjà travaillé ensemble ?

Kid ne parut ni surpris ni embarrassé.

— Non, dit-il. Quand je l'ai connu, il était trop jeune. Mais il s'entraînait déjà. Vous verrez, je m'occuperai de lui. Il aura vite pigé.

Pierre voulut encore protester, mais plus personne ne pouvait l'entendre. Le patron s'était remis à parler et à gesticuler. Il était difficile de suivre ce qu'il disait. Il parlait de la pluie, du travail, de la guigne et de la chance, et finissait toujours par en revenir à son fils qui s'appelait Félix. Pierre crut comprendre que, parmi les lutteurs, le nègre était le seul qui eût connu Félix. Lui aussi en parlait, d'une voix douce et grave, avec un regard qui exprimait une grande admiration.

La mère avait posé au milieu de la table une énorme soupière blanche à fleurettes roses et bleues. Pierre n'écoutait plus personne. Il regardait cette soupière et respirait la buée odorante qui filait sous le couvercle.

A présent, tout le monde parlait, sauf la fille et le Portugais. A plusieurs reprises, le regard de Pierre croisa celui de Diane qui lui souriait. Dans le fond de la roulotte, le vieux semblait s'être assoupi, sa casquette rabattue sur les yeux. Il se redressa soudain et se mit à gesticuler de sa main valide en poussant des grognements.

— Il a senti la soupe, dit le patron. C'est recta, ça le réveille chaque fois. Faudrait pas qu'il mange le soir, mais si on lui donnait pas sa soupe, il ferait la comédie toute la nuit.

En disant cela, il s'était levé. Le Noir le suivit. Ils empoignèrent le fauteuil chacun d'un côté et apportèrent le vieillard au bout de la table. Tout en le portant, le nègre lui parlait doucement, comme il eût fait avec un enfant :

— Voilà Pat... Ah, la bonne soupe pour Pat... Là, doucement... Voilà... La bonne soupe.

Pierre n'était séparé du vieillard que par Kid Léon assis à l'extrémité du banc. Diane s'assit en face de Kid, entre son grand-père et son père qui avait repris sa place face à Pierre. Le Portugais se trouvait à gauche de Pierre, avec, en face de lui, la femme qui commençait de servir la soupe. Le nègre occupait l'autre extrémité de la table. La femme donna deux grandes louches de soupe par personne, puis elle emporta la soupière. La soupe était épaisse, avec beaucoup de pain et de légumes en gros morceaux. Diane mit une cuillerée de soupe dans sa bouche puis, tout en mâchant le pain et les légumes, elle commença de faire manger le grand-père. Dès qu'elle lui avait mis la soupe dans la bouche, elle tenait la cuillère appliquée sous sa lèvre pour récupérer le bouillon qui coulait. Elle semblait avoir beaucoup de patience. De temps en temps, avec une serviette posée sur le coin de la table, elle essuyait le menton du grand-père. Pour mâcher, le vieux fermait les yeux. Il semblait souffrir. Il s'arrêtait parfois, la bouche encore pleine. Les muscles de sa large face piquetée de poils gris étaient pareils à des bêtes toutes secouées de convulsions. Quand ses paupières se levaient, son regard se posait sur Pierre. Un regard douloureux, tellement chargé de détresse que le garçon en éprouvait une sorte de malaise. Il avait envie de ne plus regarder le vieux, et pourtant, chaque fois qu'il relevait la tête, malgré lui, c'était de son côté qu'il se tournait.

Après la soupe, ils mangèrent des pommes de terre sur lesquelles avaient cuit une grosse saucisse fumée et un morceau de lard. A mesure qu'il mangeait et buvait le vin âpre, Pierre sentait une espèce de torpeur le gagner. Il écoutait de moins en moins ce que disaient les autres.

Ils avaient presque terminé leur repas, lorsque la porte s'ouvrit. L'homme qui avait tiré les poids avec Kid Léon entra. Il portait un imperméable noir ruisselant.

— Serpillière ! cria la femme.

L'homme essuya minutieusement ses chaussures et quitta son imperméable qu'il suspendit derrière la porte, au-dessus de la serpillière. Ensuite, il prit un tabouret pour s'asseoir en retrait, au coin de la table, entre le Noir et la femme. Il regardait Pierre. Tandis que le patron lui versait un verre de vin, il dit :

— Je suis passé à tout hasard, mais avec ce temps...

Il n'acheva pas. Le patron regarda Pierre, puis, se tournant vers l'homme, il dit lentement, comme s'il eût cherché chaque mot :

— C'est sûr... C'était prévu... pour ce soir, c'est foutu.

Il eut un geste las vers le toit où la pluie menait toujours sa course qu'on finissait par ne plus entendre.

— De toute façon, reprit-il après une pause, pour toi, ça va être cuit.

L'homme eut un bon sourire en direction de Pierre.

— Je m'en suis douté en entrant, dit-il.

— C'est emmerdant, dit le patron, mais tu comprends, avec le temps qu'il fait.

— Ça n'a pas d'importance. Moi, vous savez, j'ai la fonderie. Ce que je fais avec vous, c'est du supplément. Mais je sais bien qu'il faut faire travailler les jeunes.

— Mon garçon parlerait comme toi, dit le patron. Et tu sais, mon garçon, c'est une tête.

— Je sais.

— Tu sais rien du tout, puisque tu le connais pas.

— Joë m'en a parlé souvent.

— Félix, dit le Noir, c'est vrai, c'est une tête.

— Et je dis qu'il aurait parlé comme lui, parce qu'il a le sens de la société, cria le patron.

Il s'énervait. Il se reprit à parler de son fils, du temps, du travail. Comme le nouveau venu cherchait à placer un mot, le patron se fâcha.

— Tais-toi, lança-t-il. Je sais ce que je dis. Et moi aussi j'ai le sens de ce qui fait la société. Aussi je te dis : c'est cuit pour toi, mais tu viendras tout de même demain et dimanche. Et quand on sera à Lyon, tu pourras aussi venir le dimanche et le samedi.

L'homme fit un signe d'assentiment et le patron continua, après avoir vidé son verre :

— Tu as quatre gosses, je sais ce que c'est, et c'est pourquoi je te dis que tu viendras le dimanche et le samedi.

Le patron vida coup sur coup deux verres de vin. Tandis qu'il avalait le deuxième, sa femme prit le litre et l'emporta dans le placard, sous l'évier triangulaire qui se trouvait dans l'angle, à gauche de la porte. Le gros homme eut un geste de désespoir, regarda tous les verres vides, puis les convives comme pour les prier de l'excuser. Le grand-père poussa un vagissement, et le patron se tourna vers lui pour crier :

— Tu es d'accord, Pat. Toi aussi tu sais ce que c'est, la société.

7

Lorsque les hommes quittèrent la roulotte de Patron Carminetti, la pluie n'avait pas cessé. Le vent poussait toujours sur la place de longues vagues qui changeaient de couleur en passant devant les baraques et les manèges. Il n'y avait que quelques clients autour des tirs et des loteries.

Le père Tiennot et Joë gagnèrent la roulotte installée à côté de celle d'où ils sortaient, tandis que l'ouvrier fondeur accompagnait Kid et Pierre jusque devant la baraque. Kid maintint l'auvent soulevé pendant que l'homme sortait sa moto. Il leur serra la main, puis s'éloigna lentement en poussant sa machine, le dos courbé sous l'averse. Lorsqu'il eut disparu entre deux baraques, Kid laissa retomber l'auvent. Dans l'obscurité, Pierre l'entendit remuer une barre de fer. Dehors, la moto du fondeur pétarada et s'éloigna. Le haut-parleur des autos tamponneuses lançait toujours les mêmes chansons, dans un ordre immuable.

— C'est un brave mec, dit Kid. Mais l'autre ivrogne a raison : les poids ça n'attire plus le public. Et c'est vrai que la télé nous fait du tort. Elle donne de vrais combats de boxe, et les catcheurs qu'on y voit font souvent du beau travail. Beaucoup de gens savent bien que c'est du spectacle, mais il faut reconnaître que le nôtre n'est pas de taille.

Ils gagnèrent la tente où était le ring. Kid donna de la lumière puis, regardant Pierre, il se mit à rire.

— Qu'est-ce que vous avez à vous marrer ? demanda le garçon.

— D'abord, je t'ai dit de me tutoyer. Faut le faire même quand on est tout seuls. (Il se remit à rire.) Je me marre, à cause de l'autre qui t'a embauché. Qu'est-ce qui s'est passé, au juste ?

— Y m'a demandé si je faisais du sport. J'ai dit oui, de la boxe et de la lutte.

— Et c'est pas vrai ?

— Si, j'en ai fait.

Pierre avait parlé durement. Kid fit un bond en arrière, comme s'il eût été terrorisé et, portant son coude devant son visage à la manière des enfants qui veulent se protéger d'une gifle, il pleurnicha :

— Faut pas me battre, m'sieur, je savais pas.

— C'est pas la peine de te foutre de moi. Je sais bien que...

Pierre se tut. Il alla jusqu'au ring et balança sur la corde la couverture que la patronne lui avait prêtée.

— Alors, lança Kid, continue !

— C'est pas la peine. De toute façon, demain matin, avant que les autres se réveillent, j'aurai mis les cannes.

Kid fit un geste qui voulait dire que ce problème ne le regardait pas. Il prit son énorme valise qu'il posa sur le bord du ring où il grimpa ensuite, pour commencer à se déchausser.

— Tu peux te coucher, dit-il.

Pierre monta et s'assit sur l'un des tabourets pour délacer ses chaussures.

— Attention à la terre, dit le petit hercule, faut pas en mettre trop sur le tapis. Balance tes pompes en bas.

Il se remit soudain à rire et se redressa pour expliquer :

— Je rigole en pensant à l'autre ivrogne. C'est bien des coups à lui. Quand il est rond, il embaucherait aussi bien une bonne sœur ou un cul-de-jatte. C'est une vraie tribu de maboules. Enfin, faut bien gagner sa croûte.

Tout en parlant, il avait sorti de sa valise un petit

oreiller, un sac de couchage en toile blanche et un autre en duvet. Il installa le tout sur le tapis et se déshabilla.

— Tu peux te mettre où tu veux, dit-il. Le lit est large, on se battra pas.

Complètement nu, il se glissa dans son sac et tira la fermeture Eclair. Pierre se déshabillait lentement.

— Tu as un slip qui est rudement dégueulasse, observa Kid. Tu dois pas te laver souvent.

— Faut pouvoir.

— Ça, c'est comme gagner sa vie. Quand on veut, on peut toujours... Enfin moi, ce que je t'en dis... Ici, c'est pas l'air qui manque, même si tu pues un peu, ça peut pas m'empêcher de roupiller.

Pierre s'allongea sur la couverture qu'il enroula autour de lui.

— Tu auras assez chaud ? demanda Kid.

— Oui.

— Si tu as froid, j'ai une canadienne dans une autre valise. Je peux te la passer.

— Non, ça va.

— Pourquoi tu dis jamais merci ?

Pierre ne répondit pas. Il regardait le plafond de toile qu'éclairait l'ampoule jamais immobile au bout de son fil. Après un long silence, Kid expliqua :

— Je vais te le dire, moi. C'est pas parce que tu n'y penses pas. C'est pas non plus parce que personne ne t'a appris la politesse, mais c'est pour être à la mode. Pour avoir l'air d'un dur. Ça te ferait mal de dire merci. Tu aurais l'impression d'être un minable.

Il laissa passer quelques instants puis, comme Pierre ne répondait pas, il ajouta :

— Tu t'es couché le dernier, mais tu t'es même pas demandé qui allait éteindre.

Pierre rejeta sa couverture et se dirigea vers le bord du ring. Kid l'arrêta.

— Non, fit-il. Je suis pas si vache. Retourne pas à la porte. Tu montes sur le tabouret, et tu enlèves la couille... Prends ta chaussette, tu vas te brûler. Tu la poseras dans ma valise, qu'on n'aille pas la casser.

Lorsqu'il se fut recouché, Pierre s'aperçut qu'il ne faisait pas vraiment nuit sous la tente. Seul le côté où se dressait l'estrade était noir, mais les trois autres laissaient filtrer des lueurs sans cesse en mouvement. Le vent agitait les lampes, gonflait et dégonflait les bâches, peuplant d'ombres fluides et de clarté les trois écrans verdâtres d'où arrivaient des vents coulis tout chargés d'humidité. Pierre les sentait courir sur son visage comme des bêtes souples. Le haut-parleur du grand manège ne fonctionnait plus et seules les quelques détonations de carabines perçaient encore le bruit de l'averse. Au-dessus d'eux, une large poche d'eau se balançait, zébrée çà et là de reflets vifs. Kid devait la regarder aussi.

— Si ça continue, dit-il, on pourrait élever des poissons, ça rapporterait plus que les poids.

— Vous gagnez gros ? demanda Pierre.

— Tiens, ça t'intéresse ?

— Non, c'est pour savoir.

— Qu'est-ce qu'il t'a offert, Pat ?

— Rien. Il m'a dit : on verra ce que tu peux faire.

Pierre sentit que Kid remuait. Il le voyait mal dans la pénombre, mais il comprit tout de même que le petit hercule s'était soulevé sur un coude et tourné dans sa direction.

— Ecoute, dit Kid. Ce que tu veux faire, ça ne me regarde pas. Mais si tu es sans boulot, pourquoi tu n'essaierais pas de rester avec nous ?

— Tu rigoles, je pourrais jamais.

— Si vraiment tu as déjà fait un peu de lutte et de boxe, tu seras toujours moins tocard que le gars de la fonderie. Et si tu n'es pas feignant, le métier, tu l'apprendras vite.

Pierre soupira. Il pensait à Guy. Guy s'était sauvé. Il n'était même pas revenu vers lui pour tenter de l'aider. Il avait peut-être réussi à voler une voiture, ou une mobylette. A présent, il était à Lyon. Est-ce qu'il avait mangé ? Peut-être pas. La soupe des Carminetti, c'était quelque chose. Et les pommes de terre avec le lard et la saucisse ! La veille au soir, ils avaient essayé de dormir dans un pré, de peur d'être pris s'ils se réfugiaient dans une salle d'attente. Il ne pleuvait pas, dans le Midi, mais le mistral les avait fait grelotter toute la nuit. Ce soir, c'était tout de même mieux, cette baraque avec ce tapis. A côté, il y avait le petit hercule. Un sacré type, tout de même ! Guy pouvait toujours répéter que tout était du chiqué, s'il s'était fait prendre, il aurait compris... Saloperie de câble. Après tout, une prise de bras, ça n'était pas terrible. La soupe, les patates, le tapis pour dormir...

— Qu'est-ce que tu faisais comme travail, avant ton histoire de camion ? demanda Kid.

— On bricolait sur le port. Moi ça pouvait aller, mais mon pote, il est pas costaud.

— Et vous avez bricolé longtemps ?

— Deux mois, à peu près.

— Et avant ?

— Avant, on était à Paris. Moi, j'étais dans une boîte qui fabrique des verres de lunettes. Un sale filon. Dans la flotte tout le temps. Les trois huit. Quarante-huit heures par semaine.

A mots hachés d'abord, comme à regret, Pierre se mit à raconter. Dès qu'il s'arrêtait, le petit hercule trouvait le mot à dire pour l'obliger à poursuivre. Il parla de sa mère morte, d'un père qu'il n'avait jamais connu autrement que par ouï-dire, d'un oncle qui l'avait logé dans un taudis et lui volait les trois quarts de son salaire pour le nourrir de ce que ne voulaient pas les clients de sa gargotte. Pierre avait décidé de quitter Paris en compagnie de Guy à la suite d'un vol de mobylette suivi d'une bagarre dont la police s'était mêlée.

— Ça devenait impossible, dit-il. Les flics étaient sur notre dos tous les soirs. C'était plus une vie.

— C'est vrai, soupira Kid, on ne peut pas vivre avec des flics sur le dos. C'est pourquoi il vaut mieux essayer de ne jamais se les foutre à dos.

— Tu peux y aller, une fois que tu es repéré, c'est

fini. Tu sais même plus ce que tu as le droit de faire.

Pierre eut l'impression que Kid était sur le point de parler ; pourtant, il se contenta de soupirer en se recouchant. Pierre n'avait plus rien à dire. Il avait étalé toute sa vie, comme ça, en un petit quart d'heure. Il éprouvait le sentiment de s'être mal fait comprendre. Il n'avait pas l'habitude de raconter, de décrire. Avec les copains du quartier, c'était facile. On se comprenait à demi-mot. Mais si le petit hercule ignorait tout de cette existence-là, rien ne pouvait lui en donner une idée précise.

— Tu es resté combien de temps, dans ton usine, à laver des blocs toute la journée ? demanda Kid.

— Deux ans et des poussières. C'est déjà un bail, tu sais.

— Et tu gagnais combien ?

— Trente-cinq, quarante sacs, suivant les heures.

— Le Père Tiennot, Pat lui donne mille balles par séance, et autant pour les jours où on démonte la baraque. L'un dans l'autre, il doit se faire ses cinquante sacs par mois. En plus de ça, il est nourri et logé.

Il se tut. Pierre comprit qu'il attendait une question.

— Tu crois qu'il m'en donnerait autant ?

— Au début, ça m'étonnerait. Le vieux est usé, mais il connaît son métier. Et puis les vieux, ça fait pitié. Les gens veulent voir. Mais tu pourrais gagner presque autant que dans ta boîte, et sans te crever, encore. Et puis tu aurais la nourriture. La Tine, c'est pas une marrante, mais pour ce qui est de la cuisine, y a rien à dire.

Le tir ne fonctionnait plus. La place devait être déserte et plusieurs lampes étaient éteintes, seul un côté de la tente vivait encore.

— Allez, dit Kid, faut roupiller. Demain matin, si tu veux te tirer en douce, passe pas devant la roulotte, la Tine est toujours levée avant les poules.

8

Pierre fut réveillé par un choc sourd. Il ouvrit les yeux. Le patron, toujours vêtu de son pull-over rouge, était debout devant lui. Il tenait un balai, les crins en l'air.

— Alors, vous avez bien roupillé ? demanda-t-il.

— Ça va, répondit Kid toujours couché dans son sac.

A l'aide du balai, le patron souleva la tente. Il y eut, à l'extérieur, un grand bruit d'eau.

— Ça sert à rien, dit Kid, d'ici midi il y en aura autant.

— Non. Ça ne tombe plus et le vent a tourné.

Il fit couler ce qui restait d'eau, puis quitta la tente. Dès qu'il fut sorti, Kid se mit à rire en disant :

— Si tu voulais les mettre avant l'aube, c'est raté.

Pierre était encore tout engourdi de sommeil. Il se tourna sur le côté pour regarder Kid et la douleur de son épaule se réveilla.

— Pourquoi tu m'as pas appelé ? grogna-t-il.

— Moi ? Mais tu me l'as pas demandé.

Pierre se laissa retomber sur le dos avec un gémissement. En se couchant, il avait eu l'impression que le sol du ring était assez souple, mais la sciure qui se trouvait sous la bâche, une fois tassée par le poids du corps, devenait aussi dure qu'une planche.

— Ton épaule te fait mal ? demanda Kid.

— Un peu, oui.

— J'ai de l'embrocation siamoise, je te ferai un petit massage tout à l'heure.

Il fit coulisser la fermeture de son sac, se leva,

s'étira et enfila son pantalon. Il étendit ensuite ses deux sacs sur les cordes du ring. Il faisait tout avec des gestes brefs, précis, presque secs. Lorsqu'il se déplaçait, il avait une façon de ployer les genoux qui rappelait un peu celle des gorilles. On le sentait constamment prêt à la détente. Toujours allongé, Pierre le regardait aller et venir dans la lueur pâle et incertaine qui semblait suinter de la toile encore mouillée.

— Si tu veux profiter de la serviette et du savon, faut venir te laver tout de suite, dit-il.

Pierre sortit de sa couverture et étendit la main pour prendre son slip qu'il avait laissé sur le tapis. Il allait l'atteindre lorsque Kid le repoussa du pied en disant :

— Tu voudrais tout de même pas enfiler cette pourriture ? C'est comme tes chaussettes, y a que les trous qui sont propres. Tiens, enfile ça pour le moment.

Pierre resta immobile, regardant tour à tour son slip dans l'angle du ring et la culotte bleue que Kid venait de lui lancer.

— Enfile ça, je te dis.

Kid n'avait pas crié, même pas élevé la voix. Le ton était à peine plus ferme, mais sans aucune colère. Pierre obéit. Il passa la culotte de sport sans rien dire, et pourtant, il ne voulait pas le faire. Il ne cessait de se répéter : « Qu'est-ce qu'il a ? Qu'est-ce qu'il me veut ? Je lui ai rien demandé. J'ai pas à lui obéir. D'abord, je vais me tirer. J'ai pas besoin de me laver. »

— Pas la peine de mettre tes pompes, dit Kid ; prends-les à la main, c'est à deux pas.

Pierre soupira, mais il suivit le petit hercule. Au sortir de la tente, le froid le saisit. Pierre hésita.

— Ça caille, dit-il.

— T'inquiète pas, la flotte va te réchauffer pour la journée. D'ailleurs, Pat avait raison, il va faire beau.

Le ciel était encore tout barbouillé de longues grisailles, mais, par-delà les maisons et la colline barrant l'horizon, une lueur jaune indiquait déjà la présence du soleil. Ils contournèrent la baraque pour atteindre l'extrémité de la roulotte. Deux piquets de fer maintenaient en carré une bâche déchirée en plusieurs endroits et accrochée derrière la roulotte.

— C'est moi qui l'ai installée, dit Kid. C'est le cabinet de toilette. Comme ça, on peut se foutre à poil, personne n'a rien à redire.

Il enleva son pantalon qu'il posa à cheval sur le haut de la bâche, en ordonnant à Pierre de quitter sa culotte.

— T'es fou, je vais me laver comme ça.

Kid planta son regard clair dans les yeux du garçon.

— Ecoute-moi, petit. Tu vas pas dire non chaque fois que je te propose quelque chose. C'est inutile puisque tu finis toujours par le faire.

Pierre avait envie de crier qu'il voulait partir. Comme s'il l'eût deviné, Kid poursuivit.

— Si tu veux t'en aller, faut partir tout de suite. Si tu restes, tu m'écoutes.

Immobile, Pierre grelottait. Kid semblait très à son aise, complètement nu dans l'aube glaciale. Il laissa passer quelques instants, puis découvrant dans un sourire tout un côté de sa denture bien blanche, il tapa sur l'épaule du garçon en disant :

— Tu verras, tu le regretteras pas.

Pierre pensa : « Je reste aujourd'hui, parce que je veux encore bouffer, mais ce soir... »

Kid avait ouvert un robinet qui terminait un tuyau en matière plastique qu'un piton retenait au bas de la roulotte. L'eau coula dans une bassine posée à terre. Kid avait sorti d'un sac de toile kaki tout un matériel de toilette. Lançant une grosse éponge dans la bassine, il tendit un pain de savon.

— Allez, commence, dit-il, tu as plus froid que moi et je te frotterai le dos.

Pierre prit l'éponge du bout des doigts, la laissa s'égoutter un peu avant de se décider à la serrer entre ses mains. Lorsqu'elle eut rendu toute son eau, il se frotta le visage.

— Oh, oh, fit Kid. Tu te laves, ou tu te mets de la poudre ? Allez, je vais pas attendre deux heures.

Lui arrachant l'éponge, il la trempa dans la bassine et lui aspergea le torse. Pierre suffoqua.

— T'es fou... t'es fou... cria-t-il.

— Tais-toi. Tu vas attirer la Tine et sa fille. Elles vont se marrer si elles te voient comme ça.

Pierre perdait le souffle. Lorsque l'eau glacée coula sur son bas-ventre, il crut qu'il allait tomber. Mais Kid, le maintenant par un bras, continuait de le frotter avec l'éponge. Dès qu'il l'eut complètement mouillé, le petit homme le savonna. Il frottait très fort en disant :

— Allez, frotte le devant, je m'occupe du reste. Et n'oublie pas les joyeuses, ça doit faire un bout de temps qu'elles n'en ont pas vu autant.

Pierre se frotta des deux mains, lentement d'abord, puis plus vite et plus fort pour se réchauffer. Quand son camarade commença de le rincer, il lui parut que l'eau était déjà moins froide. De lui-même il se lava les pieds dans la bassine.

— T'as changé de couleur, observa Kid, mais la flotte aussi.

Il contraignit encore le garçon à se laver les cheveux sous le robinet.

— Ça coule noir comme si ta tignasse allait déteindre, remarqua-t-il.

A présent, il riait. Pierre regarda sa poitrine et son ventre tout zébrés de rouge. Malgré lui, il se mit à rire aussi. Tandis qu'il se frictionnait avec une serviette, il regarda Kid se laver. Le petit homme semblait jouir vraiment sous la caresse de l'eau froide. Il pressait l'éponge sur sa tête, sur ses épaules et sa poitrine. L'eau ruisselait sur tout son corps dont chaque muscle saillait. Il se lava les dents avec du bicarbonate de soude, expliquant que c'était le seul dentifrice naturel.

— On t'achètera une brosse, dit-il. En attendant, rince-toi la bouche.

A présent, Pierre se sentait le corps brûlant. Même la douleur de son épaule s'en trouvait apaisée. Une espèce de force était en lui qui lui donnait envie de remuer, de se détendre, de se servir de ses muscles. Il fut sur le point de le dire. Mais il se retint. Ce n'était pas facile. Il fallait trouver les mots, d'ailleurs, cet homme qui devinait tout devait certainement le sentir. C'était déjà assez gênant de ne même plus pouvoir penser à quelque chose sans qu'aussitôt cet animal se mette à en parler.

Kid avait rassemblé son matériel.

— Allez, dit-il, en route, on se rasera plus tard. A présent, tu dois déjà te sentir un autre homme.

Pendant que Kid se lavait, Pierre avait remarqué qu'il portait au côté droit une longue cicatrice partant de son aisselle pour descendre jusqu'à sa hanche. De retour dans la tente, il demanda :

— Qu'est-ce que tu as, au côté ?

Kid était en train de lacer ses chaussures, assis sur un banc, les pieds sur un autre. Il s'arrêta, et regarda Pierre. Son visage se transforma. Une ombre passa tout d'abord sur son regard clair, puis il parut se perdre dans un rêve qui le fit ébaucher un sourire douloureux.

— Ça, dit-il, c'est le cirque. J'étais champion du monde des extenseurs. J'ai tourné avec Bureau et Pinder. Je faisais mon numéro pendu par les dents, tout en haut de la coupole. Sans filet, évidemment. Trente-deux branches d'extenseurs et des baïonnettes attachées aux avant-bras. Un jour, l'attache a lâché. J'ai fait le saut. Une guibolle en deux et une lame qui m'a labouré la bidoche. On m'a collé vingt et une agrafes. J'ai eu de la veine. Je pouvais me tuer en tombant, et la baïonnette pouvait toucher le cœur. Autrement dit, je pouvais me tuer deux fois.

Pierre ne savait plus quoi dire. Il regardait Kid. C'était tout ce qu'il pouvait faire.

— Quand ça m'est arrivé, reprit Kid, j'étais plus

chez Pinder, mais dans un petit cirque qui s'est écroulé depuis. Ils étaient mal assurés, je me suis retrouvé à l'hôpital, sans un rond. Rien quoi... La merde complète.

— Et alors ?

Kid termina la boucle commencée, se leva lentement, comme embarrassé de son corps, comme gêné par ce qu'il voulait dire. Il vint jusqu'à Pierre qui achevait de s'habiller. L'œil triste, il dit :

— Dans le même cirque, j'avais trois potes. Des vrais... Des trapézistes. C'est eux qui ont tout payé pour moi. Après, c'est encore eux qui m'ont aidé à me remettre à flot.

Il s'arrêta. Il semblait attendre une question, mais Pierre ne pouvait parler. Il n'avait jamais encore éprouvé cette impression curieuse qui le tenait depuis quelques minutes, qui l'empêchait de respirer. D'une voix presque éteinte, Kid ajouta très vite.

— Ces trois-là, le voltigeur s'est tué un an plus tard... Les deux qui restaient ont essayé de remonter un numéro, mais ça marchait mal. Alors, il y en a un qui est venu avec moi. On faisait du main à main, mais j'étais pas encore en pleine forme. Fallait qu'on trouve quelque chose de moins pénible pour quelques temps. On connaissait la moto, tous les deux. On a fait la sphère de la mort. Pas leur connerie de mur, ça, c'est rien du tout. La sphère en acier où les deux motards se croisent.

— Je sais, j'ai vu ça.

Kid soupira.

— Oui, dit-il, quand on regarde, on croit que c'est du sucre... On s'entendait bien. C'était champion. Et puis un jour...

Il eut un geste bref de son poing droit frappant l'intérieur de sa main gauche, avant d'ajouter :

— Encore une fois, j'ai eu de la veine... mais pas lui.

Il baissa la tête, et pivota rapidement sur lui-même. Pierre l'entendit encore murmurer :

— Lulu, c'était un pote.

Lorsqu'il revint près de Pierre après avoir glissé sa valise sous le ring, son visage était de nouveau détendu. Il accrocha la fermeture de son blouson.

— Et l'autre ? demanda Pierre.

Kid eut un hochement de tête, passa plusieurs fois sa main sur son crâne et finit par dire :

— Le troisième, tu le connais déjà un peu. C'est Gégène. C'est lui qui t'a balancé le tabouret sur les reins, hier au soir.

Instinctivement Pierre recula d'un pas. Kid s'avança d'autant et eut un ricanement pour ajouter :

— Il est bien mal en point lui aussi : l'estomac Mais il est solide. Il s'en sortira. En tout cas, je peux te dire une chose, tu serais allé piquer dans sa roulotte il y a seulement deux ans, il aurait pas eu besoin de moi pour t'étendre pour le compte.

9

Ils allaient sortir de la tente lorsque le patron arriva. Il avait le visage fermé et l'œil dur.

— Tu vas le faire bosser un peu, dit-il à Kid en désignant Pierre d'un geste du menton. Un petit quart d'heure, vous irez casser la croûte ensuite.

— Tu veux déjà le mettre en piste après midi ?

— Oui, avec ce temps, les gens vont sortir. On fera deux ou trois séances tantôt et deux ce soir. A la première, il tirera Joë à la boxe.

— Pour ça, observa Kid, c'est pas la peine de l'essayer.

— Non, mais ensuite, faudrait qu'il puisse tirer avec toi.

Kid se dirigea vers le ring.

— Je vais te laisser faire, dit Pat. On discutera à midi pour la façon de le présenter... Je reviens dans un petit quart d'heure, si la vieille s'amène, je viens juste de partir.

Il enjamba les bancs, souleva la bâche sur le côté opposé à l'entrée, et se mit à quatre pattes dans la boue pour sortir. Dès que la bâche fût retombée, Kid expliqua :

— Il a picolé hier, faut qu'il remette ça ce matin. Si c'est une neuvaine qui commence, on n'a pas fini d'être emmerdé. Comme tu le vois parti, il a sûrement pas un rond sur lui, alors, il va traîner jusqu'à ce qu'il trouve un mec qui lui paye à boire.

Tout en parlant, Kid s'était déshabillé. Pierre aussi était prêt, dans l'autre coin du ring. Il regardait s'avancer vers lui cette boule de muscles et de tendons. Pierre se sentit soudain ridicule. Trop grand pour ce petit homme, trop frêle à côté de cet hercule.

— Allons, viens, dit Kid.

— Tu feras attention à mon épaule.

Kid sourit. Il avait fait un long massage à Pierre qui n'éprouvait plus qu'une douleur vague.

— Allons, en garde, ordonna Kid. Tu vas essayer de me porter quelques prises.

Il avait lui-même une garde curieuse : un pied très en avant, il semblait se fendre à la manière d'un escrimeur. Ses poings noueux se levaient à la hauteur de son visage comme s'il se fut apprêté à boxer. Voyant que Pierre tournait autour de lui sans oser attaquer, il expliqua :

— J'ai toujours lutté comme ça. Surtout avec les grands, de me voir au ras du sol, ça leur enlève tous leurs moyens. Mais t'inquiète pas, ici, ça fait partie du spectacle. Je crois qu'on peut faire un numéro très chouette, justement parce que tu es grand et moi petit.

En l'écoutant, Pierre s'était immobilisé. Kid se mit alors à se déplacer, souple, félin, extrêmement rapide en répétant :

— Allez, attaque, que je voie ce que tu peux faire.

Pierre ne savait comment saisir le petit homme. Il tenta des prises de bras, Kid feintait, rusait, bondissait en riant, découvrant d'un côté ses dents bien blanches. Pierre s'énervait. Le manège dura plusieurs minutes interminables, puis, excédé et certain qu'il ne parviendrait jamais à porter une prise convenable à ce feu follet grimaçant et moqueur, Pierre plongea désespérément. La tête en avant, les bras aux trois quarts écartés, il tenta de saisir au moins cette jambe toujours en avant et qui le déconcertait. Il ne saisit absolument rien, mais s'étala de tout son long sur le tapis. Lorsqu'il se releva, ce fut pour voir Kid plié en deux par un fou rire. Pierre sentit des larmes de rage lui brûler les yeux.

— Tu peux te marrer, grogna-t-il.

Kid le regarda, l'air surpris.

— Tu vas pas te mettre à chialer, des fois ?
— Non, je vais me tirer. C'est tout.
Il allait enjamber les cordes, mais Kid bondit et lui saisit le bras.
— Fous-moi la paix ! cria Pierre.
Il se débattit pour obliger Kid à lâcher prise, mais il eut soudain l'impression que le petit homme s'enfonçait littéralement dans le tapis. Il n'eut que le temps de voir disparaître sa tête rasée, et toute la baraque chavira. Pierre se dit très vite qu'il allait aller s'écraser au milieu des bancs, mais il fit une bonne chute, au centre du tapis.
— Alors, lança Kid, c'est pas au poil ?
Pierre respira profondément. Il n'eut que quelques fractions de seconde d'hésitation, puis il se mit à rire en se relevant.
— Ça fait plaisir, dit Kid. J'aime ça. Dis-toi une chose : j'ai quarante-sept ans, à douze ans je luttais déjà, tu n'as qu'à faire le compte. C'est pas déshonorant de ne pas pouvoir me prendre. En tout cas, tu chutes bien, c'est déjà une bonne chose.
— Tu m'as retenu.
Kid dissimula un sourire.
— A peine, dit-il. Mais dis-toi bien qu'avec moi, si tu m'écoutes, tu ne te feras jamais mal.
Pierre se sentait beaucoup moins contracté, comme si cette chute l'eût débarrassé de sa crainte.
— Allez, dit Kid, assez rigolé, on va bosser un peu.
Pendant près d'une heure, patiemment, le petit hercule fit travailler Pierre. Vingt fois, trente fois, ils recommencèrent les mêmes prises et les enchaînements qui devaient leur permettre de donner vraiment l'impression qu'ils se battaient sérieusement.
— Ceux qui critiquent se figurent que c'est de la sucrette, dit Kid. Mais si on veut donner un spectacle honnête, tu vois que c'est pas un petit travail.
Ils s'arrêtèrent un moment pour reprendre leur souffle et éponger la sueur qui couvrait leur corps. Pierre en profita pour demander :

— Y vient jamais des gars vachement fortiches qui veulent vraiment se farcir la prime ?

— C'est impossible. Ou bien le type est un professonnel et il ne fera jamais ça, ou bien c'est un amateur et il veut pas perdre sa licence en se montrant dans une exhibition payante. Des fois, on peut tomber sur un mec qui veut faire le mariole pour épater les copains, mais tu sais, avec du métier, on s'en tire toujours. En tout cas, je te signale une chose, quand tu feras le baron, si jamais tu vois un type qui réclame le gant, gueule comme un veau en disant que tu avais levé la main avant lui... Mais ça, Pat te l'expliquera.

— Dis donc, demanda Pierre, pourquoi on les appelle Pat tous les deux, le vieux et l'autre ?

— Pat, c'est patron quoi. Le gros sac a repris ça en même temps que la taule, c'est normal. Tout le monde connaît Pat. C'est un peu, comme on dit dans le commerce, un label.

— Il ne lutte pas, lui ?

— Il l'a fait un peu, mais c'est pas son vrai métier. Il avait le nougat. Il a pris la baraque quand le vieux a eu son attaque. Il a le poids pour lui, mais c'est un minable. Et puis, c'est pas le courage qui le tuera, celui-là.

Une lueur d'admiration passa dans le regard du petit hercule, tandis qu'il ajoutait :

— Le vieux, c'était un homme. Sur le tapis, et sur l'estrade aussi. Il savait parler, et jauger son public. Le gros, c'est une patate.

Kid rejeta la serviette sur les cordes, s'avança pour recommencer le travail, mais se mettant soudain à rire, il lança :

— Tiens, si tu veux, je te fais un pari.

— Quoi ?

— Si tu restes avec nous, je parie qu'avant une semaine, le gros aura essayé de te refiler sa fille.

— Diane ? Mais c'est une merdeuse.

— Des nèfles. Elle a vingt berges et des poussières.

— Bon Dieu, on lui en donne douze. Mais elle est galbée comme une pompe à vélo, cette fille !

— Tu l'as dit, elle est plutôt concave. Pauvre gosse, autant de fesses et de nichons qu'une assiette creuse, mais tu sais, c'est une bonne môme.

Ils répétèrent encore quelques prises. Pierre se sentait bien. Il n'avait lutté que dans une maison de jeunes, avec un entraîneur qui n'était pas un professionnel, et surtout avec des camarades qui n'avaient d'autre idée que la victoire à tout prix. Mais Kid possédait une science parfaite du combat, un grande maîtrise de soi et l'art de se faire comprendre en quelques mots. Pas une seule fois Pierre ne ressentit la moindre douleur. Son partenaire le faisait voltiger, retenant ses chutes et veillant à ce qu'il tombât toujours de façon à claquer du bras le tapis tendu sur un plancher qui résonnait.

— Tape, tape, disait-il. C'est le seul moyen de ne jamais te faire mal, et c'est ce qui épate le plus le public. Il croit toujours qu'on va se tuer. Et puis, faut que tu te relèves moins vite, faut que tu fasses le gars sonné. Et quand tu encaisses une manchette, c'est pareil.

Kid achevait de lui enseigner la manière de porter des manchettes spectaculaires sans risquer de faire mal, lorsque Diane entra.

— Où est mon père ? demanda-t-elle.

— Viens juste de sortir, dit Kid.

— Evidemment, il est parti pour la semaine.

Elle faisait la grimace. Elle s'était approchée du ring et tenait à deux mains la corde du bas où elle appuya son menton.

— Vous avez bientôt fini ? demanda-t-elle en souriant.

— Oui, on va aller casser la croûte.

— En même temps, je vous demanderai de lever Pat. Je suis toute seule, et il commence à s'agiter.

Elle sourit encore et s'éloigna. Ses longs cheveux noirs défaits flottaient sur sa blouse claire très serrée à la taille. Kid avait dû suivre le regard du garçon.

— On sait pas, fit-il. Des fois, ces planches à pain, ça n'a l'air de rien, mais ça se défend, dans un plume.

Pierre fit un geste de la main par-dessus son épaule, mais Kid insista :

— Remarque bien, pour un mec qui voudrait bosser, ce serait pas une mauvaise affaire. Une baraque de lutte bien menée, ça laisse de la monnaie.

Ils gagnèrent un coin de la tente où Kid avait apporté un seau d'eau et son éponge. Pierre fut heureux de goûter la fraîcheur sur son visage, son torse et ses membres. Tout en s'essuyant, Kid qui avait suivi son idée, expliqua :

— Ça fait un bout de temps qu'il voudrait la caser. Quand il avait le nougat, il cherchait un confiseur, à présent, c'est un lutteur. Tu verras qu'il finira par la coller à Joseph. Si ce foutu moricaud n'était pas si bille, il y a belle lurette que ça serait fait. Seulement Pat se dit que cet ahuri ne pourra jamais faire marcher la turne. Et il a raison. Le Joseph, c'est un bon mec, mais il n'a pas cassé trois pattes à un canard.

Ils s'étaient habillés et s'apprêtaient à sortir, lorsque Kid, s'arrêtant près du rideau, dit à mi-voix :

— En tout cas, le Joseph il en est maboule, de la gosse. Et je crois qu'il serait capable de crever la paillasse à celui qui essaierait d'y toucher.

10

Quand ils quittèrent la tente, le soleil était déjà loin au-dessus de la colline. De longs nuages s'étiraient encore, gris et blancs, mais un large pan de ciel pur montait du levant. En bas de la place, du côté du fleuve, tout était noyé dans un bain de vapeur lumineuse. Kid se frotta les mains en disant :

— Ça va être une bonne journée, mon petit gars.

Dans la roulotte, Diane avait préparé le pain, le lard et un litre de vin.

— Joseph n'est pas levé ? demanda Kid.

Diane fit non de la tête, et le lutteur ajouta pour le garçon :

— Et le père Tiennot, tu peux être tranquille, il est à l'église.

Au fond de la roulotte le rideau que Pierre avait remarqué la veille, était ouvert. Il y avait là deux couchettes superposées. Dans celle du bas, le vieux Pat était allongé, la tête enfouie au creux de ses oreillers et le crâne couvert d'un bonnet blanc qui lui descendait jusqu'aux sourcils. En les voyant, il agita la main et se mit à grogner. Kid s'approcha.

— Voilà, Pat, on va vous lever.

Diane s'approcha également, invitant Pierre à la suivre. Montrant la couchette du haut, elle dit :

— C'est là que je couche. La photo, c'est mon frère.

Un portrait de garçon était punaisé contre une planche où se trouvaient aussi des images de chanteurs et de vedettes de cinéma. Mais la photographie de Félix était au centre, isolée des autres.

Le lit du vieillard sentait la transpiration et l'urine, mais la taie d'oreiller et les draps étaient blancs.

— La nuit, expliqua Kid, il lui arrive de faire sous lui. Il s'en rend compte, et ça le rend malheureux.

Le petit lutteur se baissa comme pour une prise de hanche, passa le bras du vieux par-derrière sa tête et le tira en avant, prenant soin de lui soutenir le buste.

— Prends-le de l'autre côté, dit-il.

Pierre s'exécuta.

— Empoigne ma main, dit Kid. On fait la chaise.

Lorsqu'il passa le bras sous les cuisses du vieillard, Pierre sentit l'humidité tiède de la chemise de nuit. Le vieux Pat était lourd, il se raidissait, s'agrippant à eux de toutes ses forces.

— Ayez pas peur, Pat, cria Kid, il est jeune, mais il est costaud, le gaillard... C'est un bon petit lutteur, vous savez... On vient de travailler... Il m'a fait penser au petit Breton que vous aviez tout de suite après la guerre.

Entre chaque phrase, Kid marquait une pause. Pat grognait, sans doute pour montrer qu'il avait compris. Dès que le vieillard fut dégagé de sa couchette, Diane passa derrière lui et lui retira sa longue chemise qui était ouverte de bas en haut sur le devant. Elle lui passa une robe de chambre élimée en criant :

— On vous lavera tout à l'heure, quand la mère sera là.

Les deux hommes posèrent le vieux dans son fauteuil. Pierre allait s'écarter, mais le vieux Pat lui saisit la main dans son énorme poigne qui tremblait. Il se mit à grogner en secouant la tête.

— Il vous dit merci, expliqua Diane. Je crois qu'il vous aime bien.

Le vieux lâcha prise, et Pierre s'éloigna. Son front était couvert de sueur, et il comprit que cette tâche l'avait davantage fatigué que son heure d'entraînement avec Kid.

Les deux hommes se lavèrent les mains sur le

petit évier d'angle, puis ils déjeunèrent tandis que Diane faisait manger au grand-père une bouillie épaisse et gluante.

Le reste de la matinée passa très vite. Kid avait demandé à la patronne d'avancer un peu d'argent à Pierre qu'il entraîna sur le marché. Il l'obligea à s'acheter des chaussettes, un slip, un maillot de corps, une chemise et une brosse à dent. Quand ce fut fait, Kid parla de coiffeur.

— Tu peux pas lutter avec des cheveux comme une gonzesse, dit-il, ça s'est jamais vu.

Mais Pierre refusa d'entrer. Obstiné, il tint bon.

— Si tu restes comme ça, on va te baptiser Samson, observa Kid.

— Quoi ?

— Samson. T'es trop jeune, tu l'as pas connu. C'était un lutteur qui avait des douilles comme toi. Il disait que toute sa force était dans sa tignasse.

— Et alors ?

Kid se mit à rire.

— Alors ? Mais lui, c'était vrai, c'était un mec vraiment baraqué, et un lutteur.

Ils louvoyaient sur le trottoir entre les groupes de ménagères chargées de sacs et de filets.

— Un lutteur, grogna Pierre. Ça veut rien dire. C'est dans la rue, qu'on voit les mecs qui savent se battre.

Kid le regarda et se faufila entre les passants. Lorsqu'il se trouva de nouveau à côté du garçon, de sa voix toujours calme, il dit, comme se parlant à soi-même :

— Dans les rues... même quand il pleut.

Ils allèrent en silence jusqu'à la place où toutes les baraques étaient fermées, exceptée celle d'un marchand de gaufres, un tir et deux bancs de nougat. Près des autres stands, des femmes lavaient leur linge ou épluchaient des légumes sur de petites tables pliantes, des enfants jouaient. Tous saluaient Kid avec des gestes d'amitié et des sourires. Les gens parlaient du temps et montraient le ciel où seuls demeuraient quelques nuages blancs que le vent poussait vers l'ouest. Kid paraissait jouir d'une grande considération. Plusieurs hommes lui parlèrent de Pat en l'appelant le maboule ou le sac à vin.

Lorsque Kid avait fait allusion à la bagarre devant la roulotte, Pierre avait senti monter en lui un désir violent d'être assez fort pour corriger le petit hercule ; à présent, il n'y pensait plus. Il éprouvait une certaine fierté à se promener avec lui, à se voir présenter partout comme le nouveau baron de la baraque à Pat Carminetti.

Lorsqu'ils arrivèrent à la roulotte de la voyante, Kid frappa, poussa la porte et passa la tête à l'intérieur sans même grimper l'escalier. Une voix aigre lança :

— C'est toi, moustique, qu'est-ce que tu veux?

— Tu devrais le savoir, dit Kid.

— Pauvre con !

Kid recula, et une vieille femme vêtue de noir parut sur le pas de la porte. Regardant Pierre, elle dit :

— Je me doutais qu'il était pas tout seul. Chaque fois qu'il amène un gars, il faut qu'il dise ça. C'est sa grosse plaisanterie. Et il se croit malin. Pauvre con, va !

Kid s'était mis à rire.

— Je te présente miss fête foraine, dit-il. La reine de la vogue... Le sourire de la vogue.

— Pauvre con, répéta la vieille, t'as pas toujours dit ça !

Elle parlait sans colère. Du haut de son escalier, elle les dominait tous les deux. Son visage était maigre et ridé, mais son regard extrêmement vif n'était pas vieux. Un foulard à fleurs cachait ses cheveux. Un chat jaune fila entre ses jambes et se coula sous la roulotte.

— Je voudrais que tu me dises si ce garçon va épouser Diane ? demanda Kid.

— Pauvre con, fit-elle. (Puis à Pierre.) Tu es chez

l'autre dingue, et avec ce moustique, à la tienne, mon petit gars.

Elle traita encore Kid de « pauvre con » puis rentra et claqua la porte. Sur une petite table, au pied de l'escalier, il y avait un grand carton renversé. Kid le souleva et découvrit un bocal plein d'eau où flottait un minuscule diable noir et rouge en celluloïd.

— Tu vois, expliqua-t-il, c'est ça son gratin. En regardant ce guignol, elle te dit toute ta vie. Et comme tu as pu voir, pour ce qui est de l'avenir, elle en connaît un rayon.

Ils s'éloignèrent. Kid parla encore de la voyante et finit par dire :

— Quand je pense que cette greluche a tout juste trois ans de plus que moi, tout de même, il y a des gens qui savent pas vieillir !

Il frappa sur l'épaule de Pierre, eut un geste circulaire pour désigner toute la place et ajouta :

— T'en fais pas, va. Tu seras pas le plus toc de la vogue. Et pour ce qui est du métier, fais moi confiance, tu l'apprendras. Je suis pas voyante, moi, mais je peux te le dire tout de même.

11

Pat n'avait pas dû trouver beaucoup d'occasions de boire, car il semblait assoiffé et de mauvaise humeur. Dès le début du repas, il vida deux verres de vin et parut tout de suite mieux. Il parla de la façon dont il conviendrait de faire travailler Pierre, et Kid en profita pour dire :

— Faudrait qu'il se fasse couper les tifs...

Tine l'interrompit.

— Non, non, dit-elle, au contraire. J'ai réfléchi, tant qu'il ne s'habille pas autrement, faut qu'il garde ses cheveux. D'ailleurs, la semaine prochaine on va à Lyon, ce sera très utile. Là-bas, il y a beaucoup de blousons noirs, ça les attirera.

Kid fit la grimace, mais il se garda d'intervenir.

— Pour une fois, approuva Pat, je crois qu'elle a raison. Y peut pas jouer les mecs de la haute, ni les étudiants fauchés ; à l'âge qu'il a, le seul moyen c'est de jouer les durs.

— Si vous voulez jouer cette carte, observa le père Tiennot, il faut la jouer à fond. Que le garçon vienne et le prenne de très haut.

Kid intervint.

— Il arrive. Il roule les mécaniques ; toi Pat, tu lui dis qu'il est pas majeur et il t'engueule.

Ils discutèrent ainsi pendant toute la durée du repas. Chaque proposition amenait une anecdote, un exemple, le souvenir d'un lutteur qui avait travaillé avec l'équipe ou avec l'un des hommes. Chacun avait sa manière de se présenter, son rôle bien au point, avec les variantes pour les journées où plusieurs séances se suivaient. Pat s'énervait. Sa femme l'empêcha plusieurs fois de se verser à boire et, dès que les hommes eurent fini de manger, elle emporta ce qui restait de vin. Il l'insulta sans conviction, probablement par habitude, puis expliqua encore une fois à Pierre comment il devrait s'y prendre.

Tandis que tous les hommes quittaient la roulotte, Diane s'approcha de Pierre et désigna son père en disant :

— Vous savez, quand Félix est ici, il n'ose pas boire comme ça, il se tient.

Suivant les instructions du patron, Pierre s'éloigna en flânant le long des baraques. Les mains dans les poches, le vieux Portugais regardait tourner le manège des tout petits. Il semblait très intéressé, et son visage était celui d'un bon vieil ouvrier de grand-père surveillant ses petits enfants. Lorsque Pierre arriva tout en haut de la place, il s'arrêta. La gare était là, à vingt mètres de lui. Sur l'argent avancé par la patronne, il lui restait largement de quoi prendre un billet pour Lyon et vivre une journée. En une journée, dans une ville qu'il ne connaissait pas, aurait-il le temps de retrouver Guy ? Il se retourna. Sur la place, les curieux étaient plus nombreux et les haut-parleurs menaient grand tapage.

Là-bas, tout au fond de l'esplanade, il put apercevoir Pat qui gesticulait sur l'estrade. Partout, il y avait des groupes de filles, de garçons comme lui. Pierre les regarda avec un certain mépris. Dans un moment, ils allaient tous se trouver devant la baraque de Pat, et pas un n'oserait lever la main pour prendre le gant. Surveillant toujours le fond de la place, Pierre marcha lentement jusqu'au long manège d'autos tamponneuses. Il venait de s'arrêter pour observer l'homme à qui son camarade s'était adressé la veille au soir, lorsqu'on le bouscula légèrement. Il se retourna, l'œil mauvais, pour voir la bonne tête du père Tiennot qui lui glissa :

— C'est le moment, fils.

Pierre laissa le vieux s'éloigner sur la droite et gagna lui-même la partie gauche de l'esplanade. Plus il approchait de l'estrade, plus les groupes étaient denses. Il se faufila entre eux. Il eut soudain envie de leur crier : « Alors, bande de dégonflés, y en a pas un qui oserait y aller ! Hé bien moi je vais y aller ! » Ils étaient tous là, minables, à regarder tantôt Pat, tantôt les filles. Comme si une fille pouvait s'intéresser à des pauvres types alors qu'il y a des lutteurs sur une estrade ! Ils buvaient les paroles de Pat. Ils riaient quand il fallait rire. Ils marchaient comme des naïfs. Ils faisaient Oh ! ou Ah ! quand il fallait faire Oh ! ou Ah !... En les observant, Pierre remuait ses épaules. Il sentait ses muscles souples sous le tissu frais de sa chemise neuve.

Pat parlait toujours. A cause de la foule plus dense et du surcroît de bruit, il avait branché le haut-parleur et tenait un micro. Par moment, il y avait un grésillement qui couvrait sa voix, mais Pierre suivait tout de même ce qu'il disait. Il avait commencé par présenter Joë Nelson. Il se lamenta un moment en déplorant qu'il n'y eut plus d'hommes courageux, puis il s'en prit à la jeunesse qui ne pensait qu'à courir les filles et se laisser pousser les cheveux.

Les gens riaient un peu, quelques jeunes murmurèrent.

— Parfaitement, cria Pat. Je sais ce que je dis. Il y a encore dix ans, à chaque séance on était obligé de refuser des gars qui étaient à peine sevrés et qui voulaient déjà boulotter du champion. Au moins ils avaient quelque chose dans la culotte, ceux-là !... De nos jours, c'est fini... Je propose la prime la plus grosse qu'on ait jamais vu offrir, pas un homme pour relever le gant. Je vous le dis : la jeunesse est ratatinée. Si ça continue, on va être obligé de fermer boutique...

— Ici ! cria Pierre.

Toutes les têtes se tournèrent vers lui et il sentit

son visage soudain brûlant. Il n'avait pas eu à réfléchir. Pat lui avait tant et tant rabâché cette phrase au cours du repas, qu'elle avait déclenché en lui une espèce de mécanisme qui avait provoqué son appel et commandé son geste du bras. Pat feignit la surprise. Il imita l'homme qui cherche au loin à l'aide d'une longue-vue.

— Quoi ? dit-il. C'est pas possible ! Ça fait six mois qu'on n'avait pas vu ça... Ohé, madame, là-bas, regardez voir s'il n'y a pas un farceur derrière lui qui lui tient le bras en l'air.

Un long rire gagna la foule. Pierre le laissa mourir avant de crier :

— Envoyez donc votre poupée, et vous verrez bien !

La foule s'écarta et Pierre put avancer lentement. Pat brandissait toujours sa chaussette bourrée de crin. La réponse de Pierre l'avait mis en fureur.

— Quoi ? hurlait-il. Il va m'engueuler à présent. Ma parole, qu'est-ce qu'il se figure celui-là !

Lorsque Pierre fut à quelques mètres de l'estrade, Pat demanda :

— Et d'abord, quel âge as-tu ?

— Dix-huit ans passés.

— J'aimerais voir tes papiers.

— C'est pas difficile.

Suivant toujours à la lettre les instructions reçues, Pierre sortit son porte-cartes et avança lentement en disant :

— Il voudrait bien que j'aie moins de dix-huit ans. Ça ferait une bonne excuse pour refuser le combat. Ils en ont peur, de perdre leur prime.

Il y eut un remous et une rumeur qui s'élargit en demi-cercle à mesure que les gens se transmettaient les propos du garçon.

— Qu'est-ce qu'il a dit ? demanda Pat dans son micro, qu'on a peur de risquer la prime ? Mais c'est qu'il a l'air d'un monsieur, celui-là !

Parvenu au pied de l'estrade, Pierre tendit ses papiers que Pat examina.

— Né en janvier 1947, dit-il. C'est exact, il a l'âge... Mais attention, petit, tu sais ce que tu risques.

Il plaça là tout son boniment sur les responsabilités. Pierre en profita pour se retourner. La foule avait considérablement augmenté. Tous ces gens le regardaient. Ils étaient tous venus là pour le voir. Tous devaient l'admirer déjà. Les filles surtout. Et les garçons devaient l'envier, lui en vouloir un peu d'attirer sur lui les regards de toutes les filles. Il entendait à peine les paroles de Pat qui se réjouissait d'avoir enfin rencontré un gaillard prêt à se faire casser toutes les dents pour sauver l'honneur de la jeunesse française.

— Faut pas rougir, mon garçon, cria-t-il. Tu peux être fier de toi... Tu entends, tu peux être fier de toi !

Pierre sursauta. Il était tellement occupé à scruter le public qu'il avait oublié de réagir. Pourtant, la réplique préparée lui revint rapidement.

— Pas tant de discours, cria-t-il. J'ai pas de temps à perdre.

Pat lui lança la chaussette en disant :

— Tu en veux, mon petit gars. On va t'en donner, n'est-ce pas, monsieur Joë ?

Le nègre gonflait ses muscles et lançait à Pierre des regards terribles. Mais Pierre n'avait pas peur. Joseph lui avait expliqué ce qu'il fallait faire. Seule l'inquiétait un peu cette question que Pat lui avait posée : « Est-ce que tu saignes facilement du nez ? » Pierre avait répondu que non, et Pat lui avait dit : « T'inquiète pas, on se débrouillera. Faut saigner un peu, ça fait impression. »

Pierre s'était avancé jusqu'à la caisse où il remit la chaussette à la patronne. Là, il fixait toujours la foule, n'écoutant plus que d'une oreille distraite les paroles de Pat qui présentait Kid et accueillait le père Tiennot.

— Les deux extrêmes, criait-il. Faut venir ici pour voir ça ! Dommage que le vieux parle pas français, on lui demanderait ce qu'il pense de la jeunesse.

Pierre entra, suivi du père Tiennot et des premiers spectateurs. Au moment où il franchissait la porte, Diane lui sourit en soufflant :

— Ça colle !

Il répondit par un clin d'œil, et se dirigea vers le fond de la tente où il commença de se déshabiller.

12

Joseph était certainement capable de cogner très fort, mais il connaissait bien son métier. Il savait à merveille placer des coups qui faisaient, sur le public, une impression considérable, sans que son adversaire eût à en souffrir. Pierre s'appliquait à suivre les instructions que les autres lui avaient données. Il boxait avec fougue, mais n'appuyait que quelques coups sur les épaules et les bras. Il s'efforçait surtout de prendre le Noir de vitesse. Il y parvint à plusieurs reprises, et Joseph lui adressa des clins d'yeux pour l'inciter à continuer ainsi.

Kid arbitrait. Demeuré près de la porte avec son micro, Pat s'égosillait à commenter le match à l'intention des gens qui n'étaient pas entrés. Il faisait tout pour leur donner des regrets. A l'écouter, on avait le sentiment de vivre des minutes qui marqueraient l'histoire du Noble Art. Un combat de classe mondiale mené par un amateur inconnu ; une révélation, contre un champion.

Il avait été prévu que Joë ne parviendrait pas à mettre Pierre k. o. mais qu'il le battrait aux points. Lorsque Pat annonça la décision tandis que Kid levait en l'air le poing ganté du Noir en signe de victoire, il y eut quelques protestations timides dans les rangs du public qui, manifestement, ne connaissait rien à la boxe.

— L'amateur s'est battu comme un lion, cria Pat. Mais je crois bien que Joë Nelson n'est pas en grande forme. Qu'en dis-tu Joë ?

— Ce garçon est très fort, cria le nègre.

— Il a un beau jeu de jambes, reprit Pat, mais tu aurais dû en faire deux bouchées, Joë. Je ne te reconnais plus... L'amateur s'est si bien battu que la direction va lui remettre une prime exceptionnelle d'encouragement. Allons, madame Carminetti, vous donnerez deux mille francs à l'amateur... Ici, on aime le beau sport et le courage.

Il se remit à parler de la jeunesse, tandis que Kid et le Portugais enjambaient les cordes du ring. Tout en se rhabillant, dans un coin de la grande tente, Pierre les regardait en se disant que Kid avait raison : le vieux connaissait son affaire.

La salle était presque pleine. Il y avait de nombreux garçons et des filles à peu près du même âge que Pierre. Plusieurs filles se retournaient pour regarder dans sa direction. Pas très loin de lui, il y avait une grande blonde, très belle, qui lui souriait en mâchant du chouingomme.

Après la séance, lorsque Pierre passa devant la caisse, la patronne lui dit :

— Ça a marché au poil. N'oubliez pas, pour la deuxième séance, vous demandez votre revanche à la lutte, et vous râlez quand on donne le gant à Tiennot et au fondeur.

Le ciel s'était obscurci, et le vent fraîchissait. Mais Pierre ne remarquait ni le ciel ni les quelques gouttes qui tombaient. Il marchait entre les groupes, roulant les épaules, blouson et chemise largement ouverts sur sa poitrine. Il avait le sentiment que tous les regards se portaient sur lui. Il était le centre d'admiration de la fête.

Arrivé à hauteur de la loterie où Guy avait tenté de voler, il fit un détour. La femme était à son banc, lançant la grande roue qui cliquetait. Peut-être l'avait-elle vu passer, mais il n'eut pas le sentiment qu'elle l'avait remarqué. A côté d'elle, se tenait une fille d'une quinzaine d'années qui proposait aux joueurs des planchettes qu'elle tenait comme un long éventail.

A la deuxième séance, Pierre réclama le gant pour

sa revanche à la lutte, mais ce fut Tiennot qui le reçut pour rencontrer Joseph, et l'ouvrier de la fonderie pour un match de poids et haltères avec Kid. C'était une idée de Pat qui estimait ainsi que certaines personnes voudraient assister aux trois séances. Il avait raison, tout au moins pour la fille blonde que Pierre vit entrer à la deuxième et qu'il retrouva, pour la troisième, au premier rang du ring. Elle mâchait toujours et semblait n'avoir d'yeux que pour lui.

Le boniment de Pat avait été parfait. Il était l'homme attaché à la justice, et voulait absolument donner au père Tiennot la chance de battre Joë qui l'avait tenu en échec à la deuxième séance. Tout cela pour permettre un match Kid contre Pierre, et pour tenir en haleine les spectateurs assidus.

Pierre baignait dans une espèce de brume d'orgueil. Son combat avec Kid lui parut trop court. Il sentait sur lui tous ces regards et, en particulier, celui de la fille blonde dont la voix perçante dominait les autres. Il finissait par ne plus entendre que ses :

— Vas-y Pierrot... Vas-y Pierrot !

Lorsque Kid avait le dessus, la fille se levait sur son banc, la bouche ouverte, haletante d'émotion. Dès que Pierre se dégageait, elle recommençait de mâcher plus nerveusement et de hurler.

Quand ce fut terminé, tandis que le public s'écoulait, Kid rejoignit Pierre dans le coin où il se rhabillait.

— Faut te foutre un coup de flotte, lui dit-il. Si tu gardes la transpiration, tu vas bicher la crève.

— J'ai pas le temps.

— Qu'est-ce qu'il y a ? T'as repéré une nana ?

— Oui, une blonde vachement roulée.

Kid se mit à rire.

— T'inquiète pas. T'en verras dix à chaque séance.

Pierre enfilait son blouson lorsque l'averse creva. Ce fut un roulement sur la tente secouée par le vent.

— Ta blonde, elle va fondre, observa Kid, faut la faire entrer.

Joë et Tiennot avaient déjà regagné la roulotte où ils couchaient, Pat était en train de baisser l'auvent et les femmes devaient préparer le repas. Pierre bondit, mais la pluie, en quelques instants, avait vidé la place et empli les cafés voisins. Il rentra. Kid le consola en riant et ajouta :

— T'as la classe, tu sais. Tu te défendras.

— Tu crois ?

Pierre posa cette question, mais il ne doutait pas de lui.

— T'as la classe, répéta Kid, mais t'en fais trop. Tu te crèves pour rien. Et puis, entre nous, quand tu tireras à la lutte avec Joseph, lui balance pas des manchettes comme celle que j'ai ramassée derrière la cafetière. C'est un bon mec, mais il n'a pas la carapace aussi coriace que moi. Tape comme je t'ai montré, pour que ta main ripe sur la peau. Et vise le rembourré, autant que possible.

— Excuse-moi, dit Pierre, je t'ai fait mal.

Kid éclata de rire.

— Non, dit-il. Tout de même pas. Mais ça sert à rien. Et puis un jour, c'est toi qui t'abîmeras les paluches.

13

Malgré la pluie torrentielle, Pat disparut et resta absent pendant près d'une heure. Il revint au moment où les autres se mettaient à table. Il avait dû boire beaucoup. Durant tout le repas, il ne cessa guère de crier et d'insulter sa femme. Il voulait à tout prix faire une séance le soir, mais la patronne s'y refusait en raison du temps. A la fin, il cessa subitement de crier, repoussa son assiette et s'endormit sur la table.

Les hommes sortirent. Dehors Kid dit :

— C'est une vraie peau de vache, la Tine.

Joseph haussa les épaules et s'éloigna. Le père Tiennot semblait hésiter. Il eut un geste vague et finit par dire :

— Qu'est-ce que tu veux, le Bon Dieu n'est pas avec nous.

Lorsqu'il eut regagné sa roulotte, Kid expliqua que la patronne avait peur de travailler pour rien. Comme les hommes étaient payés à la séance, si le public n'était pas assez nombreux, elle risquait de ne pas couvrir ses frais. Le petit lutteur ajouta :

— Si Pat n'avait pas été rond, il aurait dit comme elle, mais quand il est saoul, il est généreux. Et il pense au litre qu'on boit après la séance. Là, elle va le foutre au lit.

Il eut un soupir, regarda le ciel et conclut en imitant le Portugais :

— Même le Dieu des ivrognes qui nous laisse tomber.

Courbant le dos sous l'averse, ils longèrent les

baraques jusqu'au bout de la place. Pierre cherchait la fille blonde, mais les promeneurs étaient si rares qu'il fut vite convaincu qu'elle n'était pas là.

— A présent, t'es renseigné, dit Kid. Eh bien, tu vas venir avec moi.

— Où ?

— Tu verras. (Il eut un rire et un clin d'œil.) Une surprise-partie.

Ils se dirigèrent vers une rue qui débouchait sur la place, et Kid entra dans une épicerie. Il acheta quatre paquets de biscuits, des bonbons, deux gros saucissons, un litre de vin rouge et une livre de café.

— Tu as encore du fric ? demanda-t-il.

— Oui, il me reste presque mille balles.

— Alors, prends deux paquets de biscottes de régime, et avec le reste, tu achètes des fruits.

— Mais qu'est-ce que tu veux que...

— Tais-toi, dit Kid, fais ce que je te dis.

Pierre obéit, et ils sortirent en portant chacun ses provisions. Ils regagnèrent la place où le petit hercule marcha droit sur la loterie de ses amis. La fille que Pierre avait remarquée l'après-midi était seule dans le stand, actionnant sa roue d'un geste las, et souriant aux rares passants.

— T'as pas froid ? lui demanda Kid.

— Non, ça va, dit-elle en ramenant sur ses épaules un long châle de laine grise.

Arrivé à proximité de la roulotte où Guy avait voulu pénétrer, Pierre s'arrêta.

— Qu'est-ce que tu as ? demanda Kid.

— Tu veux pas m'emmener là, tout de même.

— Si, justement, ils nous attendent.

Pierre eut envie de lâcher son sac et de se sauver. Kid dut deviner sa pensée.

— Fais pas ça, dit-il. Ça casse, les biscottes, et puis, t'as plus un radis, à présent.

— Salaud, grogna Pierre.

— Si tu veux, mais viens tout de même.

La roulotte était éclairée. Kid frappa depuis le bas et obligea Pierre à passer le premier. Le garçon sentit sa gorge se contracter, mais il monta tout de même les quatre marches de bois. La porte s'ouvrit.

La roulotte était à peu près aussi grande que celle des Carminetti, mais beaucoup plus encombrée. Il y avait également deux lits superposés dans le fond, mais dans le sens de la longueur, avec deux autres en face et un passage très étroit au milieu. La femme et trois enfants étaient là. Pierre s'arrêta sur le seuil, mais Kid le poussa pour le faire avancer. La femme sourit. Elle était petite et ronde, avec de gros seins lourds qui tendaient un corsage bleu à fleurs.

— Je vous présente pas, dit Kid. Vous vous connaissez déjà.

Le sourire de la femme s'accentua. Les enfants s'étaient précipités sur Kid qui distribua ses bonbons en disant au plus grand des garçons :

— Gardes-en un paquet pour ta sœur, hein !

Puis, s'adressant à la femme, il demanda :

— Comment ça va ?

— Toujours pareil, fit-elle.

Une tête se pencha hors du lit, et Kid alla jusqu'au fond de la roulotte.

— Voilà Gégène, dit-il à Pierre. C'est mon pote.

L'homme avait la main ferme, mais moite de transpiration. Pierre était incapable de prononcer un mot.

— Quand j'ai entendu la pluie, dit Gégène, j'ai bien pensé que vous viendriez.

— Je te l'avais dit, répondit Kid. Et puis, le garçon savait que tu as l'estomac fragile, il tenait absolument à t'apporter des biscottes et des fruits pour les gosses. Depuis ce matin il me casse les pieds avec ça.

— Fallait pas, dit Gégène. Fallait pas.

Sa voix était douce et faible, comme s'il avait parlé derrière un rideau. Ses yeux noirs luisaient dans son visage maigre et pâle que la lampe éclairait mal.

Kid l'interrogea sur sa santé, et l'homme sourit avec un geste vague qui semblait vouloir dire que les choses étaient ainsi et que rien ne pouvait laisser espérer un changement.

— Dans une semaine on sera à Lyon, dit Kid. C'est une ville où il y a un bon hôpital, avec des bons toubibs, tu iras passer une visite.

— A quoi ça servira ?

— Il ira, dit la femme. C'est pas la peine de discuter encore. Il ira, c'est décidé.

Le malade soupira et parut se résigner. Un long moment passa. La pluie martelait le toit, tantôt rageuse, tantôt moins forte.

— Pas de séance, ce soir, dit l'homme.

Kid raconta ce qui s'était passé, puis il dit :

— J'en ai marre, de ce sac à vin. Je suis pas marié avec lui. Faut pas croire... Que je trouve seulement un bon pote pour remonter un numéro, et je reprends la route.

— C'est pas toujours facile non plus, observa Gégène.

— Non, dit Kid. Mais je gagnerais autant. Et puis, la liberté, c'est tout de même quelque chose.

Gégène hocha la tête et son regard qui s'était soudain troublé se perdit dans l'ombre, au fond du petit couloir qui séparait les couchettes. Kid regardait par terre. De temps en temps, ses épaules et ses bras avaient des soubresauts. Son blouson se tendait sur son dos et les muscles se devinaient à travers l'étoffe mouillée.

— Moi, finit-il par avouer, je peux pas vivre comme ça, avec des autres. Bosser quand on me le dit. Rien foutre quand les autres veulent rien foutre. Aller dans un bled quand j'aurais envie d'aller dans un autre.

— Pourtant, dit la femme, le cirque, c'était la même chose.

— Ben oui, reconnut-il. Mais de ce temps-là, je n'avais jamais fait la route tout seul, je savais pas ce que c'était. Quand on en a goûté...

Et le petit hercule se mit à parler du travail sur les places publiques, avec la liberté d'aller n'importe où. Il parla longtemps, et, peu à peu, son regard s'animait, son visage s'éclairait. Il se dandinait d'un pied sur l'autre, balançait son buste et ses bras courts, ébauchait chacun des gestes dont il parlait. Les autres l'écoutaient. Les enfants mangaient leurs bonbons, et, lorsque Kid marquait une pause, le bruit de leurs doigts décollant les papiers et de leurs dents croquant le sucre rouge ou vert se mêlait au roulement de la pluie.

— Faut pas croire, disait Kid, mais mon numéro d'extenseur, je peux encore le faire, à condition d'être par terre. Ce qui tiendrait plus, c'est la mâchoire. Mais les bras sont bons. Et un numéro comme ça, je suis encore le seul à le faire.

Gégène approuva, mais le ton de sa voix était triste.

— Si je reprends la route, ajouta Kid, faut pas vous figurer que je vous laisserai tomber.

La femme se détourna pour aller remuer des casseroles sur son évier. Gégène souleva sa main, puis la laissa retomber sur la planche du lit en soupirant :

— Oh ! nous autres, on s'en sortira toujours. Dans quelques années, les gosses seront grands.

14

Le lendemain matin, Pierre s'éveilla longtemps avant l'aube. Il n'y avait aucun bruit que la respiration régulière de Kid et, assez loin, le passage des voitures sur la route. Pierre avait mal. Tout son corps était douloureux et le sol du ring lui semblait plus dur que le macadam d'un trottoir. Il resta un long moment sans oser faire le moindre mouvement. Il se disait que le seul fait de remuer un doigt allait lui arracher un hurlement de douleur. Il avait dû se retourner en dormant, et c'était sans doute ce qui l'avait réveillé. Il commença par plier lentement ses genoux, remontant ses pieds sans les soulever du tapis. Ce mouvement accentua la douleur de ses abdominaux et poussa des aiguilles dans les muscles de ses cuisses. Ensuite, il se pencha sur le côté pour se lever sur un coude, mais l'élancement fut si vif qu'il se laissa retomber lourdement. Kid remua et demanda :

— Tu veux te lever ?... Qu'est-ce que tu as, tu veux pisser un coup ?

— Bon Dieu, gémit Pierre, j'ai mal partout.

— Mal ?

— Oui quoi... Je suis tout talé.

Kid se mit à rire.

— C'est rien, t'en verras d'autres.

Silence.

Pierre, allongé de nouveau, suivait la courbe de la douleur qui s'engourdissait peu à peu. Au bout d'un moment, il éprouva presque une sensation de bien-être, comme si la douleur eût été elle-même un baume pour ses membres.

— Tu crois qu'il est quelle heure ? demanda-t-il.

— 5 heures et quart.

— Comment tu le sais ?

— J'ai entendu sonner.

— Tu dormais pas ?

— Non, je me réveille toujours vers 4 heures.

Pierre se tut. Il écoutait la nuit qui, peu à peu, se mettait à vivre. Plusieurs motos passèrent, puis des hommes à pied dont le pas sonnait sur le goudron de la rue. Pierre pensa à l'usine de verres de lunettes, quand il devait se lever pour prendre son travail à 4 heures. Les gens qui passaient allaient sans doute à l'usine. Il resta longtemps avec l'idée des machines qu'il avait surveillées et alimentées en blocs durant des journées interminables.

— La route, dit Kid, c'est quelque chose, tu sais.

Et ce fut tout. Ils étaient là, sur un ring, à un mètre l'un de l'autre, chacun avec son idée, son petit film qui se déroulait sans trêve. Kid devait voir la route et cette vie qu'il regrettait ; Pierre regardait l'usine toute luisante d'eau, toute rouge de poudre à polir dans un atelier, toute grise d'émeri à ébaucher dans l'autre. La machine, la solitude devant une machine durant huit heures d'affilée. La solitude égayée seulement par le passage du contremaître qui venait vérifier le galbe des verres, par la tournée du pousseur de chariot apportant de nouveaux blocs. C'était la vie. Huit heures là, le reste à traîner les rues, à dépenser son argent de poche au Palais des Jeux. Ça, un Palais des Jeux, c'était quelque chose !

— Dis donc, demanda-t-il. A Paris, sur les foires, y a toujours un Palais des Jeux.

— Quoi, des appareils à sous ?

— Oui.

— Connerie, grogna Kid.

— Connerie ? Le flipper, tiens, vachement bath !

— T'es bien un pilon.

Pierre se mit à parler du flipper et des autres jeux de la même famille, mais, très vite, Kid l'arrêta :

— Moule, fit-il, c'est comme si tu me causais du catéchisme.

Pierre n'insista pas. Il resta sur le dos, incapable de se rendormir, redoutant le moment où il serait contraint de se lever. Quand le jour fut venu et que la place se mit réellement à vivre, Kid dut le bousculer un peu pour le faire quitter le ring.

— On aura une dure journée, annonça-t-il. Faut te secouer. L'eau froide va te remettre en marche.

Après leur toilette, Kid obligea Pierre à faire quelques exercices d'assouplissement, puis il prit sa bouteille d'embrocation siamoise et lui fit un long massage. Ses mains si dures dans le travail, savaient se faire douces et souples pour trouver les muscles, les suivre, les malaxer comme une pâte qui s'amolissait à mesure qu'il la pétrissait. Tout en besognant, d'une voix presque monotone, il parlait de la route, de cette idée qu'il avait de repartir, de s'évader de cette famille qui subissait les caprices d'un ivrogne.

Il parlait aussi de Gégène et comparait leurs deux vies.

— Lui, disait-il, il ne peut pas penser comme moi, il est tenu par ses gosses. Si j'ai jamais voulu me marier, moi, c'est à cause de ça. Je veux être libre. Si j'avais des gosses, ce serait le bagne. Les travaux forcés à perpète.

Dès ce soir-là, Pierre eut à connaître la colère de Pat. Entre 3 heures de l'après-midi et minuit, ils firent cinq séances et Pierre participa à quatre d'entre elles. Au dernier combat, Joseph avec qui il luttait devait presque l'aider à se relever. Le public protestait. Pat ne pouvait pas quitter son micro, mais Kid, qui arbitrait, devait sentir monter sa rage. Pierre l'entendit répéter plusieurs fois :

— Force, bon Dieu. Force-toi un peu.

A la fin, Kid profita d'un moment où le Noir se trouvait près de lui pour lui dire :

— Sonne-le, Joseph...
Le Noir hésita.
— Sonne-le, bon Dieu, répéta Kid.
Le ton était autoritaire bien qu'il parlât très bas, Pierre ne sentit pas la manchette qu'il reçut sur la tempe, mais, quand il revint à lui, Kid et Joë lui versaient de l'eau sur le visage et la poitrine. Comme si le vent avait apporté de très loin tous les bruits, il commença par percevoir une rumeur vague dominée par le haut-parleur de Pat.
— Bien battu... trop jeune... courage... une prime exceptionnelle.
La salle se vidait lentement. Dès que le dernier spectateur eut passé la porte, le rideau retomba et Pat lâcha son micro pour bondir sur le ring.
— Nom de Dieu ! hurla-t-il, c'est pas possible. Mais j'ai jamais vu un feignant pareil. Toute la journée il a tiré au cul et le soir il s'effondre comme une merde.
— N'exagère pas, dit Kid.
— Comme une merde ! répéta Pat. Je sais ce que je dis. Et c'est moi le patron, ici.
— Je vais m'en aller, dit Pierre.
— Tu peux foutre le camp. C'est pas moi qui te retiendrai.
Diane arrivait avec un litre de vin et un verre. Pat but le premier, puis, tandis que les autres se passaient le verre, il se remit à injurier Pierre. Pierre restait immobile, assis sur le tapis mouillé, le dos aux cordes. Il écoutait sans comprendre la moitié des mots. Joseph et Kid se tenaient à côté de lui.
— Faut pas m'en vouloir, disait Joseph... C'était le seul moyen de pas finir trop moche.
— Tu aurais dû le faire beaucoup plus tôt, dit Pat. Faut pas prendre les gens pour des cons.
Il parla encore longtemps puis, ayant vidé le litre, il le lança à Diane et sortit en gesticulant. Sa femme et sa fille le suivirent et il y eut des éclats de voix de l'autre côté de la toile.

— Si elle compte l'empêcher de picoler ce soir, dit Kid, elle peut se bomber.

— Moi, dit Joseph, je serais d'elle, je lui donnerais à boire jusqu'à ce qu'il en crève.

— Vous n'êtes pas charitables, observa le Portugais. Pat est sur une pente dangereuse. Il ne faut pas l'accabler. Il faut l'aider.

— L'aider à boire ! lança Kid. Mais tu parles de charité, est-ce qu'il sait ce que c'est ? Il n'a même pas le bon sens de comprendre que ce gosse est crevé.

— Fallait lui dire.

— Surtout pas.

— Pourquoi ?

Kid les regarda tous deux avant de dire :

— Rien...

Le vieux s'approcha de Pierre et dit doucement :

— Faut pas t'en faire. Demain il aura tout oublié. Tu vas roupiller. Ça te fera du bien.

Le nègre approuva et ils sortirent tous les deux. Quelques minutes s'écoulèrent, puis le Portugais revint seul.

— J'ai oublié ma serviette, dit-il.

Il la prit et la jeta autour de son cou comme il eût fait d'un gros cache-nez. Il se dandina un instant d'un pied sur l'autre, le regard allant de Pierre à Kid puis à la porte. Finalement, se rapprochant de Kid, il dit :

— Je sais bien pourquoi tu n'as pas dit que le petit est fatigué.

Il se tut, Kid ne répondit pas. Il avait déjà sorti sa grosse valise et commençait de préparer son lit.

— Je le sais depuis le premier jour. Pierre n'était pas ton copain. Il a volé chez Gégène. Tu l'as pris et tu l'as amené ici.

Kid se redressa.

— Tu écoutes aux portes, à présent, lança-t-il.

— Oui, j'ai écouté.

Le vieux était très calme. Il s'approcha encore de Kid et reprit :

— Je sais que la curiosité est un péché, mais je t'ai

vu au moment où tu l'amenais ici. Je suis entré derrière vous et je suis resté de l'autre côté du rideau. Je ne savais pas ce qui s'était passé. Je ne voulais pas que tu aies des histoires. Je croyais que tu t'étais battu avec un mec, comme ça, parce que tu n'aimes pas les jeunes qui sont...

Il se tut, cherchant un mot.

— Des jeunes voyous, dit Kid. Mais ce que je fais ne te regarde pas.

Il avait crié. Le Portugais hocha la tête.

— Ne te fâche pas, Kid, dit-il. Ce que tu as fait, c'est très bien, le bon Dieu t'en tiendra compte.

— Tu m'emmerdes avec tes bondieuseries, lança Kid. Fous-moi la paix.

Le Portugais eut un geste de lassitude, fit quelques pas en direction de la sortie puis, revenant près de Kid, d'un air embarrassé, il bredouilla :

— Vous me prenez tous pour une vieille bête, dit-il. Ça n'a pas d'importance...

Kid allait parler, mais le vieux leva la main pour lui imposer silence et continua très vite :

— Je voulais seulement te dire : si Pat renvoie le gosse, on devrait tous partir. Mais tu sais que Joseph ne le fera pas. A cause...

Il eut une hésitation et ce fut Kid qui dit :

— A cause de la gosse, je sais.

— Moi, je suis prêt à le faire, mais à mon âge, vous comprenez...

— T'inquiète pas, trancha Kid. Il ne le renverra pas. Dans deux jours on va à Lyon. Il sait bien qu'il en aura besoin.

Cette fois, le vieux s'éloigna sans se retourner. Kid le suivit des yeux puis, lorsqu'il fut sorti, revenant à sa valise il en tira son sac de couchage en disant :

— Il est sonné, celui-là, avec son bon Dieu, mais tout de même, c'est pas un mauvais cheval.

15

Le lundi était la dernière journée de la vogue à Vienne. Et ce fut une belle journée avec un temps splendide et une foule nombreuse qui emplit la tente des Carminetti pour chaque séance. Pierre sentait encore sa fatigue, mais il serra les dents et réussit à tenir. Pat se donna beaucoup de mal avec son micro, et ne commença de boire qu'après le repas du soir. Mais il était encore très lucide, à peine énervé. Kid était le premier à reconnaître que c'était dans ces moments-là, lorsqu'il avait un « bon petit début », que Pat accomplissait la meilleure besogne. Il trouvait alors, pour s'adresser au public, un accent de sincérité qui portait.

Pour la dernière séance, la salle était pleine, et il y avait même des gens debout derrière les bancs les plus éloignés du ring. Kid donna son petit spectacle de poids, Joseph boxa contre Pierre, puis vint le combat de lutte entre Kid et le Père Tiennot. Le vieux Portugais paraissait un peu fatigué par cette longue journée, mais il travaillait avec une soif de satisfaire Pat et le public qui devait lui redonner des forces. Pour celui qui suivait tous ses combats, ce vieil homme faisait penser à un bel ouvrier sérieux, possédant parfaitement son métier, et soucieux de rendre toujours de la belle ouvrage. Kid était égal à lui-même, infatigable, tour à tour féroce et moqueur, sachant aussi bien amuser que faire trembler, ou vibrer d'admiration les spectateurs les moins sensibles.

La première manche se déroula fort bien. Pierre la suivait tout en se rhabillant dans un angle de la tente. Au début de la deuxième, Kid plaçait toujours un saut chassé spectaculaire. Ses deux pieds venaient frapper la poitrine du Portugais qui se trouvait projeté dans les cordes. Renvoyé comme par un ressort, il revenait sur Kid au moment où celui-ci se relevait, et lui portait une prise de hanche. C'était une des parties les plus agréables à suivre de leur numéro, car le petit hercule surpassait la prise du Portugais, et réussissait lui-même une clef au bras.

C'était toujours le moment où Pat criait le plus fort dans son micro ; le moment où le public resté à l'extérieur pouvait le mieux suivre le combat et éprouver le plus de regrets.

Pierre avait fini de s'habiller, et s'approcha des derniers bancs pour mieux suivre cette phase du combat.

Les deux hommes quittèrent leur coin, s'observèrent quelques instants, puis, se détendant soudain comme une lanière de fouet, Kid s'enleva. Ses deux pieds claquèrent contre la poitrine du Portugais qui, forçant l'effet, partit le dos dans les cordes. Pat hurlait dans son micro, mais un grand cri du public couvrit sa voix. La corde supérieure venait de casser, et le père Tiennot, basculant par-dessus l'autre corde avait battu l'air de ses bras, cherchant vainement à se raccrocher. Kid se précipita, mais déjà le vieux était par terre, entre les pieds des premiers spectateurs qui s'écartaient en se bousculant. Pierre essaya de se frayer un chemin tandis que Kid se laissait glisser au bas du ring. Pat parla encore sans que personne ne prêtât attention à ce qu'il disait, mais, voyant que le vieux ne se relevait pas, il s'approcha. Pierre arriva près du vieux en même temps que lui.

— Ecartez-vous, criait Kid, en repoussant les curieux.

— Laissez la place ! Laissez la place ! hurlait Pat.

Dès que Pierre arriva, Kid dit :
— Fais reculer les gens, petit, il est sonné.
Joseph, qui était déjà sorti, arriva à son tour et, sans trop de peine, ils parvinrent à faire refluer le public.
Kid était à genoux près du vieux qui demeurait inerte, les bras en croix, le visage encore plus pâle que d'habitude.
— Faut le monter sur le ring, dit Pat.
— Non, surtout pas, lança Kid. S'il a quelque chose à la colonne vertébrale, faut surtout pas le bouger.
— Il est simplement sonné, qu'est-ce que tu veux qu'il ait ?
Pat se penchait pour soulever le Portugais, mais Kid l'empoigna par son pull-over et l'obligea à se relever.
— Je t'interdis de le toucher, cria-t-il. Fonce téléphoner à un toubib.
La patronne arriva et demanda :
— Qu'est-ce qu'il y a ?
— Va appeler un toubib, ordonna Kid. Et dépêche-toi, nom de Dieu !
Elle regarda Pat, puis de nouveau Kid. Le petit hercule la prit par le bras et la fit pivoter sur elle-même en répétant :
— Dépêche-toi, nom de Dieu !
Joseph avait apporté la cuvette et l'éponge. Kid baigna doucement le visage du vieux qui ouvrit les yeux et dit quelques mots en portugais.
— Bouge pas, dit Kid... Bouge surtout pas.
Quelques personnes étaient encore là. Pat se pencha.
— Faut pas qu'il parle en français, fit-il. On passerait pour des cons.
Kid lui lança un regard terrible.
— Tu es la pire des salopes, lança-t-il.
— Bon Dieu, toi, grogna Pat.
— Quoi, moi ?

Pat recula. Il obligea le public à sortir en disant :
— C'est un accident... Mais je l'avais prévenu.
— Moi, j'étais témoin, dit une femme. Si vous avez besoin de moi.
— Oui, oui, c'est ça. Donnez votre adresse à la jeune fille qui est dehors.
Kid regarda Pierre et Joseph. Surtout Joseph à qui il demanda :
— C'est pas une ordure, ce sac de tripes ? Faut qu'il continue son baratin. Et pourtant, Vienne, c'est fini, on n'y reviendra pas avant un an.
Le nègre avait un regard navré.
— Qu'est-ce que tu veux, qu'est-ce que tu veux, bredouilla-t-il.
Le père Tiennot ne remuait toujours pas. Il essaya plusieurs fois de soulever sa tête, mais elle retomba aussitôt. Il ne gémissait pas, n'ouvrait les yeux que de loin en loin pour les refermer presque aussitôt. Il avait ramené lentement ses bras le long de son corps, et, à présent, ses mains tremblaient.
— Qu'est-ce qu'elle fout, grognait Kid. Mais qu'est-ce qu'elle fout ? Pat, tu devrais demander au micro s'il n'y a pas un médecin sur la place.
— Ça la fout mal, dit Pat.
— Alors, téléphone aux flics ou aux pompiers.
Pat disparut.
— Faudrait lui mettre quelque chose sous la tête, et le couvrir, dit Kid.
Pierre sortit la grosse valise, en tira l'oreiller de Kid, la couverture et le duvet. Ils couvrirent le vieux qui murmura :
— Je vous fais des emmerdements, hein ?... J'ai pas compris... Je ne sais pas ce qui s'est passé.
— Tais-toi, dit Kid. Parle pas trop... C'est pas de ta faute... Tu y es pour rien.
S'éloignant de quelques pas, il dit à Joseph :
— Et les cordes, ça fait combien de temps que je lui dis de les changer ?... Je l'ai dit, oui ou non ?

Le nègre fit oui de la tête, et il eut un geste de désespoir tout en regardant du côté de la porte.

Un long moment passa encore, Kid s'énervait.

— Si j'étais sûr qu'ils ne touchent pas le vieux, dit-il, j'irais téléphoner, moi.

— Tu veux que je téléphone ? proposa Pierre.

Ils étaient là, tous les trois, debout à côté du Portugais dont seul le visage très pâle était visible. Ils se regardaient, embarrassés de leurs mains, de leur corps, ne sachant que faire.

— Tu crois vraiment que c'est grave ? demanda le nègre.

— J'en suis certain, murmura Kid... J'ai vu trop d'accidents... Je sais à quoi m'en tenir.

La corne d'une ambulance perça bientôt le vacarme de la fête, où les manèges et les tirs continuaient de mêler l'éternel refrain des chansons sans cesse répétées au crépitement grêle des carabines et des pistolets. Un moteur ronfla tout près de la tente et un agent de police entra, suivi de deux infirmiers qui portaient une civière.

Les lutteurs écartèrent les bancs pour faire place à la civière où les infirmiers chargèrent le Portugais toujours silencieux.

— Qu'est-ce qui s'est passé ? demanda l'agent.

La patronne se précipita.

— C'est un accident, dit-elle. Mais nous sommes assurés.

— C'était un amateur ? demanda l'agent.

La patronne regarda vers la porte. Elle devait chercher Pat. Comme elle ne le voyait pas, elle lança vers Kid un regard implorant. Le petit hercule s'approcha de l'agent.

— Non, dit-il. C'est pas un amateur, c'est un employé de la maison. Tout est en règle. C'est seulement un accident.

— Après tout, dit l'agent en regardant la toile de tente, du moment que vous payez la place, ce n'est plus la voie publique.

— C'est ça, dit Kid. Ce qui compte, c'est d'emmener tout de suite le père Tiennot à l'hôpital. Moi, je vais avec vous.

Il avait déjà enfilé son pantalon de survêtement, il passa son blouson et suivit le brancard en disant :

— Allez, Tine, faut que tu viennes aussi. Il y aura sûrement des papiers à remplir.

6

Avant de partir, la patronne avait demandé à Joseph de fermer la baraque, et à Pierre d'aider sa fille à rechercher Pat. Pierre et Diane s'éloignèrent chacun dans une direction, pour faire le tour des cafés. Pierre était à peine au bout de la place que Diane le rejoignait déjà.

— On ne le trouvera pas, dit-elle, c'est pas la peine de chercher. Quand il est parti de cette façon, autant le laisser se finir.

— Alors, faut rentrer.

Elle le regarda un temps et se tourna vers le quai désert pour répondre :

— Ça presse pas. Ils en ont pour un bon moment.

— Tu veux qu'on fasse un tour ? proposa Pierre.

Elle fit oui de la tête. Il l'avait tutoyée comme ça, sans y penser, parce que c'était la première fois qu'ils se trouvaient seuls. Ils marchèrent vers le quai, traversèrent la route et longèrent la murette jusqu'au premier escalier qu'ils prirent pour gagner le bas-port. Le bruit de la fête devenait confus, avec seulement le haut-parleur des autos tamponneuses qui dominait par moments. Sur le bas-port, la nuit était épaisse, seul le fleuve était parcouru de loin en loin par le reflet des maisons étagées sur la rive droite. Ils firent quelques pas en silence, puis Pierre passa son bras autour de la taille de Diane et l'embrassa. Quand leurs lèvres se séparèrent, il dit simplement :

— Viens plus loin.

Ils marchèrent encore un peu avant de s'arrêter contre le mur de soutènement du quai où Diane s'adossa d'elle-même. Pierre l'embrassa encore, et la prit debout, sans qu'elle opposât la moindre résistance. Quand il se retira, elle dit :

— Faut rentrer, ils vont se demander ce qu'on fait.

— On devrait pas rentrer ensemble.

— T'as peur de quoi ?

— J'ai pas peur, mais c'est pas la peine de faire des histoires.

Arrivée au pied de l'escalier, elle demanda :

— On se reverra, hein ?

— Oui, bien sûr.

— Tu vas me prendre pour une putain.

— Non.

— C'est sûr ?

— Puisque je te le dis.

— Pourtant, soupira-t-elle, tu pourrais.

— On va pas discuter.

Il monta quelques marches et s'arrêta pour l'embrasser encore. Ensuite, il dit :

— Tout de même, le père Tiennot est à l'hôpital. Et c'est peut-être grave.

— Tu crois ?

— Kid l'a dit.

Elle ne répondit pas. Il la voyait très mal dans la pénombre. Seuls ses yeux brillaient, un peu comme les reflets qui permettaient de deviner la présence du fleuve.

— Je file devant, dit-il... Je suis allé vers le haut de la ville, et toi vers le bas. On l'a pas trouvé.

— Oui.

Tandis qu'il remontait, il l'entendit encore qui disait :

— On se reverra, hein ? Tu m'as promis.

Il courut jusqu'aux premières baraques, remonta la moitié de la place et fit un léger détour pour arriver par le haut. Le nègre attendait adossé à la baraque fermée. Dès qu'il vit Pierre il demanda :

— Tu l'as pas trouvé ?

— Non.

— Et t'as pas vu Diane ?
— Non, elle est pas rentrée ?
— Elle doit le chercher, mais s'il la voit le premier et qu'il ait déjà bu, il se sauvera.
Diane revint quelques minutes plus tard. Elle demanda si les autres étaient rentrés, puis dit qu'elle voulait prendre une veste de laine et courut jusqu'à la roulotte où elle resta un bon moment. Quand elle reparut, les autres venaient d'arriver. En rentrant de l'hôpital, Kid et la patronne avaient trouvé Pat dans un café. Il était saoul. Il jurait qu'il n'avait rien bu, mais que pas un médecin ne voulait répondre au téléphone. Il les insultait tous.
— Au lieu de gueuler, dit Kid, tu ferais mieux d'aller te coucher, demain, on causera.
— Causer de quoi ? Si tu as quelque chose à dire, faut le dire tout de suite.
— Non, tu n'es pas en état.
— Qu'est-ce que tu as l'air de dire ?
— Je n'ai pas l'air. Je dis que tu es rond, et que je te parlerai demain.
Pat était furieux, il marcha sur Kid qui se contenta de reculer de quelques pas en disant :
— Tine, fais-le coucher, sinon, il va morfler.
La patronne s'était déjà précipitée. Elle se mit devant Pat et cria :
— Tu vas te coucher, oui, espèce de dégueulasse !
— Vous êtes tous des cons ! hurla Pat, en se dirigeant vers sa roulotte.
Sa femme et sa fille le suivirent. Joseph eut un geste las et demanda :
— Alors, qu'est-ce qu'ils ont dit pour Tiennot ?
— Il a quelque chose à la colonne vertébrale. C'est certain, mais on ne saura rien de précis avant demain midi... Je monterai voir.
Le nègre hocha la tête, les salua et se dirigea vers la roulotte où il allait se retrouver seul. Kid et Pierre rentrèrent sous la tente.
Les bancs étaient encore renversés, et la place où le vieux était resté étendu faisait un grand vide

à côté du ring. Kid s'y arrêta un moment, regardant tour à tour le sol et la corde cassée dont les deux tronçons pendaient.

— C'est un sale coup, dit-il. Un sacré sale coup.

— Tu crois vraiment que c'est grave ?

Kid se retourna. Ses yeux clairs brillaient étrangement et Pierre pensa un instant aux yeux de Diane lorsqu'elle l'avait regardé, dans la pénombre de l'escalier. Malgré lui, Pierre baissa la tête. Kid dut se méprendre sur son geste, car il dit :

— Faut pas désespérer, mais enfin...

Il se tut. Pierre leva les yeux. Le petit hercule semblait grave, hésitant à parler, embarrassé comme il ne l'était jamais. Enfin, très bas, et d'une voix qui tremblait un peu, il finit par dire :

— Tu vois, petit, les bondieuseries, moi, j'y crois pas du tout, mais dans l'ambulance, le vieux m'a dit qu'il était puni... Il m'a dit : « Je savais que ça m'arriverait, parce que je mentais tous les jours. Je trompais les gens. Ils payaient pour voir un combat, et moi je me prêtais au mensonge. Je jouais les pauvres vieux pour les attirer, pour inciter leur pitié. » Je lui ai dit que c'était le métier, mais il est resté sur son idée. Il avait certainement très mal, mais il ne se plaignait pas. Pour lui, c'était une punition qu'il avait méritée, et qui lui venait du ciel.

Kid s'arrêta de nouveau, mais Pierre comprit qu'il n'avait pas terminé. Quelques minutes passèrent. Kid tournait lentement dans cet espace laissé libre par les bancs écartés pour faire place à la civière. Enfin, revenant devant le garçon, il ajouta :

— On a beau dire... On avait beau le mettre en boîte avec son bon Dieu, tout de même, ça fait quelque chose.

Il soupira profondément, passa la main sur son crâne et répéta :

— C'est sûr, ça fait quelque chose.

DEUXIEME PARTIE

ADIEU LA VOGUE

17

Le lendemain, ils se levèrent à l'aube pour plier la tente, démonter l'estrade et charger le camion. Les bâches et une partie des bancs trouvaient place dans la remorque couverte où couchaient le père Tiennot et Joseph. En débarrassant les couchettes, ils découvrirent une petite mallette de bois fermée par un cadenas, et que le vieux avait glissée sous son lit, derrière sa valise.

— C'est sûrement ce qu'il m'a réclamé hier au soir, dit Kid. Je lui porterai à midi.

— C'est là qu'il met ses sous, dit Joseph. Et il doit y avoir aussi des machins d'église ; des livres de messe et des trucs comme ça.

Kid transporta la petite caisse avec beaucoup de précautions jusqu'à la cabine du camion. Dès qu'on parlait du Portugais, dès que l'on touchait aux objets qui lui appartenaient, Kid devenait grave.

Le patron travaillait avec les hommes, sans desserrer les dents. Pierre remarqua même qu'il évitait de regarder Kid et de se trouver à côté de lui.

A 9 heures, il ne restait plus que la charpente et le plancher de l'estrade à démonter. Le soleil déjà haut cuisait la place où tous les forains se hâtaient. Les manèges ne tournaient plus, les patites autos quittaient leurs pistes pour les plates-formes des camions ; le bruit des marteaux et les cris des hommes avaient remplacé la musique et le crépitement des tirs. Seule la petite loterie de Gégène restait intacte, avec sa bâche rouge et verte à peine entrouverte. Diane vint appeler les hommes qui se dirigèrent vers la roulotte. Pat resta seul en arrière. Quand les autres furent attablés, la patronne sortit pour l'appeler.

— J'ai pas faim, cria-t-il.

— Viens tout de même. Tout seul, tu ne peux rien faire. Viens !

Pat obéit et vint s'asseoir à sa place, en face de Pierre. Les deux coudes sur la table, il mit son front dans ses mains et demeura immobile. Les autres mangèrent un moment en silence, puis, d'une voix calme, Kid demanda :

— Qu'est-ce qui te tracasse, Pat, c'est l'accident ou bien le fait qu'il te manque un homme ?

Les épaules de Pat se soulevèrent lentement, il soupira, hésita longtemps, mais finit par croiser ses bras sur la table. Ses yeux étaient ternes, le blanc tout injecté de sang. Il regarda Kid.

— Ne gueule pas, dit-il. Je sais, je sais. J'aurais dû changer ces cordes. Je voulais le faire en arrivant à Lyon. On trouve plus facilement.

— C'est vrai, dit Joseph. Pat me l'avait dit : « Faudra changer les cordes, elles sont foutues. »

Kid les observa un instant en silence avant de dire, presque à voix basse.

— Et à présent, c'est le vieux qui est foutu.

Pat serra ses gros poings et se martela la poitrine en larmoyant :

— Je sais, Kid. M'accable pas, bon Dieu ! Je suis déjà assez emmerdé. J'ai pas fermé l'œil de la nuit. Et tu vois, ce matin, je pourrais pas absorber une bouchée.

— Comme toujours, tes lendemains de cuite.

— J'avais presque rien bu. C'est l'émotion.

— Discutons pas, trancha Kid. Que tu te saoules la gueule, c'est ton affaire. Moi, je voudrais seulement savoir ce que tu vas faire pour le vieux.

— Il y a l'assurance, dit Pat.

— L'assurance paye une partie. Et le reste ?

Pat lança vers sa femme un regard qui était comme un regard de détresse.

— Nous verrons, dit-elle. Vous pensez bien qu'on ne le laissera pas dans la misère.

— J'espère, dit simplement Kid.

— Ça ne s'est jamais vu, dans notre monde.

Kid eut un ricanement et un geste de la main qui voulait dire que rien jamais ne pouvait être sûr en ce domaine. Quelques minutes passèrent, avec seulement les bruits de la place qui entraient par la porte restée ouverte sur le soleil. Pat regardait le litre de vin, mais, comme il ne mangeait pas, sa femme ne lui avait pas donné de verre.

— Donne-moi donc un cachet d'aspirine, dit-il.

Diane lui apporta un verre d'eau et un comprimé. Il vida son verre d'un trait, fit la grimace et se versa un verre de vin qu'il but encore plus vite.

— Mange un bout, dit la patronne.

Il se leva, marcha jusqu'à la porte et se retourna pour dire très vite, avant de sortir :

— Quand ce sera fini, faudra penser à Gégène.

Kid eut un hochement de tête et murmura :

— Il a tout de même du culot, celui-là. Pour la comédie, il en connaît un bout. Penser à Gégène, ah ! merde alors !

La patronne regarda le petit hercule. Il sembla un moment qu'elle allait répondre, mais, tandis que les hommes se levaient, elle commença de débarrasser la table avec Diane qui n'avait pas cessé d'observer Pierre.

L'estrade fut rapidement démontée. Tout en travaillant, Kid avait expliqué à Pierre que le père Tiennot, Joseph et lui avaient l'habitude de démonter et de remonter la loterie, car la femme à Gégène ne pouvait le faire seule avec ses enfants. Mais jamais Pat ne s'en était occupé. Au contraire, à plusieurs reprises, il avait reproché à ses hommes de perdre du temps. Ce matin-là, Pat vint avec eux, et la petite baraque fut très vite démontée. Tout le matériel qui la composait tenait sur le toit de la roulotte, sauf les longerons et les plus lourdes planches qui se glissaient dessous, entre les essieux et le plancher. En chemise de nuit, Gégène était venu sur le pas de sa porte et, chaque fois qu'un homme passait près de lui, il se lamentait :

— Mes pauvres gars, je sais pas comment je pourrai jamais vous payer tout ça.

— Retourne te coucher, disait Kid. Tu vas prendre mal.

Lorsque tout fut chargé tandis que les autres achevaient l'arrimage, Kid prit la petite caisse du père Tiennot et partit pour l'hôpital.

18

La première journée à Lyon fut très pénible. Pat laissa les hommes monter la baraque et partit à la recherche d'un baron susceptible de remplacer le Portugais. Tine savait bien que lui seul pouvait trouver un homme, elle le laissa partir, mais exigea que Diane l'accompagne pour l'empêcher de boire. Il faisait très chaud sur le cours de Verdun où le vent qui soufflait du sud soulevait d'épais tourbillons de poussière. Les hommes avaient la gorge sèche et les yeux rouges. Diane revint seule, un peu avant midi. Son père était entré dans une maison où il prétendait connaître quelqu'un. Elle l'avait attendu sur le trottoir, puis, ne le voyant pas sortir, elle était entrée à son tour. Le couloir était une traboule qui communiquait avec une autre rue. Elle avait cherché dans les cafés du quartier, mais n'avait rien trouvé.

— Il faudrait que Pierre vienne avec moi, dit-elle. A deux on aurait plus de chances de le récupérer.

— Non, trancha la mère, vous ne le trouverez pas. Il n'avait pas beaucoup de sous sur lui. Il rentrera.

Joseph avait regardé Diane et Pierre d'un œil terrible. Kid dit à la patronne :

— J'aime mieux te prévenir, si ton homme continue de faire le con, moi je me tire. Ici, on peut faire des bonnes journées, mais faut avoir du monde. Et des hommes sérieux, pas des toquards. Si Pat revient sans personne, je vous laisse tomber.

Elle essaya de parler, mais Kid s'éloignait déjà. Pierre, qui l'avait suivi, lui demanda s'il voulait réellement s'en aller.

— Oui, dit Kid. J'en ai ma claque de cet ivrogne. Et si tu veux pas être emmerdé, tu feras bien de venir avec moi.

— Tu m'emmènerais ?

— Pourquoi pas ?

Ils firent quelques pas. Tout le long de l'esplanade, du Rhône à la Saône, les baraques se montaient. Il y en avait beaucoup plus qu'à Vienne et Pierre remarqua un Palais des Jeux où l'on installait de nombreux appareils à sous.

— Pourquoi tu dis que je serai emmerdé, avec Pat ? Jusqu'à présent, il est correct avec moi.

Kid se mit à rire.

— T'es bien un pilon, fit-il. T'as des grandes châsses, mais tu vois pas grand-chose. Tu seras emmerdé comme tous les jeunes qui sont passés par-là avant toi. Pat voudra te refiler sa fille. Tu voudras pas, et ça fera des histoires.

Ils allèrent jusqu'à la loterie de Gégène qu'ils avaient montée à une centaine de mètres de leur propre baraque.

— L'Angèle aura du mal à se défendre, remarqua Kid. Il y a une tapée de loteries, et pas des minces.

Les enfants étaient devant la porte. Kid s'approcha de l'aînée et demanda :

— Alors ?

— Le docteur est là.

Ils attendirent. Kid s'était assis sur une marche de l'escalier et avait pris le plus jeune des garçons sur son genou. Le petit passait son bras autour du crâne rasé de Kid, empoignait sa main et tirait de toutes ses forces.

— Je te fais une clef à la tête, disait-il.

Kid gémissait :

— Aïe... Aïe, tu me fais mal... Bonsoir, t'es une vraie brute. Tu me ferais péter la tronche comme une vieille noix.

Le gosse riait. Celui qui avait neuf ans s'était approché de Pierre.

— T'as pas du chumegomme ? demanda-t-il.

— Quand la boutique de nougats sera ouverte, promit Pierre, on ira en acheter.

— Achète-lui plutôt des bonbons, observa Kid. C'est au moins du sucre, tandis que ces saloperies de machins à l'américaine, c'est tout juste bon à détraquer l'estomac.

— Toi, dit Pierre, tu peux pas blairer ça parce que les jeunes en bouffent. Tu peux pas blairer les jeunes, voilà tout.

Kid le regarda, sourit et dit avec un mouvement du menton dans sa direction :

— La preuve.

La porte de la roulotte s'ouvrit. Le médecin sortit suivi d'Angèle. Kid se leva, le petit sur son bras. Angèle avait refermé la porte. Ils s'éloignèrent un peu de l'escalier et restèrent un moment à se regarder. Le médecin était un homme d'une quarantaine d'années, long, sec et légèrement voûté. Il portait une petite sacoche de cuir noir. Le vent faisait voler ses cheveux clairsemés et les ramenait sur son front dégarni. Angèle dit :

— M Kid et M. Pierre sont des amis de mon mari.

Le médecin leur serra la main.

— Alors, demanda Kid, qu'est-ce que c'est ?

— Paraît qu'il faut l'emmener à l'hôpital, dit Angèle.

— C'est ce que j'ai toujours essayé de lui faire entendre, dit Kid. Mais avec lui, c'est pas facile. Il se sent fort. Il ne veut pas croire à son mal.

Le médecin releva ses cheveux.

— Il a une forte constitution, expliqua-t-il. Mais moi, je ne peux rien faire ici. Il faut des radios et des examens. On ne peut pas se prononcer simplement après l'avoir ausculté.

— Vous pensez que c'est grave ?

— Je ne peux rien dire, madame. Mais si c'est vraiment un ulcère, l'opération le guérira.

Il y eut un temps. Angèle regardait tour à tour ses enfants, Kid et le médecin. Elle finit par demander :

— Ça pourrait être plus grave qu'un ulcère ?

Le médecin leva une main longue et blanche qui dessina quelques gestes lents tandis qu'il parlait.

— On ne peut rien dire, répéta-t-il, mais il me paraît indispensable de l'hospitaliser le plus rapidement possible. Avec le mot que je vous ai fait, vous pouvez vous présenter dès aujourd'hui.

Angèle remercia encore le médecin qui s'éloigna d'un pas mal assuré, comme si le vent eût menacé l'équilibre de son grand corps osseux. Ils le regardèrent s'éloigner. Sa place restait vide dans le petit cercle qu'ils avaient formé pour parler. Même les enfants se taisaient, et Pierre sentait une petite main qui serrait très fort ses doigts. La gêne qui était entre eux dura longtemps. Kid toussota plusieurs fois. Sa grosse main tapotait la cuisse du garçon qu'il tenait toujours sur son bras.

— Alors, demanda-t-il, tu vas l'emmener aujourd'hui ?

— Je ne sais pas. Qu'est-ce que tu en penses ?

— Ce serait préférable. Demain, tu vas ouvrir, tu seras tenue une partie de la journée. Vaut mieux que tu sois tranquille.

La femme approuva d'un signe de tête. Elle paraissait résignée, et pourtant elle ne se décidait pas à agir. Elle regardait ses petits, elle regardait la place où la vogue s'installait, dans le vent qui continuait de soulever vers le soleil d'épais tourbillons de poussière.

19

Gégène monta dans la vieille Citroën que sa femme conduisait. Il s'était installé derrière, à côté de Kid qui plaisantait :

— En taxi, mon gars. Et c'est l'Angèle qui pilote. Va y avoir du sport. Cette bagnole, quand elle a plus sa remorque aux trousses, c'est un vrai bolide.

Gégène souriait. Tine, Diane, Pierre et Joseph étaient à côté de la voiture, tenant les petits qu'ils devaient garder jusqu'au retour de la mère. L'aînée pleurait.

— T'inquiète pas, lança Kid. Quand on ira le chercher, c'est lui qui conduira pour rentrer. Et ça roulera encore bien plus vite.

Au moment où la voiture démarrait, Pierre crut remarquer que Gégène pleurait aussi. La voiture tourna l'angle de la place.

— Allez, les garçons, dit Joseph. Pendant que Kid est parti, vous allez venir vous entraîner sur le ring. Et quand il reviendra, vous serez plus forts que lui.

— Faites attention, recommanda la patronne, qu'il ne leur arrive rien. Il ne manquerait plus que ça.

— J'y vais aussi, dit Diane. Je surveillerai.

Elle s'installa sur un banc avec la fille qui pleurait toujours, tandis que les trois garçons se déchaussaient pour grimper sur le ring aux cordes toutes neuves. Joseph grimaçait, se contorsionnait pour les amuser. Pierre s'en mêla bientôt et ils se mirent tous deux contre les trois garçons qui riaient de les voir tomber, de les entendre gémir quand ils se roulaient sur eux. Jamais Pierre n'avait vu le nègre rire d'aussi bon cœur. Diane les observait, mais Joseph semblait avoir oublié sa présence.

Kid était de retour depuis longtemps lorsque Pat revint, accompagné d'un homme aussi saoul que lui. Ils se soutenaient mutuellement, et Pat commença par insulter Diane en lui reprochant de ne l'avoir pas attendu. A l'entendre, il avait peiné comme un malheureux toute la journée pour trouver enfin un lutteur qu'il présenta comme une perle rare. L'homme était à peu près de sa taille et de son âge. Il était sale et sentait le vin.

— Faudra que tu en cherches également un autre, dit Kid.

— Je sais, pour ici, faudrait toute une équipe, bégaya Pat. Mais si tu crois que c'est facile.

— Ce n'est pas d'un autre baron, que je parle, répondit Kid, mais d'un autre lutteur à mettre à ma place.

Pat demeura bouche bée. L'autre regardait et écoutait, le dos à la roulotte, soucieux surtout de son équilibre.

— Tu ne penses tout de même pas que je vais travailler avec ça, lança Kid en désignant le nouveau venu. Quant à toi, je t'ai prévenu : ou bien tu bosses sérieusement, ou bien je te laisse tomber.

Le nouveau s'était approché lourdement. Entre deux hoquets il parvint à dire :

— Qu'est-ce que t'as... petit... J'ai une gueule qui te revient pas ?

Kid le repoussa sans brutalité et reprit :

— Toi, je n'ai rien à faire de ta cuite. Mais lui, je l'ai prévenu.

Il se tourna vers la patronne, comme s'il eût refusé de s'entretenir avec Pat, et il dit :

— Si demain on ne fait pas une journée normale, je boucle ma valise. A toi de jouer, Tine. Ça m'embêtera beaucoup de te laisser dans la merde, mais tu ne pourras pas dire que je suis responsable.

Il s'éloigna et Pierre le suivit. Ils avaient à peine fait vingt pas qu'ils se retournaient. Tine était en train de chasser le nouveau venu en le menaçant de son balai, tandis que Diane et Joseph aidaient Pat à monter l'escalier de la roulotte.

Au repas du soir, Pat ne prononça pas un mot. Il mangea peu, mais réussit à boire encore deux ou trois verres de vin malgré la surveillance de sa femme. Le grand-père le fixait sans cesse d'un œil douloureux, tout plein d'une rage qu'il ne pouvait exprimer que par des grognements et des gestes désordonnés de sa main valide. Diane lui parlait doucement, tout en le faisant manger. Pat évitait de regarder son père.

Avant de quitter la roulotte, Joseph et Kid aidèrent les femmes à coucher le vieillard qui semblait très énervé. En partant, les hommes laissèrent Pat accoudé à la table, la tête dans ses mains. Kid et Pierre avaient regagné leur tente depuis un moment, lorsqu'ils entendirent une dispute venue de la roulotte.

— Ça n'a l'air de rien, observa Kid, mais il a encore peur de son vieux. A présent que le vieux est couché, il doit chercher des noises aux femmes.

La dispute s'arrêta soudain, il y eut un silence puis, de l'extérieur, Pat cria :

— Pierre... Pierre... Viens ici, mon petit gars.

Pierre regarda Kid qui eut un sourire triste en disant :

— Vas-y... Je sais ce que c'est... Je m'en doutais.

— Quoi ?

— Va toujours.

Pierre sortit. Pat était sur le pas de la porte, appuyé au chambranle.

— Viens un peu, dit-il doucement. Faut que je te cause.

Pierre monta. Le patron regagna sa place à la table qui avait été débarrassée et lavée. La toile cirée portait encore les traces humides des coups de torchon qui luisaient sous la lampe.

— Viens t'asseoir, dit Pat.

— Tu es saoul, lança la patronne, va te coucher, tu lui parleras demain.
— Je suis pas saoul. Et toi, tu es d'accord avec moi pour ce que j'ai à lui dire.
— Oui, mais pas ce soir.
— Je ne suis pas saoul, répéta-t-il.
Il s'obstinait, le front barré de rides presque douloureuses. Sa femme se tut et vint s'asseoir à côté de lui. Pierre était sur le banc, en face d'eux. Ils se regardèrent un moment, comme pour un jeu silencieux. Enfin, le gros homme dit :
— Donne-nous un verre, ma petite Tine... Juste un petit verre.
— Il n'y a plus rien.
Les yeux de Pat se fermaient à demi, sa langue passait et repassait entre ses grosses lèvres violacées. De loin en loin, il retenait un hoquet. Son haleine empestait un mélange d'absinthe et de vin.
— Misère de misère, fit-il... Alors cause, quoi !
— Non, dit-elle, c'est toi qui l'as appelé.
— Alors, si tu me dis de causer, c'est que je suis pas saoul.
Il eut un rire gras qui le fit tousser. A chaque instant, Pierre redoutait de le voir vomir sur la table. Soudain, ayant respiré profondément, il commença :
— Voilà, t'es un bon petit gars. Moi et la Tine, on t'a à la bonne... Et la petite, elle t'aime bien... Et le vieux Pat aussi, remarque... le vieux Pat y cause pas, mais ça se voit dans ses yeux, qu'il t'aime bien... Alors, on aimerait que tu sois vraiment dans le coup avec nous autres, quoi.
Pierre comprit ce que Kid avait voulu dire.
— C'est vrai, vous savez, qu'on vous aime bien, approuva la patronne. Et puis, notre fils, Félix, je suis sûre qu'il vous aimerait bien aussi.
D'une voix qui tremblait, Pat se mit à dire :
— Ah, bon Dieu, c'est vrai, Félix, c'est lui qui serait heureux, tiens... Je suis sûr que vous seriez comme des frères toi et lui... tu comprends, on aimerait que tu épouses la petite... On aimerait...

Il se tut, à court de mots. Pierre les regardait tour à tour. Il pensait à Diane, aux quais de Vienne, avait-elle parlé ? Est-ce que les vieux se doutaient de quelque chose ?

— Alors, demanda Pat, ça te plairait pas d'être avec nous ? D'ici quelques années, moi je pourrais reprendre le nougat, et Pat ce serait toi.

Il eut de nouveau un rire glaireux qui donnait à Pierre envie de cracher.

— Ce serait bien, vous savez, dit la femme. En ce moment, on a de la misère ; mais quand tout marche normalement, c'est autre chose.

Pierre crut vraiment que l'ivrogne allait vomir sur la table, mais ce n'était pas un hoquet qui venait de soulever son énorme poitrine, c'était un sanglot.

— Bon Dieu de bon Dieu, gémit-il, tu vois d'ici, ce pauvre Félix, s'il serait heureux... Bon Dieu de bon Dieu, ce qu'on serait heureux, tranquilles en famille.

— Pleure pas comme un imbécile, lança-t-elle.

— Mais je pleure pas. C'est l'émotion. C'est la joie.

— Attends au moins qu'il te réponde.

— Mais il veut bien... Hein, petit, que tu veux bien ?

Il se couchait à moitié sur la table pour tenter d'empoigner le bras du garçon qui se déroba en glissant sur le banc. Le patron sanglotait, lamentable. La bave coulait de sa bouche et ses yeux étaient mi-clos.

— Bon Dieu, mais réponds-moi, petit, faut pas être timide... Diane, elle t'aime, tu sais...

Au balancement de la roulotte, Pierre comprit que Diane venait de sauter de sa couchette. La mère regarda aussi en direction du fond. Elle ébauchait un geste pour se lever, lorsque le rideau s'ouvrit. Diane fit un pas, referma le rideau et s'immobilisa. Raide, le visage dur, elle regardait fixement Pierre. Son père ne l'avait pas encore vue. Sa mère lui fit signe de se retirer, mais, de la tête, elle refusa. Elle laissa passer encore quelques secondes, puis elle dit :

— Vous êtes dégueulasses !

Le père sursauta. Il se tourna vers elle, parut faire un effort pour la regarder, et, frappant la table du poing, il hurla :

— Vas-tu foutre le camp... Vermine... Petite peau !

— Tais-toi Pat, cria la mère.

— Vous me dégoûtez, lança la petite. Vous me dégoûtez. Les écoutez pas, Pierre. Ils sont fous... Complètement fous !

Ecumant, Pat se déplia lentement, une main sur la table, cherchant son équilibre. Il parvint à se lever, mais ne put avancer à cause de sa femme qui se cramponnait à la table et lui barrait le passage. D'un mouvement de tête, elle désigna la porte à Pierre en lui disant :

— Appelez Kid.

Pat n'entendit même pas ce que disait sa femme tant il hurlait pour insulter sa fille. Pierre n'eut pas à appeler Kid, qui se tenait au pied de l'escalier, entra dans la roulotte. Il refermait la porte lorsque la petite lança à son père :

— Tu peux parler de Félix. S'il te voyait me proposer comme ça, il te cracherait sur la gueule, Félix. Il aurait honte de toi.

Pat tentait encore de déplacer sa femme qui se cramponnait à la table, nerveuse, tout son corps maigre bandé par l'effort. Renonçant à la pousser, Pat se reculait d'un pas et empoignait un tabouret, lorsque Kid lui saisit le bras. Pierre s'était approché d'un autre tabouret, décidé à assommer l'ivrogne s'il tentait de frapper Kid. Mais ce fut inutile. Le géant se retourna, et son regard tomba sur le petit hercule dont la tête ne lui arrivait même pas à l'épaule. Il lâcha le tabouret, eut un instant d'hésitation et s'assit lourdement.

— Bon Dieu, Kid, sanglota-t-il. T'as de la chance de pas être marié... de pas avoir de gosses. Saloperie de saloperie, quelle engeance !

Kid lui tapota la nuque en disant :

— Tu es fatigué, Pat. Tu tiens une bonne biture et tu vas vite te mettre au lit pour pas qu'elle prenne froid, ta biture, hein ? Tu vas te coucher avec ta cuite et laisser tout le monde dormir tranquille.

— T'as raison, fit Pat. Je suis fatigué. C'est pas une vie qu'on a... On a tous les malheurs... Tous les malheurs... On a beau se crever à la besogne...

Il se remit à pleurer.

— Ça va Kid, dit la patronne, à présent, il va se coucher.

Pierre regarda vers le rideau. Diane était figée à sa place. Elle avait un sourire amer, comme écœuré. Lorsque leurs regards se croisèrent, elle eut un gros soupir qui souleva ses épaules étroites. Elle portait une blouse légère qu'elle n'avait pas eu le temps de boutonner entièrement. Dessous, elle devait être nue. Comme Pierre regardait à hauteur de sa poitrine, elle tira nerveusement les deux revers de son col, fit demi-tour et disparut.

Dans le silence, il n'y avait que les sanglots de Pat, et les grognements du grand-père qui devait s'agiter derrière le rideau.

20

La vogue commença de vivre dès le lendemain après-midi. Le vent s'était calmé et le public fut assez nombreux. A la fin de la matinée, Pat avait réussi à découvrir un garçon de vingt-cinq ans qui acceptait de boxer. Avec Pierre et l'ouvrier de la fonderie qui venait participer à quelques séances, le spectacle de la baraque des Carminetti était à peu près convenable.

Kid était de mauvaise humeur, mais il travaillait toujours avec la même conscience et le même sérieux. Joseph semblait triste. Pierre avait le sentiment que, lorsqu'il le regardait, ses yeux n'étaient pas comme d'habitude.

Après la dernière séance de l'après-midi, le nègre vint trouver Pierre et lui demanda s'il voulait boire une bière avec lui. Pierre le suivit jusqu'à un petit café derrière les voûtes de la gare de Perrache. Il y avait peu de monde dans la salle, et ils s'installèrent à une table située tout au fond, dans un angle. Ils restèrent un moment immobiles, les coudes sur le marbre blanc marqué de cercles gris, immobiles et silencieux. Du bout de son index, le nègre dessinait sur la table avec la bière qui avait coulé de son verre.

Soudain, levant la tête, il demanda :

— Pourquoi il t'a appelé, Pat, hier au soir ?

— Rien, dit Pierre, des conneries de mec bourré.

— Tu ne veux rien me dire, mais je sais, va. Je sais tout ce qui se passe.

— Il était saoul, tu l'as bien vu.

— Oui, mais c'est toujours quand il est saoul qu'il dit certaines choses.

— Faut le laisser dire.

Joseph parut réfléchir. Son doigt était toujours planté sur la table.

— Et la patronne, dit-il, elle était pas saoule ?

— Non, mais elle ne voulait pas qu'il parle.

— Qu'il parle de quoi ?

Pierre but un peu de bière, essuya ses lèvres avec sa main puis, d'un coup, haussant la voix, il se libéra.

— Ah ! puis merde, fit-il. Tu le sais, alors, pourquoi tu me questionnes comme un flic ? Cet abruti m'a parlé de Diane... Bon, ben oui, quoi. Diane, elle est pas mal, cette petite, mais moi, j'ai pas envie de me marier. Il est dingue, ce gros mec. On se marie pas comme ça, sans, sans...

Il se tut. Il ne trouvait plus ses mots, mais ce qu'il venait de dire avait dû soulager Joseph qui demanda :

— Qu'est-ce que t'as dit ?

— Je l'ai envoyé aux prunes. Et puis Kid est arrivé. Et puis Diane l'a engueulé aussi.

Le Noir se pencha par-dessus la table et demanda d'une voix toute tremblante :

— Qu'est-ce qu'elle a dit, la petite ?

— Elle a dit... Elle a dit qu'elle voulait pas se marier avec moi...

Le visage de Joseph acheva de s'éclairer. Il resta un long moment à regarder Pierre qui vit peu à peu la tristesse revenir dans ses yeux.

— Tu l'as rudement dans la peau, cette môme, dit Pierre.

— C'est sûr... Ça fait trois ans que j'attends... Plus de trois ans... Mais je sais que même si la petite voulait, ce serait pas possible.

— Pourquoi ?

Joseph baissa la tête. Ses épaules se soulevèrent pour un long soupir. Il dit lentement :

— Je suis trop con.

— Tu as peur de lui parler ?

— Non. Mais Pat dit que je suis trop con... C'est vrai. Je saurais sûrement pas parler aux gens aussi bien que lui.

— Mais la baraque, tu t'en balances. Tu n'as qu'à foutre le camp avec Diane.

Le nègre eut un sourire triste qui découvrit à peine ses larges dents blanches.

— C'est pas possible, dit-il. La petite, faut qu'elle soit heureuse. Moi, qu'est-ce que je peux faire ? Qu'est-ce que je sais faire ?

En disant cela, il tendait ses mains presque roses à l'intérieur, comme pour montrer qu'elles étaient impuissantes, qu'elles ne pouvaient lui servir qu'à boxer et lutter pour gagner sa vie. Il attendit encore un moment sans parler, et ajouta :

— Peut-être que si Félix était là, ce serait pas pareil. Je crois qu'il m'aimait bien, Félix. Et il m'aurait aidé. Je peux travailler, moi. Je suis pas fainéant, tu sais. Seulement, je sais pas parler...

Il marqua encore un temps, regarda autour d'eux et, se penchant vers Pierre, il murmura :

— Et puis, les nègres, y a des gens qui aiment pas. Tant que c'est pour recevoir des pains, ça leur plaît. Mais si c'est le nègre qui commande, ils foutent le camp. Et ça aussi, Pat le sait bien.

Ils demeurèrent encore un moment sans parler, à boire lentement un autre verre. De loin en loin, le Noir levait sur Pierre un regard qui essayait de sourire.

Lorsqu'ils rentrèrent, Kid dit à Pierre :

— Alors, il a chialé dans ton giron. Je sais, je t'ai vu partir avec lui.

— C'est un pauvre type, dit Pierre.

— Un jour, il arrivera un malheur. Pat calottera la gosse devant lui, et ça le mettra en rogne. Il lui piquera sa grosse panse. Et ce sera pas beau à voir. Qu'est-ce qu'il doit avoir comme tripailles rongées par l'alcool, ce gros sac !

21

Ce soir-là, le nouveau baron ne vint pas et ils ne purent faire que deux séances. Kid, furieux, alla se coucher dès que la baraque fut fermée et Pierre en profita pour sortir. Depuis leur arrivée à Lyon, il avait envie de se rendre à ce Palais des Jeux toujours envahi par les jeunes. Il dut attendre un bon moment avant de trouver place devant un flipper où il se mit aussitôt à jouer, gagnant coup sur coup trois parties gratuites.

Un garçon qui attendait son tour lui dit :

— Tes aussi fortiche au flipper qu'à la boxe. On t'a vu tout à l'heure, avec le nègre. T'aurais presque pu l'avoir.

— T'es de Perrache ? demanda un autre.

— Non, je suis pas de Lyon, dit Pierre.

— Tu vas y retourner, contre le nègre ?

Il y avait, à présent, une dizaine de garçons et quatre filles autour de Pierre. Tous avaient des cheveux longs, comme lui, et beaucoup portaient des vestes à carreaux ou des blousons noirs. Ils firent encore quelques parties, puis ils l'entraînèrent dans un café voisin. Ils lui posaient des questions auxquelles il essayait de répondre sans trahir le secret de l'équipe. Les autres semblaient heureux de lui offrir à boire. Ils insistaient pour que Pierre revienne se battre contre le nègre. A plusieurs reprises des jeunes arrivèrent, qui faisaient partie de la bande. Il y avait aussi deux billards électriques dans le café, et ils jouèrent encore. Les garçons payèrent les consommations et toutes les parties de billard.

Au moment où ils sortaient du café pour regagner le Palais des Jeux, un garçon et une fille arrivèrent. Pierre, qui se trouvait au centre du groupe, ne put comprendre ce qu'ils disaient, mais, bientôt, le groupe s'ouvrit et les nouveaux venus s'approchèrent de lui. Toute la bande semblait soudain hostile.

— C'est vrai que c'était pas du bidon, ton match avec le nègre ? demanda la fille.

— Ben oui.

— Et pourquoi tu bouffes avec les mecs de la baraque, alors ?

— Moi ? J'ai pas bouffé avec eux.

Pierre sentait la peur le gagner. La fille était une petite blonde qui portait un pull-over marron très collant et un pantalon bleu à paillettes d'argent. Son visait était dur, avec un regard froid qui faisait presque mal.

— T'es un menteur, dit-elle. Moi et Bob on t'a vu sortir de la roulotte, à 2 heures.

— C'est pas vrai.

Pierre avait dit cela sans conviction. Très vite, il ajouta :

— D'abord, j'ai rien à faire avec vous. Foutez-moi la paix !

Il y eut aussitôt un grand cri, et le groupe se serra autour de lui. Pierre s'affola et tenta de se libérer, mais il ne put même pas se débattre. Vingt mains s'accrochaient à lui, et ce fut toute la bande serrée qui s'ébranla sur le trottoir en hurlant. Les gens s'écartaient devant eux, et Pierre avait beau appeler, personne ne l'écoutait. Malgré sa résistance, ils atteignirent bientôt le quai de Saône où les promeneurs se faisaient plus rares. Les garçons le traitaient de voleur, et réclamaient l'argent des consommations et des parties qu'ils avaient payées pour lui. Dès qu'ils eurent atteint la zone d'ombre, derrière les voûtes du chemin de fer, la danse commença. Pierre essayait de riposter, mais il ne parvenait même pas à se couvrir des coups. A présent, les garçons ne criaient presque plus. Tous cognaient en silence. Les filles aussi frappaient, et lorsque Pierre s'écroula sur le trottoir, la petite blonde se laissa tomber sur lui et, l'empoignant à deux mains par les cheveux, elle se mit à lui cogner la tête contre le sol. Il sentit qu'on lui prenait son portefeuille, puis ce fut le vide. Sa tête avait dû porter sur une pierre saillante.

Lorsqu'il revint à lui, il entendit d'abord le bruit assourdi de la fête et le roulement plus proche d'un train passant le pont. La nuit était épaisse, trouée seulement par l'éclat lointain de lampes dont la clarté n'arrivait pas jusqu'à lui.

Pierre tenta de se relever et poussa un gémissement.

— T'as mal ?

C'était la voix de Diane. Il sentit sa main fraîche sur son front.

— T'étais là ? demanda-t-il.

— Kid est là. Il en a sonné un, mais les autres se sont tirés.

Pierre parvint à se dresser sur un coude. Sa tête douloureuse résonnait. Tout son corps lui faisait mal.

— Ça va aller, dit-il en se raidissant.

Diane l'aida à se relever et l'entraîna vers les voûtes. Kid s'y trouvait, accroupi à côté d'un garçon assis sur le trottoir, jambes étendues et le dos au mur, qui reprenait lentement ses esprits. La lumière était encore faible, en cet endroit, mais Pierre reconnut l'un des garçons avec qui il avait engagé la conversation dans le Palais des Jeux.

— Fumier, lança-t-il, en s'avançant, prêt à frapper du pied.

Kid l'arrêta.

— Laisse, il a son compte. Et ce serait dégueulasse de le tabasser à présent. Faut seulement qu'il comprenne bien qu'on veut pas d'histoires. Que sa bande s'amuse pas à venir faire du chahut quand on bossera, sinon, ils vont dérouiller.

— Ils m'ont piqué mon fric, dit Pierre.

— Combien tu avais ? demanda Kid.

— Tout mon pognon. Pas loin de dix sacs.
— Et tes papiers ?
— Non, y sont dans mon futal.
S'adressant au garçon qui venait de se relever péniblement, Kid demanda :
— Tu as de l'argent ?
— Cinq cents balles, vous pouvez me fouiller.
— On te croit. Mais alors, tu vas venir avec nous au commissariat. Tu donneras le nom de tes copains. Faut rendre son pognon à mon pote.
— Je les connais pas tous, larmoya l'autre. Et si je les donne, ils me tueront.
Kid lui demanda son portefeuille que le garçon tendit d'une main qui tremblait terriblement. Kid se pencha vers la lumière, sortit l'argent que contenait le portefeuille et le tendit au garçon en disant :
— Garde ton fric. Je suis pas comme vous. Mais moi je conserve le reste avec tes papiers d'identité. Si demain soir tu m'as pas rapporté les dix sacs, je te fais coffrer pour agression et vol... tu as compris ?
Le garçon fit un signe affirmatif. Ses longs cheveux ébouriffés cachaient la moitié de son visage.
— Ça va, fit Kid, tu peux t'en aller.
Il le laissa faire quelques pas, puis, le rappelant il ajouta :
— Et avant de t'emmener au bloc, je te rase la boule à zéro. Tu m'as compris ?
— Oui, monsieur, murmura le garçon qui fit quelques pas lentement, avant de se mettre à courir.
Kid, Diane et Pierre reprirent le chemin de la baraque. Ils marchèrent un moment en silence, puis Pierre demanda :
— Comment ça se fait, que vous soyez arrivés ?
— C'est Diane qui est venue me chercher, dit Kid. Tu peux dire que tu lui dois une belle chandelle. J'ai l'impression qu'ils allaient t'arranger.
Ils avaient atteint les premières lampes, et Kid examina Pierre avant de reprendre :
— Tu es déjà dans un bel état. Tu veux boire quelque chose ?

— Non, c'est pas la peine.
— En tout cas, faudra t'acheter une veste.
Kid s'arrêta, se planta devant eux et demanda :
— Vous étiez sortis tous les deux ?
Ils répondirent non d'une seule voix. Kid fixa Diane.
— Alors, c'est par hasard, que tu les as vus l'emmener ?
Diane les regarda tour à tour et laissa passer quelques instants. Son visage s'était durci. Sa voix avait quelque chose de tranchant lorsqu'elle répondit :
— Parfaitement. Je me trouvais là, comme ça. Et c'est tout.
Kid eut un geste bref par-dessus son épaule, fit rapidement demi-tour et s'éloigna vers les baraques en disant :
— Après tout, vous êtes assez grands pour savoir ce que vous avez à faire.
Dès qu'il se fut éloigné de quelques pas, Diane empoigna le bras de Pierre et demanda :
— Viens... Viens, tu m'avais promis.
— Non, pas ce soir. Tu vois bien comme je suis.
Il allongea le pas pour suivre Kid. Diane l'accompagna sans mot dire. Simplement, lorsqu'ils arrivèrent à proximité des roulottes, elle partit sur la droite en disant :
— J'aime mieux te laisser aller. Je sais que tu as peur de Joseph... Bonne nuit.
Pierre ne se retourna même pas pour répondre. Il se hâta davantage, et rejoignit Kid au moment où il entrait sous la tente. Le petit hercule gagna le ring et remit en ordre son sac de couchage d'où il avait dû sortir très vite.
— Alors, demanda-t-il, où en es-tu avec elle ?
— Rien.
— Comme tu veux.
Pierre était bien décidé à ne rien confier à Kid, mais quand le regard du petit hercule fouilla le sien, il baissa la tête en murmurant :
— Je me la suis envoyée à Vienne. Juste une fois.
— Le soir où le vieux s'est cassé les reins.

Pierre soupira.

— Je sais. C'est un peu vache.

— Non, fit-il. C'est la vie... Et c'est de ton âge.

— Depuis, j'ai plus voulu, mais ce soir, elle avait dû me suivre.

Kid se coucha tandis que Pierre déroulait sa couverture sur le ring.

— Demain matin, dit le petit Hercule, je vais prendre le car pour aller à Vienne, voir le père Tiennot. Si tu arrives à te lever, tu pourrais venir avec moi, tu lui dois bien ça.

22

A l'hôpital de Vienne, le vieux Portugais occupait un lit tout au fond d'une longue salle que Pierre et Kid traversèrent lentement, regardant les malades allongés ou assis dans leurs lits Tous étaient des vieillards pâles, aux joues creuses, que la barbe mal rasée piquetait de poils gris. Le père Tiennot les vit venir et sourit en soulevant lentement la main.

— Bonjour, dit-il Vous êtes gentils... Vous êtes gentils d'être venus de si loin

— C'est rien, dit Kid. Trois sabotées.

Ils posèrent un grand sac d'oranges, deux bouteilles de bordeaux rouge et des biscuits sur la petite table de fer

— C'est trop, disait le vieux. Je ne manque de rien, vous savez, et les sœurs sont gentilles.

Il y avait, sur sa table de chevet, une statuette de la Vierge, un journal et un bol vide.

Le vieux se découvrit pour montrer un plâtre qui enveloppait son bassin. Il expliqua qu'il était là pour trois mois.

— C'est rien, dit Kid. Ça te fait des petites vacances. Après, tu iras te reposer dans une maison à la montagne.

Le père Tiennot baissa les yeux. Un sanglot souleva sa poitrine et deux grosses larmes coulèrent sur ses pommettes, tremblotant un instant avant de rouler le long des rides qui encerclaient sa bouche aux lèvres pincées. Il les écrasa du dos de la main, rouvrit les yeux et s'efforça de sourire. Kid et Pierre se tenaient debout, chacun d'un côté du lit, sans savoir que dire ni que faire.

Le vieux accentua son sourire. Son menton se plissa comme s'il allait se remettre à pleurer, mais il dit, d'une voix cassée, et très lentement :

— Tu avais raison Kid, quand tu me disais que je mentais en faisant mon numéro de vieux maboul qui ne parle pas le français...

— Mais je disais ça pour rigoler...

— Non, non, toi tu plaisantais, mais c'était vrai. Je trompais le monde. Vous qui n'avez pas de foi, vous pouvez peut-être le faire. Moi je n'avais pas le droit. Je suis puni, et je n'ai pas à me plaindre.

— Mais c'était le travail, Tiennot... C'était le travail.

Le vieux les regarda tour à tour, il souleva ses mains tendues un peu comme avait fait Joseph la veille, dans le café, et il dit :

— Je sais, il fallait vivre.

Ses mains retombèrent Elles étaient plus maigres qu'avant, avec de grosses veines bleues qui couraient jusqu'aux poignets couverts par les manches blanches d'une chemise sans col. Il y eut un long silence. Le vieux avait baissé les paupières et, lorsqu'il les releva, son regard fit lentement le tour de la salle.

— Vous voyez, dit-il. Je suis avec des vieux... Des vieux comme moi, qui ne seront plus jamais bons à rien.

Ensuite, il posa quelques questions sur Pat et les autres. Il demanda des nouvelles de Gégène, et Kid expliqua qu'on l'avait transporté à l'hôpital de Lyon.

— Tout à l'heure, dit le petit hercule, en arrivant, on saura si on l'opère. Sa femme y est en ce moment. Nous, on ira le voir demain.

— Si on l'opère, dit le vieux, ça va sûrement coûter très cher, et je crois qu'il n'est pas assuré ?

— Non. Mais le principal, c'est qu'on le soigne.

— Je sais, seulement, je voulais te dire : moi, je n'ai pas besoin d'argent, ce que l'assurance donne suffira. Alors, tu vas prendre ma caisse. Elle est sous mon lit...

Kid l'interrompit. Lui prenant la main dans les siennes, il dit :

— Non, Tiennot, tu peux en avoir besoin le jour où tu sortiras.

Le vieux essaya encore de parler, mais Kid l'en empêcha :

— Tais-toi, dit-il. Tu te fatigues. Je te promets que si Gégène en a besoin, je viendrai te trouver. C'est promis, Tiennot. Mais pas aujourd'hui.

Le vieux lui fit répéter sa promesse, puis il ferma les yeux. Il dit encore qu'il prierait pour Gégène. Il semblait très calme. Un long moment passa ainsi, puis, après avoir plusieurs fois ébauché un mouvement qu'il n'acheva pas, Kid se pencha vers lui et l'embrassa deux fois en disant :

— Au revoir, vieux frère. On reviendra. Et pense qu'on est là... Si tu avais besoin...

— C'est ça... C'est ça, fit le vieux dont la voix se brisa soudain.

Pierre hésita un instant lui aussi, puis il se pencha à son tour et embrassa le vieux dont les larmes recommençaient à couler. Kid était déjà dans l'allée. Pierre le rejoignit et ils sortirent très vite, sans oser se retourner.

Ils quittèrent l'hôpital sans échanger ni un mot ni même un regard. Dehors, ils marchèrent longtemps sans parler dans les rues où tout vivait sous le soleil. Enfin, lorsqu'ils atteignirent la place vide de toutes ses baraques et dont le sol avait été balayé, avant de monter dans l'autocar, Kid dit simplement :

— Bon Dieu, ça remue les tripes, des trucs comme ça.

23

Ils arrivèrent à Lyon par l'autocar de 14 heures et se rendirent directement chez Gégène. En passant devant la roulotte de la voyante, Kid poussa la porte et demanda sans entrer :

— Quel temps tu prévois, pour demain et dimanche ?

Comme d'habitude, la femme commença par l'insulter.

— Pauvre con, grogna-t-elle, il va tomber de la merde.

— Même pas foutue de prévoir le temps, lança Kid. Quand t'auras avalé ton bulletin de naissance, je prendrai ta gâche. Et j'en dirai plus que toi aux pigeons qui gobent tes boniments et larguent leur fric pour du vent.

Toujours sur le même ton, la femme continua de l'injurier tandis qu'il s'éloignait.

— Quelle panosse, dit le petit hercule. Je te jure qu'il y en a qui gagnent leur croûte à bon compte !

Dans la roulotte de Gégène, ils trouvèrent seulement l'aînée des enfants et la jeune fille qui tenait le stand de tir voisin.

— Angèle est toujours à l'hôpital, dit la jeune fille. Mais elle ne va pas tarder. Les petits sont dehors. Moi je suis venue aider la gosse à préparer le repas.

Elle sortit un litre de bière et leur versa un verre. Ils étaient là depuis quelques minutes, lorsque la roulotte se mit à osciller de droite à gauche.

— Merde, quel est l'abruti... fit Kid en empoignant son verre qui menaçait de se renverser sur la table.

Il n'eut pas le temps d'en dire davantage. La fille du tir, qui s'était précipitée pour ouvrir la porte, fut accueillie par une bordée d'injures.

— Salope ! Pourriture ! T'as pas honte de profiter que Gégène est malade et sa femme à l'hosto pour venir faire la morue ici... Tu débauches le Pierre, et ma pauvre gosse, elle a plus qu'à chialer !

Pat, écumant de rage, hurlait en martelant du poing les tôles de la remorque. Pierre et Kid se levèrent, mais le petit hercule passa le premier en disant :

— Bouge pas. Il a dû boire du blanc. Ça le rend furieux. Il ne sait plus ce qu'il fait.

La jeune fille s'effaça, et Kid sortit sur le petit palier de fer. Il s'arrêta en haut de l'escalier, mais Pierre put voir, par-dessus son épaule, la face cramoisie de Pat. La colère le rendait hideux. Il n'avait plus ses yeux vitreux et battus de la veille, mais un regard de bête. Les voyant, il se tut un instant, et Kid en profita.

— Pat, dit-il très calme, fais pas le con. Tu vas morfler.

— Taille-toi de là, hurla Pat, je veux calotter cette petite traînée... Taille-toi Kid. Taille-toi !

Il fit un pas en avant. Kid ne bougea pas, mais Pierre put voir son cou se gonfler et ses jambes fléchir légèrement. Toujours d'une voix calme, le petit hercule répéta :

— Pat, tiens-toi tranquille, tu sais que tu vas recevoir.

Le gros homme parut chercher des yeux quelque chose autour de lui. Déjà des passants et d'autres forains s'étaient rassemblés et formaient un cercle à une dizaine de mètres de la roulotte. Plusieurs voix crièrent en même temps :

— La masse !

— Attention !

— Fais gaffe, Kid !

Les outils qui avaient servi à monter la loterie étaient encore au pied de la baraque. Pat fit un pas, étendit son grand bras et empoigna le manche de la masse. Déjà il allait la lever, mais il eut à peine le temps de la décoller du sol. Kid s'était détendu. Quittant le haut de l'escalier, ses deux pieds joints arrivèrent sur la face du colosse qui poussa un rugissement et s'effondra sur le sol. Kid atterrit debout à côté de lui et, comme le gros homme se relevait en hurlant, de la bave rougeâtre à la bouche, Kid le saisit par le col de son pull-over et l'aida un peu. Pat rugit encore, et porta tout son poids en avant pour tenter d'écraser Kid. Mais, toujours aussi rapide, le petit hercule s'était effacé. Comme Pat battait l'air de ses deux bras fous, il lui assena une terrible manchette sur la nuque. Cette fois, le gros homme s'allongea sur le ventre et ne broncha plus. Kid regarda du côté de la roulotte et lança un clin d'œil à Pierre. Ensuite, tandis que le cercle des curieux se rapprochait, il se baissa, saisit la main de Pat qu'il leva très haut avant d'exécuter une espèce d'enroulement sous cette masse de chair inerte. Le grand corps cassé en deux monta sur les épaules de Kid qui l'emporta. La patronne et le nègre qui avaient eu peine à se frayer chemin à travers les curieux le suivirent. Pierre les rattrapa.

— Tu l'as sonné, Kid, disait la patronne, tu l'as salement sonné. Qu'est-ce qu'il avait donc fait ?

La voix un peu cassée par l'effort, sans s'arrêter, Kid dit seulement :

— Le con, pour pas changer.

24

Lorsque Kid et Pierre quittèrent la roulotte des Carminetti où Pat était allongé sur le lino, une serviette trempée sur la tête, deux agents de police interrogaient les badauds. L'un d'eux aborda Kid.

— Qu'est-ce qui s'est passé ? demanda-t-il.

— Rien, fit Kid, l'air étonné. Qu'est-ce qu'ils foutent là, tous ces mecs ? Je vais faire la quête, moi !

L'agent éleva le ton.

— Ne vous moquez pas de moi. Qu'est-ce que vous avez fait ? Quand je suis arrivé, vous emportiez un homme sur votre dos. Il est dans cette roulotte. Je vous ai vu.

Kid eut l'air de tomber des nues.

— Ah, dit-il, vous voulez parler du gros Pat ? C'est mon pote. On est lutteurs, tous les deux. On s'est entraînés. On a dû forcer un peu, et avec le soleil, il a pris un petit malaise. Sa femme le soigne. Vous pouvez aller le voir, ça lui fera sûrement plaisir d'avoir de la visite.

Les gens s'étaient mis à rire. L'agent était furieux. Il monta trois marches et frappa. Tine ouvrit la porte et Pierre put apercevoir Pat adossé au pied de la table, les coudes sur ses genoux fléchis et la tête dans ses mains.

— Qu'est-ce qui se passe ? demanda l'agent.

— Rien, dit la patronne.

— Qu'est-ce qu'il a ?

— Il a pris une cuite. Et... Et pour le moment, il réfléchit.

Du bas de l'escalier, Kid ajouta :

— Il essaie de se rappeler pourquoi il a bu.

Les curieux des premiers rangs se mirent à rire, et le mot de Kid fit très vite le tour du groupe. A mesure qu'on le répétait, le rire courait en s'amplifiant.

— C'est bon, lança l'agent, on règlera cette affaire avec le commissaire.

Il rejoignit son collègue et tous deux reprirent leurs bicyclettes appuyées contre la roulotte. Sans ménagement, ils fendirent la foule et s'en allèrent.

— Qu'est-ce qu'ils vont faire ? demanda Pierre.

— Rien, dit Kid sans s'émouvoir. Qu'est-ce que tu veux qu'ils fassent ?

Il entraîna Pierre dans la grande tente pour échapper aux questions que commençaient de lui poser les autres forains. A une inconnue qui lui demandait si l'homme qu'il avait assommé était mort, il cria :

— Allez demander à la voyante, elle vous dira l'heure des obsèques.

Dès que les deux hommes furent seuls sous la tente, Kid s'assit à califourchon sur un banc et fit signe à Pierre de prendre place en face de lui. Ils n'avaient pas allumé la lampe, mais le soleil qui éclairait le haut et le flanc droit de la bâche verte inondait l'intérieur d'une clarté où les ombres étaient floues.

— Faut qu'on parle sérieusement, dit Kid.

— Moi, fit Pierre, je vais m'en aller. Ça va devenir intenable, la vie avec eux.

— Justement. On va foutre le camp tous les deux. On passe récupérer mon matériel et celui de mon pote, et on se tire. J'ai le calendrier des foires. Il y en a une à Bourg-en-Bresse la semaine prochaine, après on fera Mâcon, Chalon-sur-Saône, mais, entretemps, on travaillera le soir dans les petits bleds. Je t'assure qu'il y a du pognon à prendre. Je te l'ai déjà dit : depuis que j'ai quitté le cirque, j'ai jamais pu travailler longtemps chez les autres. J'ai l'impression d'être en prison.

Kid se remit à parler de la route, des places publiques, de cette vie libre qu'il regrettait. Son visage n'était plus le même. Ses mains s'animaient, toutes prêtes déjà au travail des poids, du bilboquet, des extenseurs. Pierre l'écoutait. Depuis qu'il vivait avec lui et les Carminetti, il n'avait guère réfléchi. Il pensait parfois aux copains, à la bande, à son ami Guy, mais le temps lui manquait pour s'inquiéter vraiment de ce qu'était la vie en dehors de la vogue. Et puis il se sentait à l'aise avec Kid. Il lui semblait que le petit hercule réfléchissait pour lui. Depuis quelques jours, il était moins gêné de le sentir toujours qui devinait ses pensées. Il demanda pourtant :

— Mais qu'est-ce que je vais faire, moi, sur les places ?

Kid sourit. Il eut un geste de la main pour montrer le plafond de toile, et il dit :

— Le roi de l'évasion aérienne.

— Quoi ?

— Oui, j'ai tout le matériel. C'est l'héritage de mon pote qui s'est fait dessouder.

— Mais je pourrai pas. J'ai jamais fait ça.

— Tu peux. Tout le monde pourrait. La seule chose, c'est d'être capable de rester la tête en bas un petit quart d'heure. Tu verras, c'est du gâteau.

Kid ne voulut pas en dire davantage. Il expliqua seulement que, pour son propre numéro, il avait besoin d'un partenaire pour lui attacher ses sabres aux poignets.

— Tu verras, dit-il pour conclure, c'est une autre vie que celle qu'on mène avec cet ivrogne.

Son visage, qui reflétait un grand espoir, s'assombrit soudain.

— La seule chose qui me chagrine, reprit-il, c'est Gégène. Mais avec un abruti comme Pat, on ne peut pas gagner beaucoup de pognon. Sur les places, ce sera autre chose. Et je pourrai envoyer du fric à

Angèle pour que les gosses bouffent à leur faim et qu'elle puisse payer l'hôpital. Pour monter sa baraque, il y aura toujours des gars pour lui donner la main. Et puis, nous autres, on sera dans la région. On peut venir le faire.

Ils quittèrent la tente pour gagner la roulotte de la loterie. Angèle était à table avec les enfants. Elle ajouta deux couverts et leur servit la soupe en expliquant qu'elle n'avait pas pu voir le médecin, mais que Gégène devait être opéré.

— Et qu'est-ce qu'il a au juste ? demanda Kid.

— Je me demande s'ils ont dit la vérité. Ils lui ont dit que c'était une chaîne de ganglions et un petit ulcère. Il a bon moral. Il se figure que dans trois semaines il sera sur pied, et prêt à travailler.

— Et qu'est-ce qui te fait croire que ce n'est pas vrai ?

Angèle regarda ses enfants. Les trois garçons étaient heureux de la présence de Pierre et de Kid. La fille était grave. Suspendue à ce que sa mère allait dire. Angèle soupira.

— La sœur m'a dit que c'était une opération très délicate... C'est tout. Elle ne pouvait rien dire de plus.

Par la porte ouverte sur la place, le soleil entrait avec des bouffées d'air chaud. Au cours du repas, plusieurs forains vinrent demander des nouvelles de Gégène. Chaque fois, Angèle se levait, allait jusqu'à la porte et répétait les mêmes paroles aux gens qui se tenaient debout, au pied de l'escalier. Tous avaient le même hochement de tête, les mêmes gestes impuissants, les mêmes mots d'encouragement. Tous disaient en conclusion :

— Tu verras, ça s'arrangera. Il est robuste... Et si tu as besoin de quelque chose, tu sais qu'on est là.

Angèle offrait un verre, mais les gens s'en allaient, prétextant le travail, pressés, semblait-il, de s'éloigner de cette roulotte où l'on parlait de mal et d'hôpital.

Seule, la voyante accepta de boire une tasse de café. Elle s'assit à côté d'Angèle, écouta sans mot dire le récit de sa visite à l'hôpital, et demanda également des nouvelles du Portugais. Kid répondit. Et cette fois, il ne plaisanta pas. Et la voyante se contenta de dire :

— Il y a bien de la misère sur cette terre.

25

En quittant Angèle et ses enfants, ils se rendirent chez les Carminetti. Pat dormait, les bras repliés sur la table, la tête au creux de son coude. Joseph lisait le journal, la patronne et Diane achevaient la vaisselle. Le grand-père était dans son fauteuil. La casquette sur les yeux, il dormait.

— Vous n'êtes pas venus manger, dit la patronne.

— On a mangé avec l'Angèle. Je voulais avoir des nouvelles de Gégène.

En disant cela, Kid s'était assis sur le banc, à côté du nègre. Pat souleva la tête. Sa lèvre supérieure était enflée et fendue ; son nez était enflé et sa joue droite tuméfiée. Kid le regarda et dit :

— On voudrait te parler.

Joseph laissa son journal sur la table et se leva sans un mot.

— Tu peux rester, dit Kid.

Le nègre sortit comme s'il n'avait rien entendu. Pat restait immobile, la tête rentrée entre les épaules, le souffle bruyant. La patronne posa son torchon, demanda à Diane d'aller chercher du pain, et vint s'asseoir à côté de son homme. Diane prit lentement un porte-monnaie dans un tiroir, décrocha un filet à provisions et sortit après avoir plusieurs fois regardé Pierre avec insistance. Ce fut la patronne qui rompit le silence. Un silence lourd, qui semblait repousser les bruits même de la place.

— Alors, fit-elle, vous allez nous laisser tomber.

— Tu m'évites de le dire, répondit Kid. Mais laisser tomber, ce n'est pas le mot. On partira mercredi prochain.

— C'était à prévoir, dit-elle avec un regard mauvais en direction de Pat.

Pat souleva ses épaules, émit un grognement curieux et dit :

— Kid, tu m'as fait manquer.

— Tu l'as bien cherché, dit le petit hercule, reconnais-le.

— Tu m'as fait manquer, insista Pat. Et devant tout le monde.

— Si je t'avais laissé faire, tu cassais la baraque à Gégène, tu foutais sur la gueule à une gamine qui ne savait même pas de quoi il retournait, et à l'heure qu'il est, tu serais encagé : tu as vu, les flics n'étaient pas loin.

— Kid a raison, observa la patronne, tu devrais le remercier.

— Je n'en demande pas tant, dit Kid. Je ne demande rien du tout. D'ailleurs, ça n'est pas seulement pour ça qu'on s'en va. On veut bosser seuls. Faire les petits bleds. Enfin quoi, vous me connaissez, je suis pas fait pour mener cette vie.

— Kid, tu me fous dans un sale pétrin. Un sacré sale pétrin, tu sais. Et j'ai le vieux sur les bras...

La voix de Pat montait peu à peu. Les sanglots n'étaient pas loin. Sa femme l'interrompit.

— Tais-toi, trancha-t-elle, c'est toi qui nous a foutus dans le pétrin. Toi avec tes cuites et toutes tes âneries.

— Je vous laisse le temps de vous retourner, répéta Kid. Et si je peux vous aider à trouver des hommes, je le ferai.

Personne ne répondit. Pat avait tiré de sa poche sa pipe courte qu'il bourrait d'un pouce maladroit. La patronne alluma une cigarette sur laquelle elle se mit à tirer nerveusement. Elle en avait offert une à Pierre. Kid ne fumait jamais.

— La baraque des Carminetti n'ira pas loin, soupira-t-elle.

En disant cela, elle avait eu un regard triste en

direction du vieux qui dormait toujours et qu'on entendait à peine respirer.

— Et il doit s'en rendre compte, reprit-elle. Depuis quelques jours, il a bien baissé. Il ne mange presque plus.

Pierre et Kid avaient remarqué que le vieux n'était plus le même. La vie semblait le quitter peu à peu, sans qu'il fît rien pour s'y raccrocher. Durant les repas, il fixait soit son fils, soit sa place vide lorsqu'il n'était pas rentré du café. Pourtant, Kid dit :

— C'est peut-être les premières chaleurs qui le fatiguent. A son âge, c'est normal.

Ils parlèrent un moment de Tiennot que Pat promit d'aller voir dès qu'il en trouverait le temps.

— Tu iras quand je pourrai aller avec toi, dit durement la patronne.

Alors, comme implorant secours, il se tourna vers Kid. Il eut encore une espèce de râle mi-hoquet, mi-sanglot étranglé, puis il demanda .

— Kid, me laisse pas tomber. Et toi non plus, petit. Je ferai des sacrifices, je vous augmenterai. J'ai fait le con, je le reconnais. Un mauvais vin qui m'avait rendu malade. Une saloperie qu'un mec m'a fait boire. Nous laissez pas tomber, bon Dieu. Nous laissez pas.

Il avait baissé ses bras et posé sur la table ses grosses mains rouges qu ressemblaient à deux bêtes malades. Tout son visage suppliait. Les larmes étaient au bord de ses paupières. Durant un long moment il s'insulta, s'accusant du pire, se noircissant à l'excès.

— Je devrais me foutre une balle dans la peau et vous laisser vivre heureux, finit-il par dire.

Quand il se tut, sa femme l'observa un instant en silence avant de lancer :

— Tu es complètement ridicule !

Pierre avait baissé la tête. Il ne pouvait plus regarder cet homme. Il sentit que Kid se levait pour sortir et glissa sur le banc pour le suivre. Pat eut un sursaut. Il saisit la main du garçon en disant :

— Vous êtes fous de partir comme ça, à l'aventure. Vous allez crever de faim en vous tuant au travail. Kid, regarde ton copain Paturel...

Le petit hercule l'interrompit.

— Paturel, ricana-t-il. Il est pas mort de faim. Il est mort d'avoir trop bu. Et tu le sais mieux que moi, tu as vidé assez de litres avec lui.

Pat et sa femme les regardèrent sortir. Dès que la porte fut refermée, ils entendirent la patronne qui commençait d'insulter son homme.

— Cette fois, dit Kid, j'ai l'impression qu'il va en prendre pour son poids.

Ils firent quelques pas sous le soleil, parmi les curieux encore assez rares.

— Pourquoi tu lui as dit que ce Paturel est mort d'avoir trop bu ? demanda Pierre.

— Parce que c'est vrai.

— Qui c'était ?

Kid se mit à rire en expliquant :

— C'était un avaleur de sabres. Un mec qui bossait sur les places, comme moi. Eh bien, tu vois, c'est pas les sabres qui l'ont tué, c'est les litres. Il buvait tellement que tout le monde croyait qu'il s'était percé l'estomac en faisant son numéro. Mais non, ça se retrouvait tout dans le foie, et un beau jour, il s'en est pas relevé.

Comme ils passaient devant la baraque de la voyante, Kid désigna du doigt le bocal où flottait le petit diable noir.

— Tiens, fit-il, moi j'ai pas besoin de guignol pour te dire que Pat finira de la même façon.

Son rire devint plus clair. Il s'arrêta soudain, regarda Pierre et ajouta :

— En tout cas, pour aujourd'hui, il a eu de la chance que le temps soit au beau.

Pierre ne comprit pas. Kid rit de plus belle en expliquant :

— Eh oui, t'as bien vu sa tronche. S'il avait plu, j'aurais eu mes grosses pompes, pas mes espadrilles. Et en ce moment, il serait pas beau à voir, M. Carminetti.

26

Il n'y avait pas de séance avant 17 heures, et Kid proposa d'aller boire une bière à la terrasse d'un café assez éloigné du cours de Verdun.

— Si on reste par-là, dit-il, on va être accroché sans arrêt par des mecs qui vont nous parler de la séance de ce matin.

En effet, plusieurs forains les avaient déjà hélés au passage. Kid s'en tirait par une plaisanterie :

— Quand je pense qu'on fait payer les pékins pour leur montrer du flan, et pour une fois que c'est sérieux, on touche pas un rond !

Les autres riaient. Tous considéraient Kid avec une lueur d'admiration dans les yeux. L'un d'eux lui suggéra de demander une prime exceptionnelle à Pat pour cette séance supplémentaire.

Mais Kid n'avait pas envie de rire. Il revenait toujours à cette opération de Gégène qui l'inquiétait. Elle devait gâcher toute la joie que lui procurait la perspective de ce qu'il appelait « leur libération de la maison de fous ». Pierre pensait à Pat et à sa femme. Il les revoyait assis en face de lui. Il revoyait aussi le regard de Diane lorsqu'elle avait quitté la roulotte. Et ce regard le gênait.

Tandis qu'ils marchaient vers la rue Victor-Hugo, Kid s'était remis à parler de la route, du travail sur les places et de la façon dont ils devraient s'organiser. Pierre l'écoutait, mais il continuait de penser aux Carminetti. Il y avait aussi en lui autre chose. Lorsqu'ils étaient entrés dans la roulotte, il s'était assis à la place que Joseph venait de quitter, laissant son journal plié en deux sur la table. Le regard de Pierre était tombé sur un titre de la première page : « Trois jeunes voyous arrêtés à Villefranche-sur-Saône alors qu'ils tentaient de gagner Paris à bord d'une voiture volée. » Le sous-titre indiquait seulement que les garçons arrêtés avaient à leur actif de nombreux vols. En dessous, Pierre avait pu lire : « Notre article en troisième page. » Il avait beau se répéter que c'était un fait divers presque quotidien, quelque chose lui disait que Guy n'y était pas étranger. Ils passèrent devant plusieurs kiosques sans qu'il osât entrer. Enfin, comme ils allaient atteindre la place Bellecour, il s'arrêta devant un magasin, et dit qu'il voulait acheter un journal. Kid parut surpris, mais ne dit rien. Pierre acheta le journal, et ils traversèrent la place. Il tenait son journal à la main, et sa gorge était serrée.

A la terrasse du café, il s'imposa d'attendre que la bière fût servie avant de commencer à lire. Il se rendit compte que ses mains tremblaient un peu tandis qu'il ouvrait le journal à la troisième page. Son regard tomba immédiatement sur trois photographies. Trois têtes côte à côte, trois photos qui portaient, dans l'angle, un quart du tampon des cartes d'identité. Guy était là, à l'extrême droite. Pierre fut soudain plus calme. Comme si la preuve de ce qu'il redoutait l'eût apaisé. Il se rendit compte que Kid, qui était assis à côté de lui, lisait aussi. Lisait-il le même article ? Allait-il, une fois de plus, deviner ce qui se passait en lui ?

Lorsqu'il eut terminé, Pierre tourna la page et fit semblant de s'intéresser à des commentaires sportifs. Kid garda le silence un bon moment puis, comme s'il eût parlé des rugbymen dont il était question dans le journal, d'un ton détaché, il demanda :

— Tu les connais ?

Pierre le regarda.

— Qui donc ? Ces mecs-là ? fit-il en montrant la photographie de l'équipe de France.

— Non, dit Kid. Joue pas au gland. Les trois champions du volant de l'autre page.

Pierre voulut jouer l'étonnement, mais Kid l'arrêta.

— T'es peut-être doué pour la lutte, dit-il, mais pas pour le cinéma. Tu avais vu le gros titre chez Pat. C'est pour ça que tu voulais lire le reste.

Pierre eut un soupir. Il revint à la troisième page, désigna Guy du doigt, et dit simplement :

— C'est lui qui était avec moi, le soir où tu m'as coincé.

Kid lui prit le journal, le plia soigneusement et le glissa dans sa ceinture en disant :

— Et voilà comment ça finit. Mais crois-moi, coincé pour coincé, vaut encore mieux que ce soit par cette tête de lard de Kid Léon. Ça coûte moins cher.

Ils restèrent un moment à regarder la place d'où montait un voile de poussière. Des gens passaient, des enfants jouaient, les voitures qu'un feu rouge arrêtait dégageaient une fumée bleutée que le soleil semblait maintenir au sol.

— Ça pue et on s'entend tout juste parler, dit Kid. Tu verras, on est encore mieux dans des petits bleds, et on se tape des gueuletons pour trois fois rien.

Il parla encore de la vie qu'ils allaient avoir et de la liberté, puis il revint aux trois garçons dont le journal annonçait l'arrestation. Guy avait dû rencontrer les deux autres à Lyon, et vivre de vols en leur compagnie durant ces quelques jours. Pierre l'écoutait sans mot dire. Kid les insultait sans colère. Il les considérait avec un mélange de mépris et de pitié. Soudain, il demanda :

— Depuis qu'on est ensemble, est-ce qu'il t'est venu à l'idée de voler ?

Pierre fit non de la tête, mais Kid insista :

— Même quand tu as vu où la Tine range son argent ? Même quand on était près de la voyante qui doit roupiller dans sa crasse sur un joli magot ?

Le garçon baissa la tête. Il avait pensé à cela, et Kid le devinait.

— Bien sûr, poursuivit le petit hercule, c'est pas très joli non plus, ce fric qui sert à rien ou ce pognon que Pat liquide.

Il s'arrêta, laissant sa phrase en suspens et, se tournant vers Pierre, il lui prit le bras et le tira en arrière pour l'obliger à le regarder.

— Et le vieux Tiennot, fit-il. On s'est bien payé sa tête, avec ses bondieuseries. Et pourtant, tu as entendu, ce qu'il a dit, pour Gégène ?

Pierre fit un signe de tête affirmatif. Il allait détourner les yeux, mais Kid ajouta :

— On va partir tous les deux. Mais avant, faut qu'on soit bien d'accord. On va peut-être coucher dans des fermes. Chez les gens, il y a toujours moyen de barboter. Pense bien à une chose : si ça t'arrivait, je te promets que c'est à moi que tu aurais affaire. Mais cette fois, ce serait sérieux.

Pierre se contenta de le regarder. Les yeux clairs du petit hercule étaient durs, mais peu à peu, ils se mirent à sourire et tout son visage se détendit. Fouillant la poche intérieure de son blouson, il en tira le porte-cartes pris au garçon qui avait rossé Pierre, la veille au soir.

— Tiens, dit-il, tu le garderas en souvenir.

— Mais, fit Pierre, il va sûrement te rapporter mon fric.

Kid se mit à rire en disant :

— Tu es plus bille que lui. Moi je suis certain qu'il ne viendra pas. Il a bien vu que j'ai pas une tête à donner des gens aux flics. Réfléchis cinq minutes. Un homme qui aurait voulu le faire coffrer n'aurait pas attendu. Qu'est-ce que j'irais dire au commissaire, à présent ? Que j'ai voulu récupérer l'argent tout seul ? Et toi, tu irais témoigner ?

— Mais, mon pognon ? bredouilla Pierre.

Kid eut un geste de la main et un petit accent de triomphe pour conclure :

— Ah ! ça fait mal, hein, quand on a bossé pour

gagner du pèze et qu'on se le fait barboter par des fainéants.

Pierre serra les poings. Une rage sourde était en lui. Le sourire même de Kid l'agaçait. Il était plus furieux à présent que la veille, tout de suite après la bataille. Et c'était vrai qu'il pensait beaucoup plus à son argent qu'aux coups qu'il avait reçus de toute cette bande. Il y avait pensé toute la journée, mais avec l'espoir de voir revenir cette petite ordure, l'oreille basse. Il l'avait imaginé, pleurant auprès des autres pour récupérer la somme qu'ils avaient dû se partager. Ce qui lui faisait le plus mal, c'était le rire des filles. Surtout cette blonde qui l'avait frappé lorsqu'il était par terre. Et Kid se taisait. Il paraissait satisfait. Pierre lui lança un regard hargneux et grogna :

— Que j'en biche un ou deux... Ils vont comprendre, tiens.

Le petit hercule se remit à rire, puis, se levant, il tapa sur l'épaule de Pierre en disant :

— Tu bicheras rien du tout. Ils sont pas si naïfs. Pour eux, c'est fini aussi, la vogue de Perrache. Ils iront boire à ta santé dans un autre quartier.

27

Les jours passèrent. Pat s'était arrêté de boire. On sentait qu'il voulait se montrer sous un jour nouveau pour tenter de retenir Kid et Pierre, mais il s'efforçait aussi de conserver un ton bourru. Il embaucha plusieurs barons, mais aucun ne donnait vraiment satisfaction. Après deux ou trois séances, ils disparaissaient pour ne plus revenir. Kid, qui connaissait bien la ville, avait trouvé à Vaise un haltérophile de trente-cinq ans qui venait d'abandonner sa licence d'amateur et accepta de le remplacer. C'était un homme qui pesait près de cent kilos, un peu empâté, mais qui savait lutter.

— Tu vois, plaisanta Kid, au poids, tu es gagnant.

Pat multipliait les compliments sur Kid et les promesses de ne plus boire. La patronne était constamment aimable, les repas plus soignés et plus copieux, mais le petit hercule demeurait sur sa décision. Dès qu'il se trouvait seul avec Pierre, il se remettait à parler de la route et de la liberté.

Un soir, tandis qu'ils étaient à table, la patronne annonça qu'elle avait reçu une longue lettre de son fils. Elle ne la lut pas devant eux, mais elle prétendit qu'il parlait de revenir.

— Il s'occuperait de la lutte, dit Pat. Moi j'en ai assez, je reprendrais ma baraque de nougat.

Il regardait Pierre et Diane. Mais Pierre ne dit rien.

La veille de leur départ, le mercredi, Kid et Pierre accompagnèrent Angèle à l'hôpital. Gégène avait été opéré le lundi matin. Il était encore très faible. De son visage extrêmement pâle, on voyait surtout les yeux luisants et noyés de fièvre. Il essayait de sourire. Il dit qu'il ne souffrait pas et, ouvrant sa chemise, il montra une large plaque de tissu rose à petits trous, collée sur le bas de sa poitrine.

— Vous voyez, murmura-t-il, c'est pas grand-chose. Ils disent que dans un mois je serai en forme.

Quand ils l'eurent quitté, les deux hommes attendirent dans le couloir de l'hôpital. Angèle, qui était partie voir le médecin, revint au bout de quelques minutes et se mit à pleurer.

— J'ai pas encore pu voir le professeur, fit-elle. C'est malheureux, on peut pas les approcher, ces gens-là... Mais l'interne vient de me dire qu'il y avait des adhérences.

Elle marqua une pause, laissa aller un gros sanglot qui gonflait sa poitrine, puis elle ajouta :

— Il m'a dit qu'ils n'avaient pas pu enlever grand-chose... C'est tout... Le professeur ne peut pas se prononcer avant trois ou quatre jours.

Kid essaya de la rassurer, mais il cherchait ses mots. Il était maladroit. Lorsqu'elle les eut quittés, il dit à Pierre :

— Je crois bien que Gégène est foutu.

Ce fut tout. Ils rentrèrent. Kid se prépara pour monter sur l'estrade et Pierre s'éloigna dans la foule. C'était leur dernière soirée. Lorsqu'elle fut terminée, Pierre sortit seul et rejoignit Diane qui l'attendait à l'angle de la place Carnot.

— Pourquoi tu m'as dit de venir là ? demanda-t-il.

Elle le regarda. Son visage mince était grave. Elle s'était maquillée un peu plus que de coutume.

— Je voulais pas que tu partes comme ça, dit-elle, sans qu'on se revoie.

Il l'embrassa et proposa :

— On pourrait aller dans un hôtel.

Les yeux de Diane s'illuminèrent. Ils prirent tous deux la rue Auguste-Comte et marchèrent un moment sans parler, serrés l'un contre l'autre, Pierre tenant dans son bras la taille frêle de Diane.

— Pourquoi tu as tout fait pour m'éviter, ces jours derniers ? demanda-t-elle.

— Mais non. Seulement Kid était toujours avec moi.

Elle ne répondit pas, mais Pierre comprit qu'elle n'était pas convaincue.

Ils trouvèrent un hôtel dans le centre de la ville, et ils y restèrent plus de deux heures. Quand ils sortirent, Pierre demanda :

— Et tes vieux, qu'est-ce qu'ils vont dire ?

— Je m'en fous. Et puis, tu sais, Pat doit en tenir une bonne, à l'heure qu'il est.

— Tu crois ? Il ne buvait plus.

— Bien sûr, mais ce soir qu'il sait que vous partez...

Elle se tut, s'arrêta de marcher pour obliger Pierre à la regarder, puis, d'une voix à peine perceptible, approchant son visage tout près du sien, elle ajouta :

— A présent, il sait que c'est foutu... Alors, ça va recommencer... Et ça va être terrible... Mais toi, tu t'en fous. Tu vas avoir la belle vie.

Pierre ne trouva rien à répondre. Il se pencha pour l'embrasser mais, se dégageant presque brutalement, elle dit très vite qu'elle préférait rentrer seule, et s'éloigna en courant.

TROISIEME PARTIE

LA BELLE VIE

28

Kid Léon était vraiment talonné par l'idée de la route. D'une route libre. D'un voyage sans itinéraire précis ni obligatoire. A l'aide d'une carte Michelin et d'un petit calendrier des foires et marchés qu'il avait soigneusement relevé sur son calepin, il avait établi un plan de travail. Dans le train qui les emmenait de Lyon à Bourg-en-Bresse, il tira le carnet de sa poche, se pencha vers Pierre et se mit à expliquer pour la centième fois :

— Tu comprends, ça, c'est ce qu'on doit faire, en principe. Je dis bien en principe, parce que nous, à présent, on est libres. Le tout, c'est de faire assez de fric pour becqueter tous les jours.

Il remit le carnet dans la poche de son blouson, posa ses mains sur ses cuisses, et resta un moment à fixer une photographie des gorges du Tarn placée en face de lui, dans le compartiment où il n'y avait qu'un autre voyageur. Pierre regardait par la portière un paysage de plaines, d'arbres et d'étangs.

— A quoi tu penses ? demanda soudain le petit hercule.

— A rien.

— Eh bien, moi, je pense à Gégène. A Gégène et à ses mômes qui nous ont regardés partir. Du pognon, du pognon, pour nous, c'est pas tout. Faudra que je leur en envoie tout de même.

Il se tut encore un moment avant de se tourner vers Pierre pour ajouter :

— Et toi, c'est pas la peine de me dire que tu penses à rien. Ou alors...

Il n'acheva pas sa phrase, mais son visage soudain tendu exprimait une inquiétude, une espèce de douleur qui assombrissait même son œil clair.

— Bien sûr, dit Pierre. Ils nous ont tous regardés nous en aller.

Le visage de Kid se détendit un peu.

— Tu vois, dit-il, Pat, Joseph et même la Tine, c'est rien. La merde, ils la cherchent. Mais le vieux et la gosse, tout de même...

C'était à Diane que Pierre pensait. Kid avait dû le comprendre. Pierre eut un geste vague. Il y pensait, et puis après ? Que pouvait-il faire ? C'était une môme. Il avait couché avec elle. Mais ça n'allait pas plus loin. Ce n'était même pas lui qui avait cherché. Personne ne pouvait l'accuser d'avoir fait le premier pas. Et Diane n'avait rien demandé. Rien de plus qu'un moment à l'hôtel, avant de le laisser s'en aller.

Le matin, lorsqu'ils avaient quitté la baraque, Joseph les avait accompagnés jusque sur le quai de la gare pour les aider à porter les énormes valises de Kid. La patronne et Pat leur avaient dit au revoir dans la roulotte où le vieux dormait encore. Seule Diane était sortie. Avant de tourner l'angle de la grosse loterie qui se trouvait à hauteur de la gare, Pierre s'était retourné. Diane était debout à côté d'Angèle qui tenait son plus petit sur son bras. Les autres gosses étaient devant. Ils avaient tous levé la main en signe d'adieu, mais, sans s'expliquer pourquoi, c'était Diane que le garçon revoyait. Toute mince dans sa blouse claire. Un visage pâle. Des cheveux noirs. C'était tout. Il la revoyait également sur le bas-port du Rhône et dans la chambre d'hôtel, mais, en fin de compte, c'était toujours cette image de départ qui finissait par s'imposer à lui.

Lorsqu'ils furent sur le trottoir extérieur de la gare de Bourg-en-Bresse, Kid se mit à rire.

— Voilà, dit-il. On est sur le tas.

Ce rire soudain du petit hercule paraissait un peu forcé, mais le garçon aussi avait besoin de se détendre.

— On va se chercher un hôtel, annonça Kid. On pourrait rester à la salle d'attente, mais on risque toujours de tomber sur des cons qui nous lourdent au milieu de la nuit. Et puis, on peut bien se payer ça.

Ils trouvèrent une chambre à deux lits dans un hôtel proche de la gare. Ils y posèrent les valises et descendirent en ville. Il faisait beau, et Kid répétait sans cesse qu'ils allaient avoir, le lendemain, une journée de foire à gagner une fortune.

— Quand je pense à Gégène et aux autres, dit-il. Ça me fait mal, bien sûr, mais ça me donne aussi envie de rigoler. Rigoler, ça m'empêchera pas de leur donner la main. Et puis, ce qui leur arrive, ça peut nous tomber dessus du jour au lendemain. Alors, faut profiter de la vie.

Il se remit à parler du cirque et de l'existence qu'il avait menée durant tant d'années.

— Après mon accident, dit-il, le patron d'un autre cirque voulait me prendre comme chef monteur. Des gâches comme ça, y a des mecs qui mangeraient la merde de leur singe pour en décrocher une. Moi, j'ai pas pu accepter... Je l'aurais prise, j'y serais peut-être encore. Avec une chouette caravane et de l'oseille à gauche. Mais j'aurais jamais été libre.

Il répétait souvent que s'il ne s'était jamais marié, c'était uniquement pour préserver sa liberté. Ce jour-là, parce que Gégène occupait encore sa pensée, il ajouta :

— Ou alors, si j'avais eu des lardons, comme Gégène, j'aurais monté un petit cirque de famille... Il y a pensé, Gégène, mais à présent, pour lui, c'est foutu, tout ça.

Lorsqu'il se taisait, c'était pour s'arrêter et regarder Pierre dans les yeux. Et son regard semblait dire : « Est-ce que tu me comprends ? Est-ce qu'un autre homme peut me comprendre, s'il n'a pas vécu la même vie que moi ? »

Pierre essayait de comprendre. Lorsque Kid parlait du cirque ou de la baraque des Carminetti comme d'une prison, il pensait à l'usine de lunettes, aux trois huit, à l'arrière-cuisine infecte de l'oncle qui le nourrissait avec de la soupe dont il était permis de se demander si elle n'était pas seulement de l'eau de plonge. Pour lui, le temps de vie chez les Carminetti était peut-être le plus beau qu'il eût jamais connu. Bien sûr, il y avait eu Marseille et les virées en compagnie de Guy et quelques autres, ça aussi c'était la vie ! Mais la peur des flics lui revenait souvent, serrant sa gorge et pesant sur son estomac. Guy était en prison. De toute façon, ce n'était pas un pote. Il n'avait rien tenté pour l'aider, quand ils étaient à Vienne, il n'avait même pas à se soucier de lui. S'il se demandait combien de mois de prison son camarade allait récolter, c'était par curiosité, seulement pour savoir à quoi il avait échappé.

Ce diable de Kid qui continuait à lire en lui à longueur de journée demanda :

— Et ton pote, tu y penses toujours ?

Pierre haussa les épaules et lança :

— C'était pas un vrai pote. Il s'est toujours servi de moi pour les coups durs, parce que je savais me battre et que j'étais plus balèze que lui. Autrement, c'était pas mon pote.

Il regarda Kid, cracha sur le trottoir et ajouta :

— Parole. Tu m'aurais mené aux flics, je l'aurais jamais donné. C'est comme ça. Mais pas parce que c'était mon pote.

29

Ils passèrent leur après-midi à flâner dans la ville, et dînèrent dans un petit restaurant où Kid but beaucoup de vin.

— On est libre, disait-il, ça s'arrose.

Lorsqu'ils regagnèrent leur hôtel, le petit hercule était très gai. Il parlait de la foire et des paysans qu'il imaginait avec des portefeuilles bien bourrés de gros billets. Il s'était assis sur son lit qu'il martelait de ses poings en disant :

— Il nous manque juste des bergères.

— Tu en auras quand on ira dans les fermes.

— Non, je suis trop vieux. Elles seraient foutues de me faire sortir le fumier de l'écurie. Mais toi, petit môme, tu pourras te payer les fermières. Tu verras, elles ont des fesses comme leurs juments, avec du poil partout.

Pierre riait. Lui aussi avait bu beaucoup. Kid s'allongea sur son lit en demandant :

— Tu as vu la bonniche, en bas. Un peu gironde, hein ?

En disant cela, il avait appuyé sur la sonnerie qui se trouvait à la tête du lit.

— On va la faire monter, fit-il.

— Et qu'est-ce que tu lui demanderas ?

— A boire... On va boire... Boire comme Pat. Pour être rond. C'est la liberté qui me fait cet effet. Tiens, quand j'étais au cirque, il y avait un vieux monteur qui disait toujours : « L'homme heureux, c'est celui qui peut, toute sa vie durant, laver les voitures des autres sans jamais avoir envie d'en acheter une pour lui. » Tu vois, c'était sa façon de voir la vie. Moi, c'est la route. J'ai pas besoin d'en avoir un mètre à moi, elle est toute à moi. Toute à moi, petit môme.

Il s'excitait en parlant. Tantôt il voyait la liberté, leur travail ; tantôt il pensait à Gégène, à Tiennot et aux autres.

— Demain, on sera peut-être morts, disait-il.

— T'es malade, oui ?

Il éclatait de rire, regardait Pierre et criait :

— Le roi de l'évasion aérienne, mesdames et messieurs, Pierrot l'escampette. Le mec qui passe à travers les mailles...

Il se tut. On venait de frapper. Toujours allongé sur son lit, il cria :

— Entrez mignonne, on vous attend... On vous...

Il resta bouche bée. Ce n'était pas la serveuse, mais la propriétaire, une femme d'une soixantaine d'années, à l'air renfrogné, et qui inspecta toute la chambre d'un œil soupçonneux.

— Nous voudrions à boire, dit Kid.

— Et vous ne pouvez pas descendre boire en bas ?

— Non. Monsieur et moi nous sommes fatigués. Nous voulons être servis ici.

La femme était toujours sur le pas de la porte, et Pierre crut un instant qu'elle allait s'en aller sans répondre. Pourtant, d'une voix qui grinçait un peu, elle remarqua :

— A cette heure-ci, la petite est partie...

Kid lui coupa la parole :

— C'est bien dommage. Mais j'ai très soif. Il est très important que je boive.

La femme était visiblement furieuse, mais elle ne dit rien et Kid commanda une bouteille de vieux vin rouge, en précisant :

— Je me fous de la marque, mais qu'il soit bon.

Le regard de la femme était tellement dur que, sans réfléchir, Pierre proposa de descendre chercher le vin.

— Non, ordonna Kid, reste ici. J'ai besoin de toi.

— Pourquoi ?

Kid qui s'était à nouveau étendu sur son lit, lui tendit un journal plié en quatre et dit gravement :

— Pour me faire de l'air. J'ai chaud.

La porte claqua derrière la femme qui s'éloigna dans le couloir en disant quelques mots qu'ils ne purent saisir. Ils éclatèrent de rire. Pierre se sentait très heureux.

— J'aime pas les imbéciles, et j'aime pas les hôteliers, dit Kid. Ça fait deux raisons d'emmerder cette vieille tordue. Et puis je paye, je veux être servi.

Un long moment s'écoula, puis du couloir, la femme cria :

— Je pose le plateau devant la porte.

— Poufiasse ! hurla Kid.

— Tu finiras par nous faire lourder, remarqua Pierre en allant chercher le plateau.

— Nous faire vider ! Je voudrais voir. C'est pas normal qu'on se fasse servir par cette tordue qui doit se faire servir elle-même à longueur de journée ? Si Pat était là, il dirait que j'ai le sens de ce qui fait la société.

Il éclata de rire et versa à boire. Le vin était du bourgogne. Il était fort et bon. Après le deuxième verre, Kid parla de monter dans la chambre le trépied du roi de l'évasion aérienne, pour que Pierre puisse faire une séance d'entraînement. Pierre refusa, mais il ne put empêcher Kid de répéter son numéro de jonglerie. Kid avait sorti son poids de la valise, et travaillait au milieu de la chambre, vêtu seulement de son slip. A cause du vin qui semblait l'échauffer dangereusement, Pierre redoutait à chaque instant de le voir manquer son coup et casser quelque chose. Mais Kid avait une telle habitude, qu'il ne pouvait pas laisser échapper son poids. Simplement, lorsqu'il le posait sur le plancher, il opérait comme s'il se fût trouvé sur l'estrade des Carminetti ou le bitume d'une place publique. Les vingt kilos de fonte ébranlaient le plancher, faisant vibrer les vitres et trembler les verres sur la tablette du lavabo.

— Si c'est la vieille qui crèche en dessous, dit Pierre, elle va pas tarder de radiner.

— Laisse venir. Je dirai : « Mais on n'a pas sonné, on voulait pas vous déranger. »

Lorsque la bouteille fut vide, Kid rangea son poids et dit qu'il fallait se coucher pour être en forme le lendemain. Il ôta son slip, se dirigea près de son lit, puis s'arrêta en lançant :

— Merde, faut que j'aille aux W.C.

Il fit des yeux le tour de la pièce et, au lieu de s'habiller, il se dirigea vers le lavabo où se trouvait un petit paravent. Il le plia de façon à s'enfermer au milieu, le souleva et se mit à marcher. Le paravent n'était pas haut, mais encore trop pour permettre à Kid de regarder par-dessus ; il devait donc entrouvrir le cercle devant lui pour se diriger. En bas, seuls ses pieds et ses mollets musclés passaient. Arrivé devant la porte, il posa le paravent, et Pierre vit sa main sortir pour tourner la poignée.

— Déconne pas, Kid, si tu rencontres des gens...

— Qu'est-ce que tu crois, je suis poli. Si j'en rencontre, je leur souhaiterai le bonsoir. Ça fait toujours plaisir.

Il sortit. Resté seul, Pierre se mit à rire en imaginant la tête que feraient des clients de l'hôtel, s'ils rencontraient ce paravent à fleurs rouges et à pieds d'hercule. Il se dirigeait vers la porte dans l'espoir de jouir du spectacle, lorsqu'il entendit un bruit de chute et de bois brisé, suivi aussitôt d'une chaîne de jurons. Il se précipita au bout du couloir et se pencha pour voir. Sur le palier du demi-étage inférieur, Kid se débattait, les quatre membres en l'air, au milieu des débris du paravent. Les bois étaient brisés et les toiles crevées. Kid continuait de jurer, et Pierre dégringola l'escalier pour lui porter secours. Plusieurs portes s'étaient ouvertes. Des gens avançaient, regardaient, puis voyant cet homme nu, s'éloignaient en poussant des cris indignés. A l'étage inférieur, la propriétaire aussi était sortie. Maintenant à deux mains sa robe de chambre qu'elle n'avait pas pris le temps de fermer, elle se mit à crier plus fort que Kid.

— Ils sont fous. Ça fait une heure qu'ils font du vacarme... Je vais appeler la police. Ce sont des voyous !

— Bien sûr, qu'on va foutre le camp de ta cambuse, hurla Kid. Le matériel est pourri.

Il s'était relevé et montrait le paravent en morceaux.

— Et il est nu, cria la femme. Complètement nu... Un fou... C'est un fou !

Pierre entraîna Kid jusque dans la chambre, et redescendit pour plier tant bien que mal les restes du paravent qu'il rapporta vers le lavabo. Cassé en deux par le rire, Kid était assis sur son lit. Son bras gauche saignait un peu, mais il ne s'en était même pas aperçu.

— C'est pas tout ça, fit-il, mais faut quand même que j'aille aux chiottes.

Il regarda le paravent d'un air apitoyé, puis, prenant son pantalon, il l'enfila en disant :

— Je vais mettre ça. On a beau dire, c'est encore plus pratique.

30

Ils quittèrent l'hôtel à 6 heures, emportant leurs bagages. Kid essayait de tout prendre en riant, mais Pierre vit bien qu'il était vexé de partir ainsi, en se cachant, et après avoir payé le paravent. Lorsqu'ils furent dans la rue, chargés comme deux portefaix, Kid lança :

— Tu as vu, la bobine de la taulière ?

— Oui, pour un début...

— Quoi, tu vas pas faire la gueule, non ?

— Moi, non. Mais toi, tu fais une drôle de tronche.

— Hein ? Mais je me marre, oui.

Il posa ses valises le temps de regarder autour de lui, puis, se passant la main sur le front il avoua :

— Bon Dieu, j'ai tout de même un sacré mal de crâne. Faut qu'on boive le jus, ensuite, ça ira mieux.

En sortant du café, Kid montra le ciel qui était déjà d'un beau bleu fluide Il cligna de l'œil et sourit en disant :

— Fera beau, petit môme. C'est bien parti. Tu vas voir ça.

Ils gagnèrent la place où le marché s'installait. De nombreux bancs étaient déjà montés, et Kid chercha un emplacement très dégagé. Lorsqu'il l'eut trouvé, il commença son numéro. Car son numéro commençait avec l'ouverture de la première valise. Bien qu'il n'y eût encore que très peu de monde sur la place, hormis les forains qui demeuraient vers leurs bancs, Kid se mit tout de suite au travail, joignant le geste à la parole.

— Tch ! Tch ! Tch ! Tch ! criait-il. Laissez la place ! Laissez la place !

Et il partait à petits pas, ses bras courts écartés et tendus à la manière des écoliers qui jouent à l'avion.

— Tch ! Tch ! Tch ! On vous appellera quand le spectacle commencera.

Il décrivait ainsi un cercle parfait tout autour des valises, un cercle d'une vingtaine de mètres de diamètre. Tout d'abord, il semblait tracer cette figure dans le vide, peu à peu, quelques curieux commencèrent à s'aligner, respectant la limite qu'indiquaient les passages répétés du petit hercule. Entre chaque tour, il revenait au centre, ouvrait une autre valise, ou sortait du matériel, ou bien encore, le plus souvent, se bornait à fourrager dans ses affaires.

— Tu te marres, disait-il à Pierre, mais c'est le seul moyen de les attirer. Faut leur dire de se tailler, faut faire celui qui n'en veut pas. Tu vois, ça radine rapido. Suffirait que je leur crie d'approcher pour qu'ils se tirent.

Et Kid repartait, demandant sans cesse aux curieux d'élargir le cercle. Quand un enfant s'avançait, il le prenait par un bras, lui posait une main sous les fesses, et le levait très haut vers le ciel en criant :

— Si tu reviens, je te colle au plafond avec du scotch.

Peu à peu le cercle se nourrissait, les vides se comblaient, un deuxième puis un troisième rang se formaient.

— Ils en demandent, ils en auront, disait Kid. Tu vas voir, petit môme, je les sens bien à ma main, ces ventres jaunes.

Il étalait sur une vieille carpette déroulée à même le bitume, le matériel qu'il tirait des valises. Chaque objet qu'il empoignait était prétexte à une pitrerie. Il faisait mine de lâcher son poids de vingt kilos sur les pieds d'une femme qui poussait un cri aigu en bousculant ses voisins ; il jonglait avec une épée et faisait le geste de la lancer dans la foule ; il s'empêtrait en passant dans les branches de son extenseur et se retrouvait debout, à quelques centimètres des premiers curieux, après un saut périlleux de clown. Il avait conservé son blouson et son pantalon de survêtement. Autour du cou, il portait son éternelle serviette-éponge. Il allait, tournait, gesticulait, s'affairant sans relâche et ne cessant jamais de bonimenter. A intervalles de plus en plus rapprochés, revenait cette phrase qui ne variait jamais, et qu'il lançait toujours plus fort que le reste :

— Allons, mesdames et messieurs, encore quelques pièces de monnaie sur le tapis et on commence la séance !

Quelques pièces roulaient sur le bitume et la carpette. Comme Pierre s'apprêtait à les ramasser, Kid intervint.

— Laisse tomber. Te baisse pas pour la petite ferraille, attends la grosse artillerie et les biftons.

Lui-même se précipita sur une pièce de un franc ancien, la prit entre ses doigts et se mit à l'examiner d'un air médusé. S'adressant à Pierre, mais criant assez fort pour être entendu du public, il lança :

— Vingt ronds. Vingt ronds anciens qu'il nous a balancés, le monsieur !

Avançant lentement vers un homme d'une quarantaine d'années qui se tenait au premier rang, il se planta devant lui, les deux poings sur les hanches. Hochant la tête et se tournant de temps en temps vers le public qu'il prenait à témoin, il se mit à crier :

— Non, mais des fois ! Vingt ronds, qu'il nous refile. A nous ! Nous qui venons de faire trois cents kilomètres pour vous donner du spectacle ! Sans blague, il va fort, le papa !

La foule riait. Kid se tourna vers l'homme interloqué et lui demanda :

— Tu te serais pas gourré, des fois, papa ?

— Mais... c'est pas moi.

— Comment, c'est pas toi ? Je t'ai vu la lancer.

— C'est pas possible, j'ai rien lancé.

Triomphant, Kid se recula de quelques pas.

— Ça y est, cria-t-il. Un qui ne veut rien donner. Même pas vingt ronds. Et il avoue. Et il est au premier rang, encore. Et il n'a pas honte. C'est toujours la même chose : les radins devant, et les braves gens, ceux qui paient pour voir du beau spectacle, se dévissent le cou pour ne rien voir.

Le public riait. L'homme était rouge. Il tira son porte-monnaie de sa poche.

— Fais voir un peu, dit Kid.

L'homme tendit son porte-monnaie, Kid le prit et fit mine d'être entraîné par le poids.

— Bon Dieu, remarqua-t-il, t'en as, du pognon. Où est-ce que tu as piqué tout ça ?

Les spectateurs riaient tellement qu'on n'entendait plus les réponses de l'homme.

— Faut pas avoir peur, cria Kid. Je vais pas te le barboter ton morlingue.

Il sortit seulement du porte-monnaie une autre pièce de un franc ancien, l'engagea entre ses dents et, d'une torsion de la main, il la déchira en deux. Un murmure courut dans le public qui avait cessé de rire. Remettant les deux morceaux de la pièce dans le porte-monnaie, il dit simplement :

— Tu vois, celles-là, c'est pas la peine de m'en envoyer, voilà ce que j'en fais. C'est terrible, mais je ne peux pas les digérer ces pièces-là, elles sont trop tendres.

Il se pencha vers le porte-monnaie comme s'il voulait réellement y plonger un œil, puis, retirant délicatement une pièce de cinq francs nouveaux, il la mit aussi entre ses dents. La foule murmura, mais Kid leva la main pour réclamer le silence. Comme par magie, le silence se fit. Kid rendit à l'homme son porte-monnaie délesté de cinq francs, et regagna le centre du cercle. Montrant alors au public la pièce qui brillait au soleil, il cria :

— Ça, vous pouvez y aller, c'est pas du toc. Je donne tout mon matériel au gaillard qui la déchire entre ses dents. Voilà ce qu'on veut. Des pièces comme celle-là et quelques billets et la séance va commencer.

Le temps passait. Les pièces tombaient plus nombreuses et, tout en parlant, Kid ramassait les plus grosses pour les lancer dans une des valises. Il déchira encore quelques pièces de trop petite valeur, puis se mit en devoir d'expliquer ce qu'était son numéro d'extenseur :

— Trente-deux branches. Trente-deux branches d'extenseur avec des sabres sous les bras. Je risque ma peau à tous les coups...

Personne ne l'avait interpellé, mais il s'interrompit soudain, scrutant le public d'un œil sévère.

— Quoi ? fit-il. Je risque rien ?

Il quitta son blouson et apparut vêtu de son étroit maillot d'haltérophile. Levant les bras, il fit lentement le tour du cercle en expliquant.

— Ces cicatrices, c'est de la frime, peut-être ? Du maquillage ? Vous pouvez toucher, c'est pas défendu.

Il s'arrêtait, obligeant les gens à passer les doigts sur la longue balafre qu'il portait au côté.

— Chatouillez pas, bon Dieu, et pelotez pas, on n'est pas là pour rigoler.

Il laissa s'éteindre les rires et les murmures, puis demanda :

— Alors, c'est du cinéma ? Est-ce qu'il y en a, ici, qui voudraient risquer leur peau pour mille balles ?

Il entreprit un nouveau tour de cercle en répétant :

— Allons, mesdames, messieurs, encore quelques pièces de monnaie sur le tapis et on commence la séance.

Kid fit alors venir au centre du cercle quatre hommes qu'il avait choisis de grande taille. Il leur demanda de tirer sur son extenseur, deux de chaque côté. Les hommes tiraient de toute leur force, mais sans entente, se déplaçant beaucoup et ne parvenant pas à allonger d'un pouce les trente-deux boudins de caoutchouc.

— Alors, demanda le petit hercule, c'est du bidon ?

Les hommes regagnèrent leur place. Kid fila comme une flèche vers un point du cercle.

— J'ai entendu dire par-là que tout est du bidon. D'accord, c'est du flan. C'est toi, mon gros, qui as dit ça ?

Il interpellait cette fois un homme d'une trentaine d'années, beaucoup plus grand que lui, et dont Pierre estima qu'il devait bien peser quatre-vingt-dix kilos. L'homme était avec des camarades qui riaient. Kid leur demanda :

— C'est bien lui, qui a parlé de bidon ?

— Oui, oui ! c'est lui, crièrent les autres.

L'homme tenta de protester et de s'éloigner, mais déjà Kid l'avait empoigné par la main et le tirait gentiment vers le centre du cercle en disant :

— Allons, avance, tu vas pas me dire qu'un gaillard de ta trempe a peur d'un petit homme comme moi !

A regret, l'autre avança, lançant des regards implorants à ses amis.

— Vingt kilos, dit Kid. Vingt kilos à deux mains, tu peux les lever, oui ?

Kid posa son poids au pied de l'homme qui se baissa aussitôt pour l'empoigner. Kid l'arrêta.

— Pas comme ça. Regarde.

Il s'accroupit devant le poids qu'il prit entre ses deux poings fermés. Il bascula un peu en arrière, et le poids quitta le sol, s'élevant d'une dizaine de centimètres. Le petit hercule posa son poids, se releva et dit :

— Facile, hein ? Allez, à toi de jouer.

Le grand gaillard s'accroupit à son tour, ferma ses poings et les plaça de chaque côté du poids.

— Allez, cria Kid, lève fort !

L'homme mit toute sa force pour soulever le poids, mais ses poings glissèrent sur le métal poli et vinrent frapper son visage penché. Déséquilibré, il tomba en arrière, les jambes en l'air.

Il y eut un énorme éclat de rire et quelques huées. Avec mille précautions, Kid l'aida à se relever, tapotant de la main son dos poussiéreux, se confondant en excuses que Pierre devinait plus qu'il ne les entendait, à cause des rires et des exclamations.

Le garçon regagna sa place et disparut au milieu de ses camarades.

— C'est du bidon, répétait Kid. Ah ! c'est du bidon ! Eh bien regardez un peu.

Il avait fait signe à Pierre de se coucher sur la carpette. Après avoir frotté ses doigts sur le bitume râpeux, il prit le poids entre son pouce et son index, par le petit rebord supérieur, le souleva et le promena au-dessus du visage de Pierre. Pierre ne bougeait plus. Il n'avait jamais encore fait cela, Kid ne l'avait pas averti, mais il était sans crainte aucune, regardant calmement cette masse de fonte qui se détachait sur le ciel. Le visage de Kid était crispé par l'effort, les muscles de son avant-bras saillaient à faire craquer la peau tendue, mais Pierre n'imagina pas un instant qu'il pût lâcher ce poids que seuls tenaient son pouce et son index, comme soudés à ce rebord qui n'offrait pourtant qu'une prise de quelques millimètres.

— Si une personne veut venir prendre la place de mon partenaire, cria Kid, pas la peine qu'elle soit assurée sur la vie. Ça ne risque rien.

Il y eut une pluie de pièces tout autour de Pierre qui souffla en se relevant :

— Y a des gens qui se tirent, tu devrais faire ton numéro d'extenseurs.

— Pour faire tailler les autres, ricana Kid. Pas si con !

Et il repartit faire un tour. Il réclamait toujours des billets et, à chaque passage, il en récoltait un ou deux qu'il allait mettre dans la valise. Entre-temps, il jonglait avec un haltère, ou son poids. De loin en loin, il s'arrêtait pour expliquer que ce poids ne pesait pas vingt kilos, mais vingt-trois à cause de l'anneau plus gros, d'une attache renforcée et d'une plaque d'acier qu'il avait fait souder en dessous.

— Si j'avais pas cette sécurité, expliqua-t-il, je risquerais l'accident à tout coup. La police me laisserait pas travailler. Le danger inutile, c'est pas ce qui fait la valeur du travail.

Il délaissait parfois le poids pour empoigner un bilboquet dont l'énorme boule pesait également une vingtaine de kilos. Et, entre ces petits numéros qu'il appelait des amuse-gueule, il recommençait ses explications sur son travail à l'extenseur, sur le risque qu'il courait avec ses épées sous les bras et dont la pointe venait se placer sous ses aisselles, prête à lui transpercer le cœur à la moindre défaillance. Et il finissait toujours par des phrases sur la mort et sur le salaire que pouvait mériter un tel exercice.

Par moments, le cercle s'éclaircissait. Pierre le regardait avec inquiétude, persuadé que les badauds, lassés d'attendre éternellement ce fameux numéro, finiraient tous par s'en aller sans l'avoir vu. Pourtant, il en revenait toujours de nouveaux, et Kid se remettait à réclamer de l'argent. Vers le milieu de la matinée, Pierre lui attacha ses épées aux poignets à l'aide de deux lanières de cuir. Le garçon pensait que le fameux numéro approchait, mais Kid proclama qu'il lui manquait encore deux mille francs, et recommença ses va-et-vient. Il estimait que ce qu'il allait faire méritait cette somme ; il ne commencerait qu'après l'avoir touchée. Deux mille francs anciens, ce n'était pas le diable ! Il l'expliquait avec preuves à l'appui, parlant des salaires, des prix, du Smig et de l'échelle mobile. Les pièces tombèrent, Kid compta, recompta, et annonça que la somme y était.

— Y a même une thune en rab ! cria-t-il. J'accepte pas les pourboires.

Et il lança la pièce par-dessus les curieux. Il prit alors son énorme extenseur, alla se placer au centre du cercle, parla une dernière fois de la mort et réclama le silence. Lorsque la foule se fut apaisée, Kid se concentra, respira longuement. Il allait enfin se livrer à cet exercice qu'il annonçait depuis plus de trois heures, lorsqu'il se redressa soudain, fixa un point précis dans la foule et partit dans sa direction, l'oreille tendue.

— Quoi ? rugit-il. Qu'est-ce que j'ai entendu par-là ? Des épées en carton ? Des poids en carton ? Qui a dit ça ?

Personne ne broncha. Personne, d'ailleurs, n'avait soufflé mot. Mais la colère de Kid en imposait. On le sentait atteint dans son amour-propre de travailleur honnête. Il revint au centre du tapis et appela Pierre.

— Enlève-moi les épées, petit.

— Tu déconnes, souffla Pierre, ils vont se tirer.

— Au contraire, dit Kid avec un clin d'œil, ça donne à bloc.

Il tira un journal d'une valise, et se mit à en couper des bandes pour montrer que ses lames étaient d'excellent acier et fort bien affilées. Revenant ensuite à ses poids, il les fit soupeser par plusieurs personnes et recommença de jongler.

— Tenez, dit-il. Pour bien montrer que je ne suis pas fainéant, je vous offre un petit supplément.

S'étant fait bander les yeux, il jongla encore, avec la même habileté, faisant voltiger ce bloc de métal qui frôlait sa nuque d'aussi près.

Et tout semblait toujours à recommencer. Au moment où tout le monde croyait voir enfin ce fameux numéro, il y avait une bonne raison pour tout remettre en question, reprendre le boniment et la récolte de pièces.

Enfin, comme midi sonnait, profitant d'un moment où la foule était particulièrement dense, il présenta le clou de son numéro. Des pièces tombèrent encore tandis qu'il accomplissait très vite le tour du cercle. Il allait à petits pas saccadés, les muscles bandés, le cou et les épaules déformés par l'effort ; tandis que les deux épées luisantes tremblaient légèrement sous ses bras en croix, la pointe au ras de sa peau.

Lorsqu'il eut regagné le centre, son visage était presque violet, son crâne tout luisant de sueur. Il fit encore un tour sur lui-même, sans un mot, la bouche crispée, ne demandant plus qu'avec son regard clair, les dernières pièces qui roulèrent à ses pieds.

Pierre ne bougeait pas. Les poings serrés, il retenait son souffle. Quand leurs regards se croisèrent, Kid lui adressa un clin d'œil puis, levant d'un seul coup ses deux bras tendus, il lâcha son extenseur qui retomba sur le bitume avec un bruit de vieille ferraille. La foule parut se détendre en même temps que les trente-deux branches de l'engin, et les applaudissements crépitèrent.

Kid salua plusieurs fois, tandis que d'autres pièces pleuvaient encore.

31

La recette était bonne, et Kid affirma qu'elle dépassait ce qu'il avait espéré. Bourg était une bonne ville, et il se promit d'y revenir souvent.

— Pourtant, ajouta-t-il, faut pas s'endormir. La journée n'est pas finie, faut penser à compléter notre calendrier.

Ils bouclèrent les valises et se rendirent dans un restaurant proche de ce marché où les camelots démontaient leurs bancs. Lorsqu'ils entrèrent dans la salle de café où toutes les tables étaient occupées, plusieurs personnes les reconnurent et les désignèrent aux consommateurs qui n'avaient pas vu le travail de Kid.

— L'homme qui bouffe du pognon, lança une voix.

Kid se frotta les mains, fit un salut à la ronde et répondit :

— Oui, mais à présent, on boufferait bien autre chose.

Ils posèrent les valises dans un recoin, derrière la porte conduisant aux toilettes, puis, revenant vers le bar, Kid demanda s'il était possible de déjeuner.

— C'est au premier, dit le patron. Doit y avoir de la place. Mais dites donc, il paraît que vous déchirez les pièces avec vos dents ? Montrez voir un peu.

— Je fais pas d'heures supplémentaires, déclara le lutteur.

— Allez, juste pour voir. Je paie l'apéro.

Kid prit la pièce que l'homme lui tendait par-dessus le comptoir, la plia deux fois en l'appuyant au creux de la main, et la déchira en la tordant dans ses doigts.

— Tiens, fit-il, elle vaut pas cher, ta vaisselle de poche, j'ai même pas besoin d'y mettre les chailles.

Ils vidèrent leurs verres que le patron remplit aussitôt. Déjà tout un groupe de curieux se formait autour d'eux. Des gens criaient :

— J'ai pas vu... Recommencez !

Kid semblait les ignorer. Se haussant sur la pointe des pieds, il s'adressa au patron :

— Si tu nous files un petit supplément au menu, proposa-t-il, je te montre un truc. Un chouette truc qui te sera utile dans ton métier.

— J'ai du poulet froid, dit l'homme, ça vous ira ?

Kid fit oui de la tête et prit le bouchon d'un pot de vin. Obligeant les curieux qui se bousculaient à s'écarter un peu, il engagea le bouchon à moitié entre le majeur et l'index de sa main gauche, le montra d'un geste circulaire puis, fermant le poing il expliqua :

— Voilà, c'est pas truqué. Vous pouvez tous voir. Tu tapes un bon coup, et le tour est joué.

De son index droit bien tendu, il frappa un coup sec. Il y eut à peine un petit craquement, et la moitié du bouchon roula par terre. L'autre moitié, avec une cassure franche comme une coupe de tranchet, était restée dans sa main gauche. Plusieurs hommes forts réclamèrent des bouchons, tous tentèrent l'expérience, mais tous reposèrent les bouchons intacts après s'être tordu le doigt.

— Si ce gars-là voulait venir me couper mon bois, dit un vieux moustachu qui roulait les *r*, sûr que ça gagnerait du temps.

Kid s'approcha de lui.

— D'où êtes-vous, grand-père ? demanda-t-il.

— De Cousance.

— Combien d'habitants ?

— Un peu plus de mille.

Un autre homme prétendit qu'il y en avait à peine

huit cents, et une dispute éclata aussitôt. Kid intervint et calma tout le monde en déclarant :

— Si vous voulez vous battre, je fais l'arbitre. Mais avant, laissez-moi le temps de faire la quête.

Les gens riaient. Kid avait tiré son petit calepin où il inscrivit le nom de l'homme. En moins d'un quart d'heure, il avait noté le nom d'une dizaine de paysans de villages différents. Quand ce fut terminé, ils montèrent tous deux au premier étage et se mirent à table. Ils mangèrent du jambon cru avec du beurre, des escalopes énormes accompagnées d'un gros plat de haricots baignant dans le jus, du poulet, du fromage et une portion de tarte épaisse et moelleuse. Tout en mangeant, Kid expliquait à Pierre pourquoi il opérait de cette façon lorsqu'il travaillait sur une place.

— Le numéro d'extenseur, dit-il, je l'ai fait ce matin surtout à cause de toi. Pour que tu le voies, mais dans des gros bleds comme ici, tu peux très bien tenir toute la matinée avec des bricoles.

— Mais les gens qui ont payé et qui s'en vont...

— Justement, tout est là. Pour faire du pognon sur le pavé, c'est pas la valeur du travail qui compte. C'est le baratin. Tout dans le vocabulaire. J'en connais qui se crèvent à faire dix fois leur numéro dans la matinée, résultat : ils gagnent moins que moi. Quand les gens ont tout vu, ils se tirent. Faut gueuler une demi-heure pour en faire arriver d'autres.

— Mais quand tu recommences dix fois le même truc, il n'y en a jamais qui râlent ?

Kid vida son verre, essuya ses lèvres avec un coin de la serviette qu'il avait nouée autour de son cou, et eut un hochement de tête désespéré. Il semblait atterré devant tant d'innocence. Pierre sentait bien que Kid avait raison, mais il ne parvenait pas à comprendre.

— Ecoute-moi, fit le petit hercule. Les râleurs, tu as toujours un moyen de les couillonner. Je t'en apprendrai mille... Mais le fin du fin, c'est de t'arranger pour qu'il n'y en ait pas. Et pour ça, faut être physionomiste. Tu sais ce que c'est, physionomiste ?... C'est le gars qui voit la gueule d'un gazier une fois et qui l'oublie plus jamais.

Il se mit à rire, la joue fendue jusqu'à l'oreille.

— Tiens, reprit-il, la bouille du voyou qui t'a piqué ton fric à Lyon, je suis certain que tu ne l'as pas oubliée.

Pierre serra les poings. Toute sa rage lui revint d'un coup.

— Non, grogna-t-il, dans dix ans je le reconnaîtrai, celui-là.

Et, en disant cela, ce n'était pas tellement au garçon qu'il pensait, mais à cette petite blonde qui l'avait assommé en lui cognant la tête sur le trottoir. Il la revoyait souvent, et chaque fois la colère grondait en lui. Chaque fois il imaginait une rencontre avec cette fille en un lieu désert comme le terrain vague de son enfance. Un de ces endroits faits tout exprès pour les règlements de compte. C'était sur elle qu'il eût aimé se venger de toute la bande. Kid, qui devait sentir ce qui se passait en lui, laissa couler quelques instants avant de reprendre :

— Tu vois, ce que tu peux faire avec ceux-là, moi je le fais tous les jours avec des centaines de têtes. Sur une place, je vois ceux qui restent et ceux qui se tirent. Quand le public s'est à peu près renouvelé, je recommence tout à zéro.

Faisant des yeux le tour de la salle, il ajouta :

— C'est un peu comme un patron de restaurant qui servirait que des hors-d'œuvre. Le tout, c'est d'en avoir suffisamment pour qu'ils durent longtemps. Faut te dire une chose : les paysans qui viennent à la foire, ils ont des tas de commissions à faire. Ils ne peuvent pas rester toute la matinée à nous admirer.

— Ça ne fait rien, il doit y en avoir qui trouvent que tu fais plus de baratin que de spectacle.

Kid eut un geste de la main par-dessus son épaule et lança :

— Ceux-là, je leur pisse sur la nuque. Le principal, c'est qu'ils crachent leur pognon...

Il se tut brusquement. De rieur, son visage était devenu grave. Il réfléchit un moment, les yeux fixés sur ceux de Pierre, puis il dit :

— Mais faut tout de même pas te figurer que je vole (il se reprit) qu'on vole notre argent. Le bilboquet, le poids avec les yeux bandés, c'est déjà du travail. Tu vas t'y mettre, dans quelque temps. Tu verras ce que ça représente. Même quand je ne donne que ces petites choses, c'est déjà du travail.

Il s'arrêta encore, comme s'il eût hésité à dire une chose plus grave, puis il demanda :

— Quand je t'ai fait le truc du poids au-dessus de la figure, tu n'as pas eu peur

Pierre n'eut pas à réfléchir.

— Non, fit-il. Pas du tout.

Le visage de Kid s'illumina. Ses yeux clairs se mirent à briller et son menton se plissa légèrement tandis qu'il disait :

— C'est bien, petit... C'est bien. Tu as confiance en ton vieux Kid. Et pourtant, tu sais, un accident, ça peut toujours arriver. Il y a longtemps que je ne l'avais pas fait.

Pierre regardait la main droite de Kid. Elle était là, immobile sur la nappe de papier blanc. Elle était bronzée, courte, trapue avec ses doigts à demi fléchis qui faisaient penser à de petits bras d'homme fort, avec chacun son petit biceps gonflé de vie. Est-ce que vraiment Kid pouvait un jour lâcher son poids ?

— Pourquoi tu m'avais pas prévenu ?

Kid parut embarrassé par cette question.

— Je ne sais pas, finit-il par avouer. Quand j'étais seul, je ne le faisais pas. Ça m'est revenu d'un coup, comme ça, au moment où ça devait venir.

Il hésita encore, reprit son sourire et ajouta :

— Même si j'y avais pensé, je crois que je ne t'aurais pas prévenu. Tu m'aurais demandé d'essayer avant. Seul avec moi, tu risquais d'avoir peur... Avec le public, on peut pas se dégonfler.

Il resta longtemps sur ces mots. Pierre le regardait, et il lui semblait que son vieux Kid venait de s'absenter. Il était là, en face de lui, et pourtant il n'était plus là. C'était pour le garçon une impression curieuse. Une de ces sensations neuves, assez comparables, somme toute, à celles qu'il avait déjà éprouvées depuis qu'il vivait avec le petit hercule.

32

Avant de quitter le restaurant, Kid avait étalé sur la table la carte de la région et pointé d'un coup de crayon les villages inscrits avant midi sur son carnet. Ensuite, il avait dressé un itinéraire. Puis, ayant échangé toute sa monnaie contre des billets, il avait demandé au patron de lui garder ses valises un moment. Une fois dans la rue, il dit :

— On n'a pas payé trop cher, et tu verras que dans les petits bleds on se nourrira encore à meilleur compte. (Après un soupir.) Les gosses à Gégène, c'est pas souvent qu'ils doivent manger comme ça.

Pierre non plus ne se souvenait pas de repas semblables. Il n'avait connu que des cantines d'usine, des restaurants plus ou moins misérables et la gargotte de son oncle.

— Tu verras, promit Kid, quand on aura un peu d'avance et que j'aurai pu envoyer un ou deux mandats à l'Angèle, on se payera un grand palace. Rien que pour te faire voir ce que c'est. Un vache de machin avec des larbins tout en noir et blanc comme des pingouins, et qui te préparent ton poisson à côté de toi, sur une petite table. Ils ont des gestes comme des femmes... C'est con, mais faut l'avoir vu une fois dans sa vie.

Ils se promenèrent plus d'une heure dans les rues, regardant à l'intérieur des cafés, des magasins de graines, des épiceries et des quincailleries. Kid répétait sans cesse que, là aussi, il fallait être physionomiste, et il finit par retrouver celui qu'il cherchait. C'était l'un des cultivateurs dont il avait inscrit le nom sur son calepin. L'homme se trouvait à présent en tête de son itinéraire, parce qu'il habitait le village le plus proche de Bourg-en-Bresse. Il paraissait tout fier de les emmener sur sa carriole et, lorsqu'ils eurent vidé deux pots ensemble, il leur donna la main pour charger les valises.

Pierre s'était assis derrière, sur un sac d'engrais, tandis que Kid prenait place sur le banc, à côté de l'homme. Il faisait un beau soleil. Le cheval allait bon train sur la route goudronnée où son trot sonnait clair. La carriole roulait en silence, sur ses quatre gros pneus. A droite et à gauche, dans la campagne verte et grasse, des étangs scintillaient. Kid et le paysan — qui était un homme long et sec d'une cinquantaine d'années — bavardaient comme de vieux camarades. De temps à autre, le petit hercule se retournait pour adresser à Pierre un clin d'œil qui signifiait que tout se passait selon son désir.

Le soir, ils prirent place à la longue table de ferme, dans la cuisine où l'air qu'on respirait était déjà nourrissant. La fermière leur servit une soupe grasse et épaisse, avec beaucoup de pommes de terre, de carottes, de navets, de poireaux et de pain. Seul le fermier parlait, racontant tout ce que Kid pouvait faire. La femme, un journalier et deux petites filles écoutaient sans quitter des yeux le petit hercule qui mangeait en silence. Une fois le repas terminé, l'homme invita Kid à donner un aperçu de son talent. Kid se fit un peu prier. Se levant avec ennui, il alla jusqu'à la cuisinière, prit le tisonnier, fit un nœud avec et le posa sur la table en disant :

— Quand vous aurez trouvé un homme capable de le détordre avec ses mains, vous me l'enverrez, je lui paierai des prunes.

Les paysans hochaient la tête gravement, se passant de main en main le tisonnier qu'ils examinaient longuement, avec une lueur de crainte dans les yeux. Le tisonnier était là, témoin de la force de Kid, mais ils semblaient douter encore, se demandant sans doute s'il ne s'agissait pas d'un pouvoir surnaturel.

Dans la grange où la paille offrait un lit plus doux que le ring des Carminetti. Pierre pensa longtemps à cette nouvelle vie. C'était la liberté. La table. Des gens qui admiraient leur force et lançaient de l'argent. Avec Kid, tout était facile. Pierre pensa aussi à la place, aux baraques de la fête, à Diane qui les avait regardés s'en aller. Diane, c'était tout de même une fille qui acceptait de faire l'amour avec lui et qui ne demandait rien d'autre. Il pensait à cela, et pourtant, il finissait toujours par se dire que c'était sans doute une bonne chose de l'avoir quittée. Il y avait Joseph. Il y avait les vieux Carminetti avec leur sale idée de mariage. Il était parti avec Kid. Avec Kid, il était bien, et, sur la route, il y aurait forcément d'autres filles. Bientôt, il allait travailler lui aussi, montrer ses muscles et sa force sur les places garnies de spectateurs ; il y aurait plus de temps et plus de liberté qu'à Lyon pour trouver des filles.

Dès le lendemain matin, Kid sortit d'une valise le matériel que lui avait légué son ancien partenaire. Il s'agissait de tubes d'acier qui s'emboîtaient l'un dans l'autre et formaient un trépied haut de trois mètres. Au sommet, s'accrochait une poulie semblable à celle d'un puits. Les valises contenaient en outre une bonne dizaine de mètres de chaîne et trois gros cadenas.

— Voilà, dit Kid lorsque tout fut prêt, on va voir ce que tu peux faire.

— Ici, à présent ?

— Pourquoi pas ? Faut bien essayer. Tu penses pas que je vais continuer à bosser tout seul pour te payer des escalopes ? D'ailleurs, dans les petits bleds, le public se renouvelle pas comme en ville, faut donner un spectacle qui se tienne.

Pierre écouta les conseils de Kid et se laissa enchaîner ; debout, puis assis par terre, puis culbuté sur le côté, il finit par être enroulé, saucissonné, et complètement immobilisé par les chaînes que Kid serrait autour de lui en précisant :

— Je force pas. C'est la première fois. Mais sur les places, je ferai ça avec l'aide des spectateurs.

Pierre se plaignait sans cesse. Les chaînes lui écrasaient le dos et les bras, meurtrissaient ses jambes et pinçaient parfois sa peau.

— Ça fait mal, Kid. T'aurais dû me laisser garder ma chemise.

— T'es fou. D'abord ça l'abîmerait, et il faut que tu sois marqué. Faut que les gens te voient devenir violet. Faut bien te gonfler, pendant qu'on t'attache. Et après, tu forces encore. C'est ça qui te fait changer de couleur, et c'est là que j'explique au public que tu risques de claquer d'une congestion cérébrale.

Pierre prit peur. Avec Kid, on ne pouvait jamais savoir s'il plaisantait ou s'il était sérieux.

— Tu déconnes, dis. C'est pas vrai ?

— Moi, fit Kid, je me souviens pas d'en avoir vu mourir beaucoup, mais j'ai un pote qui est resté idiot.

Pierre se contraignit à ne plus parler. Kid plaisantait sans doute. Il allait d'ailleurs le détacher tout de suite et ce serait fini. Pourtant, lorsqu'il ne resta plus qu'une seule chaîne, Kid l'attacha aux chevilles de Pierre, passa l'autre extrémité sur la poulie et se mit à tirer. Pierre sentit ses pieds monter, tandis que son dos frottait le sol rêche de la grange.

— Arrête, Kid ! cria-t-il. Ça fait mal.

Mais le petit hercule resta sourd. Il continua de tirer, et, lorsque Pierre se trouva suspendu, la tête en bas à un bon mètre du sol, il fixa la chaîne à un crochet soudé sur l'un des tubes du trépied. Il donna une petite tape amicale sur les fesses du garçon avec un sifflement admiratif.

— Il a de bonnes joues, ce petit gars, fit-il en l'examinant des pieds à la tête.

— Arrête, Kid... Détache-moi.

Pierre essayait de se dégager, mais chaque mouvement qu'il tentait provoquait de multiples douleurs.

— Remue pas, dit Kid ; sinon je te laisse sécher là jusqu'à midi.

Pierre se mit à l'insulter, mais Kid était allé s'asseoir sur un plot à fendre le bois. Il avait tiré de sa valise un journal qu'il déplia tranquillement. Lorsque Pierre se tut, à bout de forces, Kid se mit à lire à haute voix :

— Hier, en fin d'après-midi, les gendarmes de Villefranche-sur-Saône qui avaient été alertés dans la matinée par leurs collègues de Lyon...

— Tais-toi ! cria Pierre.

Kid le regarda par-dessus son journal et demanda :

— Si tu es décidé à la fermer, à écouter ce que je vais t'expliquer pour le travail, je balance ce canard et tu n'en entendras plus jamais parler. Sinon, je te lis non seulement l'article sur ton arsouille de copain, mais tout le reste. Et il y a deux pages de petites annonces, c'est pas marrant.

Pierre promit d'écouter, suppliant Kid de se hâter. Non seulement il souffrait, non seulement il était gêné de voir tout à l'envers, mais, depuis un moment, des points noirs s'étaient mis à danser devant ses yeux. Sa tête était lourde, il avait l'impression qu'elle enflait. Il remua de nouveau, mais Kid intervint aussitôt.

— Non, non, pas encore. Tu dois me laisser le temps d'attirer les gens et de faire tomber du fric.

— Mais tu vas pas attirer des gens ici

— Bien sûr que non, mais faut t'entraîner. Faut que tu puisses tenir une demi-heure. Mais les premiers jours, on se démerdera avec un quart d'heure. Dans les petits bleds, ça doit aller.

Kid parlait calmement, tournant autour du trépied, se penchant de temps à autre pour regarder de plus près le visage du garçon.

— T'as à peine les yeux aussi rouges que Pat les jours de cuite, qu'est-ce que tu râles ?

— Kid, bon Dieu, pour aujourd'hui, ça suffit !

— Non, non, ça fait même pas cinq minutes, je te dirai.

Il regarda sa montre. Pierre pouvait à peine parler. Un flot de salive emplissait sa bouche, sa gorge se serrait. Les points noirs dansaient comme affolés.

— Kid, je vais dégueuler.

— C'est pas possible, tu n'as pas déjeuné.

— J'ai mal... Descends-moi.

Kid se mit à rire.

— Que je te descende, fit-il, tu débloques ! Le roi de l'évasion, c'est pas moi, c'est toi... Si tu étais en taule...

Pierre n'écoutait plus. Dès qu'un peu de forces lui venait, il essayait de se libérer, remuait un moment, tirait sur ses jambes, puis retombait épuisé en insultant le petit homme qui se bornait à dire :

— Tu as tort de m'engueuler. Je t'apprends à travailler, tu devrais m'en être reconnaissant... De toute façon, tu peux pas t'en sortir tout seul. Faut que je t'explique la manœuvre. Et si tu remues trop, tu risques le flot de sang au cerveau.

Pierre se fit implorant, mais Kid restait intraitable. Ayant de nouveau regardé sa montre, il prit sa serviette et son sac de toilette, puis il se dirigea vers la porte en disant :

— Tiens, j'ai le temps d'aller me laver la gueule.

Pierre essaya encore de l'appeler, mais il ne se retourna même pas. La porte claqua et Pierre sentit la peur le gagner. La peur et la haine. Alors Kid, c'était ça ! C'était cette ordure qui lui avait joué le jeu de l'amitié pour l'attirer ici et se venger de lui. Et il n'avait même pas eu le courage de l'attaquer franchement. Il l'avait attaché. Est-ce qu'il allait le laisser crever là... Simuler un accident ? Des larmes lui brûlaient les yeux. La sueur et la bave inondaient son visage. Tout se troublait. Il allait perdre connaissance. Il allait crever tout seul, sans même s'en rendre compte, sans rien pouvoir faire pour s'en sortir... S'il en réchappait, il saurait se venger... Avec un couteau, il n'y a pas d'homme fort qui tienne, surtout si l'homme fort est endormi. Faudrait attendre... Attendre que Kid ait beaucoup de fric... Faudrait...

La porte vient de s'ouvrir... Pierre se contorsionne. Il a mal à hurler... Il regarde, mais ce n'est pas la silhouette de Kid qui se détache dans l'encadrement de la porte... C'est une fille. Pierre cligne des paupières plusieurs fois. La sueur le brûle. C'est la plus petite des filles de la ferme. Elle s'est arrêtée. Elle le regarde, elle paraît figée d'horreur...

Silence !... La fillette ouvre la bouche, mais c'est seulement après quelques secondes qu'elle fait :

— Oh !

Et, aussitôt, elle se sauve en courant, laissant la porte grand ouverte. Pierre ne voit plus que ce rectangle de ciel bleu où passe un petit nuage blanc ; il voit un arbre, un bout de pré, tout cela à l'envers, comme secoué par une houle mauvaise, et brouillé par ces papillons noirs et rouges de plus en plus fous... Pierre essaie de crier, mais il se rend compte que sa voix ne porte plus très loin... La fillette va appeler... Le fermier va venir... Les gendarmes. Faudrait qu'il vienne avec des cognes et qu'on embarque Kid... Kid en taule... Bon Dieu si seulement...

Pierre entend parler. Il y a plusieurs personnes qui parlent en même temps, et il ne peut même pas reconnaître les voix qui approchent... Kid paraît le premier. Il tient la fillette par la main, la mère et l'autre fille sont derrière.

— Tu vois, explique gentiment le petit hercule, c'est le garçon. Il s'amuse. Faut pas avoir peur. Il n'est pas méchant, tu sais. Et puis, de toute façon, il est attaché.

Kid explique à la fermière que Pierre s'entraîne pour un travail difficile. La femme hoche la tête et disparaît avec ses deux filles. Pierre ne voit presque plus rien. Tout sonne en lui. Les voix sont répercutées à l'infini, et le pas de Kid qui s'approche après avoir refermé la porte fait un bruit énorme... Pierre essaie encore de parler, mais les forces lui manquent, et c'est à peine s'il peut entendre Kid qui lui dit :

— C'est pas malin, de faire peur à cette gamine. Tu vas nous faire mal voir par ces braves gens.

33

Kid avait refusé de détacher Pierre. Il avait seulement consenti à déplacer de quelques maillons le cadenas qui fermait la chaîne nouée autour des poignets. Comme toujours il était resté calme, sûr de lui, et cherchant à tout expliquer clairement. Le garçon avait encore supplié, mais, comprenant que Kid ne céderait pas, il s'était mis à suivre ses conseils, rassemblant ses dernières forces pour se libérer, et s'accrochant à l'idée de vengeance. Alors qu'il se trouvait encore à moitié ligoté et toujours pendu par les pieds, Kid se mit à rire en disant :

— Tiens, j'y ai pas pensé, j'aurais dû en profiter pour te couper les cheveux.

Pierre eut un sursaut de colère.

— Salaud ! ragea-t-il. Si tu faisais ça je te...

Il se tut. Le rire de Kid lui parut un terrible grincement.

— Tu quoi ? Tu me casses la gueule ? Tu sais bien que c'est impossible. Et puis, même si tu pouvais, tu ne voudrais pas faire de mal à ton vieux Kid Léon. D'ailleurs, même si tu étais le plus fort, en ce moment, tu sais...

La colère de Pierre se mua soudain en un mal étrange qui lui serra la poitrine bien plus fort que les chaînes. Il essaya de lutter, mais un sanglot le secoua et les larmes brouillèrent la silhouette de Kid et le fond de poutres de la grange.

— Allez, allez, c'est presque fini, dit Kid en secouant un peu une des chaînes qu'il fit glisser vers le bas... A présent tu rentres l'épaule gauche, et ça va tomber tout seul. Là, comme ça... Et maintenant tu te reposes un petit moment... Allons, voyons, faut pas t'énerver. Tu sais bien que je t'aurais pas coupé les cheveux... A quoi ça servirait, puisque tu vas venir chez le coiffeur avec moi, cet après-midi... Tu vas venir, hein ?

— Oui, gémit le garçon... dépêche-toi.

Le petit hercule lui expliqua ensuite comment il devait faire pour se libérer les genoux, puis les chevilles et l'aida même un peu dans son rétablissement. Enfin, les pieds détachés, Pierre se suspendit par les mains au trépied, mais il n'eut pas la force de s'y maintenir et se laissa tomber lourdement. Quand ses pieds touchèrent le sol il tenta de maintenir son équilibre, mais tout ce qui était autour de lui se mit à chavirer, et il lui sembla un instant que c'était Kid qui se trouvait la tête en bas. Ses jambes se dérobèrent sous lui, et il sentit que Kid l'emportait sur la paille. Il ne perdit pas connaissance, mais il resta un long moment engourdi, sans éprouver aucune douleur, sans penser à rien... Le vide. C'était le vide en lui et autour de lui. Il était bien. Il était vivant, c'était tout ce qu'il pouvait se répéter.

— Eh bien, mon petit môme, je te croyais plus doué que ça. Mais t'inquiète pas, ça viendra vite.

Pierre le regarda. Peu à peu sa rancœur lui revenait. Elle montait en lui à mesure qu'augmentait la brûlure des chaînes. Il commença par regarder ses poignets, puis ses bras où chaque maillon avait marqué sa place. Les traces étaient d'un vilain rouge brunâtre avec, entre elles, de longues zébrures sinueuses et blanches. Aux endroits où la chair s'était trouvée prise entre deux tours de chaîne, elle semblait morte. Lorsqu'il se toucha, la douleur se transforma en une myriade de petites piqûres insupportables.

— Ça te fait mal ? demanda Kid en avançant la main.

Pierre le repoussa.

— Me touche pas, cria-t-il. Me touche pas, je te crache sur la gueule.

Kid ne répondit pas. Il s'éloigna lentement, alla jusque sous le trépied et se mit à dénouer les chaînes qui avaient glissé le long du corps et des membres de Pierre et se trouvaient encore par terre. Le garçon suivait chacun de ses gestes. Il le regardait intensément sans cesser de répéter : « Je t'aurai, fumier. Je t'aurai. » Il ne savait pas ce qu'il ferait pour se venger, mais il voulait nourrir sa colère, entretenir sa haine.

Lorsque le petit hercule eut terminé, il revint vers lui et dit calmement.

— Pour le moment, tu dois avoir une envie folle de me casser la gueule. Tu trouverais une masse et la force de la soulever, tu serais capable de faire comme le gros Pat. C'est parce que tu es saoul. Mais toi, c'est pas d'avoir bu.

Pierre ne pouvait soutenir le regard clair du petit homme. Il tourna la tête sans répondre.

— C'est pas vrai ? demanda Kid.

— Pourquoi tu as fait ça ?

— Pour t'apprendre un travail que tu peux faire. C'est tout.

Pierre se tourna vers lui. Il se redressa à moitié, d'un coup de tête il rejeta ses cheveux en arrière et cria :

— Jamais, tu entends. Je le ferai jamais... J'ai pas envie d'en crever !

Kid réfléchit un instant, laissa passer cet accès de rage et demanda :

— Tu sais à quoi tu me fais penser ?

Pierre garda un silence obstiné, le fixant d'un œil dur. Son front bas tout plissé par la colère.

— Eh bien, reprit Kid, tu me fais penser au premier jour. Tu sais, tu ne voulais pas te laver. L'eau froide aussi, tu avais peur d'en crever. A présent, tu l'aimes bien... Tiens, au fait, viens donc te foutre sous le robinet, ça te fera du bien.

Tout en achevant sa phrase, il s'était approché.

Quand il se baissa pour empoigner Pierre par le bras, celui-ci tenta de se dérober en roulant sur le côté. mais, plus rapide, Kid le tenait déjà. Il le tira sans rudesse, mais d'une poigne à laquelle il n'était pas question d'échapper. Sa voix aussi était plus ferme.

— Allons, dit-il, assez déconné comme ça. Tu vas venir te laver et, si c'est nécessaire, je te ferai un petit massage.

Pierre céda à la fatigue autant qu'à l'autorité de Kid. Sa colère grondait toujours. Il refusa d'admettre que l'eau fraîche lui faisait du bien, et pourtant, c'était vrai. Les brûlures et les élancements s'apaisaient. Son mal de tête s'était calmé.

— C'est bien, dit Kid en regagnant la grange, si tu veux pas faire l'évasion, je la ferai, moi. Je la ferai en plus de tout le reste. Seulement, si tu es avec moi uniquement pour aider les mecs à m'enchaîner et pour m'attacher les épées quand je fais l'extenseur, je peux pas te donner la moitié du fric. Faudra qu'on s'entende là-dessus.

Pierre ne répondit pas. A quoi bon répondre, puisqu'il était décidé à partir ? Quant au partage des recettes, il eut un ricanement et un regard en direction du blouson où se trouvait le portefeuille du petit hercule.

34

Ils mangèrent avec les fermiers. Durant tout le repas, Kid raconta des histoires de cirque, parla de la sphère de la mort et de ses partenaires. Chaque fois que son regard croisait celui de Pierre, il souriait, clignant de l'œil avec un air de dire : « Travailler avec un copain, c'est quelque chose ! » Il parla aussi de Pierre en affirmant que de tous les jeunes lutteurs qu'il avait formés, c'était lui le plus doué. Tout en l'écoutant, Pierre ne cessait de se répéter : « Tu peux causer. Tu peux essayer de m'avoir au baratin, tu vois que tu as fait une connerie, mais avec moi, ça ne prend pas. »

Le repas terminé, Kid offrit au fermier de l'aider s'il avait un travail pénible à lui proposer. L'homme parla d'un petit pavillon qu'il construisait au bord d'un étang, pour le louer à des chasseurs. Il avait, là-bas, une bétonnière à déplacer.

— Je vais aller avec vous, dit Kid. A trois, on fera, puisque votre commis est déjà sur place. Mon copain est un peu fatigué parce qu'il s'est entraîné dur ce matin, j'aime mieux qu'il se repose.

Pierre ne broncha pas. Ils sortirent, et Kid l'accompagna jusqu'à la grange où il prit son blouson. Tirant son portefeuille de sa poche, il le tendit à Pierre en disant :

— Tiens, c'est pas la peine que je traîne ça au risque de le semer en route, puisque tu restes là, garde-le donc.

Le garçon sentit son visage devenir brûlant. Il prit

le portefeuille. Kid le regardait en souriant. Lorsque Pierre eut empoché le portefeuille, Kid ajouta :

— Et le paume pas. Tout mon fric est là-dedans. Il y a plus de cent sacs.

— Je vais me coucher, dit Pierre. Ça risque rien.

Sa voix tremblait un peu. Il laissa partir Kid et prêta l'oreille. Lorsqu'il eut entendu passer la voiture, il sortit à son tour et marcha jusqu'à l'angle de la ferme. La carriole s'éloignait dans un chemin de terre qui devait aboutir à la corne d'un bois. Le bois était à deux bons kilomètres et, d'après ce que le fermier avait dit, l'étang se trouvait de l'autre côté. Pierre se tenait dans l'ombre de la maison, tout près de l'angle, mais Kid ne se retourna même pas pour regarder. Il était assis comme la veille, à côté de l'homme, et, aux gestes qu'il faisait, le garçon comprit qu'il était très occupé à raconter des histoires ou à parler de ses projets. La voiture n'était plus qu'une tache noire déjà proche du bois lorsque Pierre entendit s'ouvrir la porte de la cuisine. Il se retourna. La fermière venait vers lui, portant deux gros chaudrons fumants. C'était une femme d'une quarantaine d'années, large et puissamment charpentée.

— Vous n'allez pas vous reposer ? demanda-t-elle.

Pierre hésita, cherchant quelque chose à dire, puis une idée lui vint.

— Est-ce qu'il y a un coiffeur, dans le pays ? demanda-t-il.

— Oui, à la sortie du village en direction de Bourg. Vous avez dû passer devant en arrivant.

— Je vais y aller, dit-il. Si mon copain rentrait avant moi, vous lui direz où je suis.

La femme sourit, découvrant deux dents en acier

— Ça risque pas, fit-elle. Ils ne seront pas rentrés avant 4 heures.

Pierre se sentit soudain plus à l'aise. Il retourna dans la grange, fouilla rapidement les quatre valises, mais n'y trouva rien qui lui parût bon à emporter. L'idée lui vint de prendre le poids et l'extenseur de Kid pour les jeter dans un étang, mais, si la femme le voyait partir avec, elle s'étonnerait. Et puis, c'était perdre son temps inutilement. Il lança seulement les deux épées par-dessus le tas de paille en se disant que Kid risquait de les chercher un bon moment. Il mit seulement dans sa poche son rasoir, sa brosse à dents et les plus petits objets de toilette de Kid, puis il prit la direction du village. C'était un village étiré le long de la route départementale. Il le traversa d'un pas qu'il évitait d'allonger un peu trop, mais, passé la première maison, il se mit à courir. D'après ce qu'il avait pu voir la veille, il devait lui rester une petite heure de marche pour atteindre la route nationale. Là, il se trouverait à quatre ou cinq kilomètres de Bourg et aurait beaucoup de chances d'arrêter une voiture. En courant, il pouvait être à la route nationale en une demi-heure. Même si les hommes rentraient plus tôt que ne le prévoyait la fermière, Kid n'aurait aucune chance de le rejoindre.

Il courut ainsi pendant une dizaine de minutes, puis il reprit le pas. Il croisa deux automobiles, mais n'en vit aucune qui allait dans le même sens que lui. De temps en temps, il portait la main à sa poche, tâtant le gros portefeuille de Kid. Plus de cent mille francs ! Avec ça, il pouvait rentrer à Paris et y vivre un mois tranquille. Ensuite, il aviserait.

Est-ce que Kid tenterait de le retrouver ? Est-ce qu'il irait à la gendarmerie ? La gendarmerie, certainement pas. Ce n'était pas son tempérament. Il fallait au moins le reconnaître : Kid n'était pas un donneur. Il l'avait prouvé. Et puis, il n'aimait pas les flics, lui non plus. Les flics ! Il en avait encore parlé tout à l'heure, à propos du coiffeur :

— Sur les routes et sur les places, on a souvent l'occasion d'en rencontrer. C'est pas seulement parce que ça la fout mal, que je te dis de te faire couper les douilles, mais admettons que ton pote ait raconté votre histoire de Marseille. Tu vois un peu, qu'ils aient ton signalement ?

Sans s'en rendre compte, Pierre avait ralenti son allure. Il reprit un rythme plus rapide, mais ne le soutint pas longtemps. Il marchait. Il s'en allait avec de l'argent plein sa poche. Il était libre. Kid, c'était du passé. Un copain ? Surtout pas ! Pas plus que Guy qui l'avait laissé tomber. A présent, il saurait se débrouiller seul. Les copains étaient tout juste bons à vous pousser dans le pétrin ou à vous faire tirer les marrons du feu. Il en avait sa claque, de copains pareils. Désormais, il n'avait plus à se soucier de personne. Il fallait marcher et s'éloigner le plus vite possible.

Il n'avait jamais eu l'habitude de beaucoup réfléchir, pourtant, à mesure qu'il avançait vers la route, il lui semblait que quelque chose l'obligeait à penser à Kid. C'était un peu comme si ce diable d'homme l'avait accompagné. Il était là, à côté de lui, derrière lui. Devant lui, surtout devant lui, avec son regard clair planté bien droit dans le sien. Il se retourna plusieurs fois. Rien. La route étroite. Les talus. Quelques peupliers. Le village de plus en plus enterré, de plus en plus écrasé par un grand ciel tout bleu.

Sans s'arrêter, il tâtait de temps à autre ses poignets et ses bras douloureux. Rien que pour ça, Kid méritait d'être détesté. L'évasion ! Il allait savoir ce que c'était, le roi de l'évasion.

— Si un jour l'idée te venait de voler, pense que c'est pas aux cognes que tu aurais à rendre des comptes, mais à moi. J'y mettrais le temps qu'il faudrait, mais je te retrouverais.

Le retrouver, à Paris ? Ça, c'était une autre affaire. Faudrait d'abord qu'il gagne de quoi se payer le voyage. Pièce par pièce. « Allons mesdames, messieurs, encore quelques pièces de monnaie sur le tapis et on commence la séance ! » Pierre eut un ricanement. Il entendait Kid comme s'il se fût trouvé à côté de lui. « Le paume pas... Tout mon fric est là-dedans. » Cent mille francs. Ça en représentait, des parties de flipper !

Cette idée lui rappela le Palais des Jeux, à la vogue de Lyon Perrache. Les salauds lui avaient volé son argent... tout son argent. Tout ce qu'il avait gagné chez Pat... Ce qu'il venait de faire, c'était une façon de le récupérer. Récupérer dix fois plus, à peu près. A présent, ce n'était plus seulement Kid qu'il voyait, mais aussi la fille blonde. Elle et les autres. Jamais de sa vie il n'avait éprouvé une pareille envie de tuer. Les tenir ! Bon Dieu, les tenir l'un après l'autre ! Kid en avait sonné un. Et rudement sonné. Ça ne devait pas être drôle de tomber entre les mains de Kid et d'être sonné de la sorte. En constatant la disparition de son argent, Kid allait savoir ce que c'était ! Il n'avait peut-être pas bien compris.

« L'argent, faudra que j'en envoie à l'Angèle, pour les gosses et l'opération de Gégène. »

Gégène. Est-ce qu'il allait mourir, Gégène ? Et le vieux Tiennot ? Il leur avait proposé son argent pour aider Gégène. Et Kid avait dit : « Ça vous remue les tripes, ces choses-là. » C'était vrai. Pierre aussi avait été ému par le geste de ce vieux, malade et seul. Un jour, Kid avait dit encore : « Le père Tiennot, il a de la chance de croire en son bon Dieu, au moins, il ne sera jamais tout seul. »

Pierre s'était arrêté sur le bord du talus. D'où il était, il pouvait voir la ligne des gros arbres tout ronds qui bordaient la route nationale. En prêtant l'oreille, il entendait ronfler les voitures dont les vitres accrochaient parfois des éclairs de soleil.

— Je vais tout de même pas me dégonfler à présent, non ?

Il se leva et repartit. Il essaya de hâter le pas, mais quelque chose semblait entraver sa marche. Kid était là. Toujours là. Droit devant lui, son sourire en biais sur ses dents bien blanches, la main tendue avec son portefeuille bourré de sa fortune. « Tiens, puisque tu restes là... » Il n'avait pas volé le portefeuille. C'était Kid qui le lui avait donné. Il n'avait même rien demandé. Et le matin, lorsqu'il avait refusé de continuer cette sale besogne de l'évasion, Kid avait dit : « Si tu veux te tirer, rien ne t'empêche de partir. Tu n'as même pas à me prévenir. » Alors, quoi ? Il partait ! C'était tout !

Une fois encore il s'était arrêté malgré lui. Il n'avait pas approché beaucoup de la route. C'était un peu comme s'il eût redouté de l'aborder, cette grande route. La route. La liberté. Avait-il jamais entendu quelqu'un en parler comme le faisait Kid ? La route, il allait donc la prendre seul... Et Kid aussi, de son côté... Kid, il se défendait. Il avait l'habitude. Il avait du métier comme il disait si bien... Et même un sacré métier ! Il savait se battre avec la vie et les hommes... Avec lui, on pouvait tout essayer...

Pierre tira de sa poche le portefeuille de Kid, avec l'intention de se débarrasser des papiers trop compromettants. C'était un vieux portefeuille de cuir roux, usé sur le ventre et dont les coutures avaient été rafistolées avec du gros fil noir. Il l'ouvrit. La carte d'identité du petit lutteur était déchirée en deux volets recollés avec du scotch. La photographie devait être ancienne, Kid paraissait très jeune. Il y avait aussi des photographies écornées : Kid en maillot d'haltérophile devant une barre à disques. Kid très jeune avec une fille. Un groupe de femmes et d'hommes vêtus curieusement. Pierre trouva encore une feuille à en-tête de la Préfecture de Paris, une de la Préfecture de Lyon. C'étaient des autorisations, pour Kid, de travailler sur les places publiques. Ses condés, comme il disait. Pierre allait jeter tout cela dans un fossé. Et pour Kid, ce serait un sale coup. Plus de papiers, plus rien. Même plus le droit de gagner sa croûte. « Mes condés, avait-il dit, je les ai dégotés au bon moment. A présent, c'est râpé. Ils ne veulent plus en donner. » Il y en avait sept, pour des départements différents. Kid n'aurait plus qu'à retourner se traîner à plat ventre devant Pat pour qu'il le reprenne.

Pierre examina encore deux vieilles licences, une de lutte, l'autre de poids et haltères. Un permis de conduire pour les motos, les voitures de tourisme et les poids lourds. « Des papiers, pensa-t-il. Ça peut se maquiller et se vendre. »

C'était toute une vie, qu'il tenait là, toute une

existence d'un petit lutteur qui avait couru sans rêve les cirques, les places, les routes et les villages.

Et tout cela, c'était Kid lui-même qui le lui avait donné. Tous ses papiers et tout son argent.

Pierre respira profondément. Allait-il repartir ? Se mettre à courir jusqu'à la route ? C'était pourtant facile... Facile ? Et Kid, alors ? Kid qui était là, là devant lui, avec ce portefeuille qu'il lui tendait. Une fois de plus, Pierre revit les voyous de Lyon qui l'avaient rossé. Il se revit après la bagarre. « Si je tenais le salaud qui m'a piqué mon fric ! »

Le salaud, oui !

Il tâta de nouveau ses poignets meurtris. Il releva même ses manches pour regarder. Les traces des chaînes étaient toujours visibles, mais déjà beaucoup moins rouges et moins douloureuses. En pensant au rouge, il eut un ricanement...

— Rouge, rouge, grogna-t-il. C'était toujours moins rouge et moins con que la poudre à polir de l'usine de lunettes !

Il eut encore un regard en direction de la grand-route puis, comme à regret, il reprit la direction de la ferme.

35

Au retour, Pierre avait commencé par marcher lentement, s'arrêtant souvent pour regarder la ligne d'arbres de cette route jusqu'à laquelle il n'avait pas osé poursuivre. Entre elle et lui, il y avait toujours Kid et son sourire. Kid et son portefeuille qu'il lui tendait. Peu à peu, il avait accéléré sa marche, se retournant de moins en moins.

A moitié chemin du village, dans une petite dépression de terrain, un bois tout en longueur séparait deux champs. La route tournait. Passé ce bois, on ne voyait plus les arbres de la nationale. Pierre se mit alors à penser que Kid devait être rentré. Il avait sans doute constaté le désordre des valises, la disparition des épées et des objets de toilette. Il eut un instant envie de s'enfuir, mais un instant seulement. Il porta la main à sa poche. Le portefeuille était là, c'était ce qui comptait le plus. Il se mit pourtant à courir, ne reprenant une marche normale qu'en atteignant les premières maisons.

Il s'engagea dans la rue. Il y avait fait une vingtaine de pas lorsqu'il entendit une porte s'ouvrir derrière lui.

— Héo !

Pierre se retourna. Kid était sur le pas d'une porte, il portait une large blouse blanche serrée autour du cou. Il riait.

— Alors, tu t'amènes ! lança-t-il.

Pierre le rejoignit et entra dans la boutique qui sentait l'eau de Cologne. Déjà Kid avait repris sa place sur le fauteuil, devant la glace où Pierre pouvait voir son visage. Un vieil homme cassé en deux maniait la tondeuse.

— C'est mon copain, fit Kid. Je vous avais dit qu'il allait venir. (Il se mit à rire.) Heureusement d'ailleurs, qu'il est venu, c'est lui qui a mon portefeuille.

Pierre s'était assis derrière Kid qui profita d'un moment où le coiffeur soufflait sur sa tondeuse pour se retourner en demandant :

— Tu l'as pas paumé, au moins ?

— Non non, il est là.

Pierre tapa sur sa poitrine, à hauteur de la poche.

— La fermière me dit : « Il est chez le coiffeur. » Je viens ici : personne. Je me dis : « Ça y est, il est parti faire la bringue avec mon fric. » Et puis, j'ai calculé, et j'ai pensé que même si tu t'offrais du beau linge, il resterait toujours de quoi payer une coupe de cheveux.

Kid se mit à rire, et le vieil homme commença de leur poser des questions. Quand ce fut le tour de Pierre, le coiffeur souleva ses cheveux épais qui tombaient sur le col de sa veste.

— Je pense qu'il faut en enlever pas mal, dit-il.

Dans la glace, Pierre voyait le sourire de Kid dont le crâne ne portait plus qu'une brosse d'un demi-centimètre.

— Comme moi, dit Kid.

Le vieil homme les observa tour à tour. Pierre aurait voulu crier : « Non non, juste un peu. » Mais, peut-être parce qu'il continuait de fixer Kid, il murmura seulement :

— Enfin... c'est-à-dire...

— Il a été malade, c'est pour ça qu'ils sont si longs. Comme il n'est pas encore bien remis, faut pas le dégager trop. Faites-lui une bonne coupe... (il cherchait un mot). Enfin quoi, une coupe de cheveux pour homme.

Kid alla s'asseoir. Pierre baissa la tête tandis que la tondeuse glacée et dure comme un fer de torture, courait sur sa nuque. Il lui semblait qu'on le dépouillait de tout. Qu'on était en train de le rendre ridicule. Il demeurait le front baissé, n'osant plus lever les yeux vers la glace. Chaque fois que la tondeuse montait derrière son crâne, il avait envie de crier : « Assez, assez ! Arrêtez-vous ! » Et pourtant, il ne disait rien. Ce fut Kid qui intervint.

— Ça va comme ça. Arrangez le dessus et ce sera bon... pour cette fois.

Pierre soupira. Lorsqu'il se regarda, il faillit crier. Ses oreilles semblaient se décoller de son crâne. Il n'avait plus de cheveux sur les tempes, et, sur le sommet de sa tête, des mèches raides partaient en tous sens, que les coups de brosse du vieux n'arrivaient pas à aplatir.

— Ils sont un peu rétifs, observa le bourreau. Faudrait les mouiller pour les faire tenir.

C'était horrible. Pierre sentit qu'il n'oserait jamais se montrer en public avec cette tête de loup. Il dut se retenir pour ne pas insulter ce vieux. Et une fraction de seconde, il vit la route qu'il n'avait pas atteinte. Kid... Kid qui souriait, l'air un peu embarrassé.

Le coiffeur le brossait pour enlever les mèches tombées sur son front et ses épaules. Il avait déjà décroché l'épingle de sûreté qui fermait la blouse, lorsque Pierre arrêta son geste. Quelque chose venait de craquer en lui. Une envie de pleurer l'avait soudain empoigné, lui serrant la gorge. Il se raidit. Il se regardait comme s'il se fût trouvé face à face avec un inconnu.

— Non, grogna-t-il. Ça va pas. Coupez. Coupez encore... Faites... Faites-moi une brosse courte... Comme à lui.

Il eut un pauvre geste timide par-dessus son épaule, pour désigner Kid toujours assis derrière lui, et qui venait de plonger le nez dans un journal grand ouvert. Il eut ce geste, puis il ferma les yeux et retomba, épuisé, recroquevillé dans ce fauteuil où il eût aimé disparaître.

36

Lorsqu'ils furent de retour à la ferme, Pierre lut un tel étonnement sur le visage de la femme et des enfants, qu'il eut envie de s'enfuir vers la grange et de s'y enfermer jusqu'à l'heure du départ. Mais le fermier rentra, le regarda en riant et lança :

— Bonsoir ! A l'ordonnance ! Comme ça, voilà qu'il paraît deux fois plus costaud.

Kid souriait toujours. Ils mangèrent, puis ils regagnèrent la grange. Chez le coiffeur, Pierre avait rendu le portefeuille à Kid qui le sortit de nouveau, compta la moitié de l'argent et dit :

— Faut jamais laisser tous ses œufs dans le même panier. Puisqu'on est ensemble, tu en porteras la moitié. C'est plus sûr.

Pierre prit l'argent. Il était debout au milieu de la grange, regardant les valises, ne sachant ce qu'il devait dire. Kid l'observa un moment, puis, d'un air détaché, il dit :

— Tu vois, les gosses sont venus là, ils ont foutu le bordel dans les valises.

Il se mit en devoir de tout ranger Pierre s'avança pour l'aider et en profita pour remettre discrètement les objets de toilette qu'il avait toujours dans sa poche. Il pensait aux épées qui se trouvaient de l'autre côté du tas de paille. Kid constata leur disparition et les chercha un moment.

— C'est une chance que ces gosses ne se soient pas blessés avec, j'aurais dû les planquer.

Il se redressa, regarda Pierre en fronçant les sourcils et ajouta :

— C'est un peu de ta faute. Tu avais dit que tu restais là. Quand tu as changé d'idée, tu aurais dû les cacher.

Pierre pensa qu'il avait mal réagi. Il n'aurait pas dû laisser à Kid le temps de chercher. Il fallait dire : « J'ai caché les épées, à cause des gosses. » Pourtant, plus il regardait Kid, plus se confirmait sa conviction que le petit hercule avait tout deviné depuis longtemps.

— Enfin, dit Kid, on va pas passer la nuit à les chercher. S'ils les ont traînées dehors ou enfouies dans la paille, on les trouvera demain.

Lentement, après avoir pris du papier, il se dirigea vers la porte et sortit. Pierre lui laissa le temps de s'éloigner de quelques pas, puis, bondissant dans la paille où il enfonçait jusqu'aux genoux, il alla chercher les épées. Lorsque Kid revint, il était déjà couché, le dos tourné à la porte. Sans bouger, d'une voix plus forte qu'il ne l'eût souhaité, il dit simplement :

— Je les ai trouvées. Elles étaient dans la paille.

Il entendit tinter le métal. Un long moment passa, et Kid finit par dire :

— Tu as plus de flair que moi... Enfin, c'est très bien. Ça m'aurait emmerdé qu'elles soient perdues, parce que demain soir, on va donner notre petit spectacle complet sur la place. J'ai vu le garde champêtre. Il va nous annoncer trois fois dans la journée, avec son tambour.

Pierre l'entendit préparer son sac. Son pas s'éloigna, la lumière s'éteignit, le pas revint plus lentement, la paille crissa un moment, et ce fut le silence. Un silence tout habité de craquements et de froissements venus des quatre coins de cette immense grange. Pierre écouta un moment. Tout commençait à se brouiller en lui quand la voix de Kid lança :

— Allez, bonne nuit, petit môme... Tu vois, tout est bien qui finit bien.

37

Durant plus de quinze jours, ils parcoururent la région. Pierre s'était rapidement habitué à l'évasion aérienne. Le premier soir, au moment d'annoncer ce numéro, Kid l'avait seulement regardé. Pierre avait levé les yeux vers le trépied monté au centre de la place, et il avait souri. Kid avait compris, il avait présenté Pierre comme le roi de l'évasion et il n'avait plus jamais été question entre eux de leur dispute. Sur des esplanades, des champs de foire, dans de petites salles des fêtes, dans des cours d'hôtel ou des granges, ils donnaient à eux deux de véritables spectacles. Kid parlait beaucoup moins que dans les grandes villes où le public se renouvelait constamment. Il invitait les hommes forts à venir enchaîner le roi de l'évasion. Pierre, qui travaillait torse nu, avait le dos et les bras couverts de bleus et semés d'écorchures qui se rouvraient à chaque séance. Mais cela aussi faisait partie du spectacle. La plupart du temps, les gens étaient brutaux. Ils faisaient l'impossible pour serrer les chaînes très fort. A une séance, une femme se présenta et ce fut ce jour-là que Pierre souffrit le plus. On l'attachait, on bouclait les cadenas, on le pendait par les pieds, et, dès que Kid avait terminé son boniment, il devait se démener, faire glisser ses chaînes (pas trop rapidement), libérer ses poignets, remonter ensuite à la manière des chats que l'on tient par les pattes de derrière pour dégager ses pieds et se dépendre. Kid avait eu raison de lui dire qu'on s'habitue très vite à rester la tête en bas ; à présent, il ne voyait plus de papillons noirs et n'éprouvait jamais aucun malaise. Les chaînes le meurtrissaient toujours, mais seules ses chevilles restaient douloureuses. Au début, il avait été souvent réveillé dans la nuit par des brûlures qui traversaient ses muscles et semblaient se prolonger à l'intérieur même de ses os. Peu à peu, il s'était accoutumé à cela et, quand il lui arrivait d'être encore réveillé par une douleur, il évoquait l'usine. Il se contraignait à l'imaginer, à refaire par la pensée l'éternel geste que certains vieux manœuvres répétaient depuis quarante ans. Alors, essayant vraiment de calculer le nombre de mouvements identiques qu'un homme pouvait accomplir dans une vie, il se rendormait avec l'idée qu'il était heureux en compagnie de Kid.

Le temps passait très vite, de ferme en hôtel, de café en place publique, avec, de loin en loin, la rencontre d'une fille très fière de se donner à un artiste.

— C'est la belle vie, répétait Kid. Je te l'avais dit. Quand je pense au pognon qu'on se fait, sans se crever, alors qu'on pourrait être chez ce gros sac de Pat. Dans quelque temps, si tout marche bien, on prend le train et on fout le camp sur la Côte d'Azur. Ça fait des années que j'y suis pas allé, et j'en ai bigrement envie. On pourra se payer les bains de mer entre les séances.

Il en parlait de plus en plus souvent, mais il parlait aussi des Carminetti, et, plus fréquemment encore de Gégène et des siens. Kid avait expédié plusieurs cartes et plusieurs mandats, et ils avaient trouvé une lettre à la poste restante lors d'un passage à Poligny. Gégène ne se remettait pas. Son séjour à l'hôpital n'était pas terminé et Kid parlait souvent d'aller le voir. Mais les jours et les pays se tenaient de près.

— A Louhans, dit Kid, nous aurons des nouvelles. J'ai écrit à l'Angèle qu'on y sera pour la foire. C'est un bon bled. On doit y faire une sacrée journée. Et on y trouvera d'autres péquenots qui nous inviteront dans leur patelin.

Le matin de la foire, lorsqu'ils descendirent de l'autocar qui les avait amenés, il faisait un temps maussade et lourd. Le vent du Midi qui avait couru toute la nuit, s'était cassé le cou à l'aube, laissant le ciel barbouillé de grisailles immobiles.

— Ça risque d'être la flotte avant midi, déclara Kid, faut se magner de ramasser du pognon, si on veut pas prendre la rincée.

Ils installèrent leur matériel, montèrent le trépied, et le petit hercule entama son intarissable boniment. Dès le début, Pierre remarqua un groupe d'hommes qui semblaient décidés à s'amuser à leurs dépens.

— Ceux-là, grogna Kid, je les ai repérés, faut s'en débarrasser tout de suite, sinon, c'est foutu.

Il y avait parmi ces gens, une espèce de colosse un peu gras, mais puissamment charpenté et qui riait très fort. Kid s'approcha de lui avec une mimique d'admiration.

— Bonsoir ! lança-t-il, tu dois être fort comme un bœuf, toi... Vingt kilos à deux mains, tu peux les lever ?

Le grand gaillard répondit, mais sa voix fut couverte, car les autres criaient tous en même temps :

— La lutte ! La lutte !

— Non, dit Kid, on ne peut pas lutter sur du macadam.

— On peut lutter n'importe où, dit l'homme, seulement, faut pas être un dégonflé.

Kid fit rapidement des yeux le tour du cercle de curieux d'où s'élevaient déjà quelques coups de sifflet.

— C'est bon, cria-t-il. C'est toi qui l'auras voulu.

L'homme avança, mais, au moment où Kid allait enlever son blouson, il l'arrêta en disant :

— Non, non, je ne veux pas lutter avec un homme de votre âge ; avec le grand.

Il désignait Pierre qui se tenait immobile, torse

nu, à côté des valises. Comme l'homme approchait, Pierre recula vers le trépied.

— Non, dit-il. On lutte pas là-dessus.

Le public commençait à manifester son mécontentement, et Kid tenta d'obtenir le silence pour expliquer que son partenaire était un junior et que l'homme de trente ans qui le provoquait devait peser au moins trente kilogs de plus que lui. Il s'époumona en vain, personne ne voulait rien entendre et les huées redoublaient. Kid s'approcha de Pierre et dit très vite :

— Faut y aller, petit, sinon c'est foutu.

— Tu es dingue. Avec cette masse, et sur le bitume !

Kid tenta encore de décider l'amateur à lutter avec lui, mais l'homme s'obstinait à désigner Pierre. Alors Kid revint. Son regard avait une curieuse intensité. Il n'ordonnait pas, il ne suppliait pas non plus, mais il demandait de telle façon que Pierre cessa de réfléchir. Pour un instant, il n'y eut plus rien d'autre sur la place que ce regard de Kid fixé sur lui, qui plongeait au fond de lui, commandant directement à ses membres. Il fit deux pas en direction de l'amateur. Au passage, Kid souffla :

— En souplesse... C'est une montagne. Te laisse pas bicher un aileron.

Le public s'était apaisé et Kid improvisa un nouveau boniment pour récolter un peu d'argent. Mais Pierre l'entendait à peine. Il regardait l'homme qui venait de quitter sa veste et sa chemise. Sous une enveloppe de graisse, une musculature solide se devinait. Ses mains étaient larges et épaisses, toutes jaspées de points noirs. Seuls ses avant-bras étaient bronzés. Pierre ne pensait pas. Il ne cessait de se répéter que sa seule chance était la vitesse. Faire plus vite que ce colosse, et surtout éviter ses prises en souplesse. Il se répétait cela, cherchant le regard de Kid pour y puiser un peu de courage.

Lorsque les pièces cessèrent de tomber, Kid fit encore un tour et donna l'ordre aux deux hommes de commencer. L'amateur se mit en garde, et Pierre comprit qu'il n'avait pas seulement affaire à un colosse, mais aussi à un lutteur. Ils s'observèrent quelques secondes. Pierre se sentait paralysé. L'homme se déplaça latéralement, puis fit un pas en avant.

— Chasse ! lança Kid.

Pierre n'hésita pas. Comme si l'ordre de Kid eut soulevé ses pieds, ils quittèrent le sol et frappèrent la poitrine de l'homme en un saut chassé fulgurant. Surpris, son adversaire chancela, recula d'un pas, mais ne tomba pas. Les gens applaudirent, et Kid en profita pour crier que l'amateur était une masse qu'un gamin ne pouvait pas ébranler.

A présent, l'homme se méfiait. Bien en ligne, solide sur ses jambes fléchies, il avançait, encouragé sans cesse par les cris de ses camarades. Pierre sentit la partie perdue. Il ne pouvait qu'esquiver les attaques, et le public recommençait déjà à crier. Sur une feinte, le garçon réussit encore à placer une prise de jambe qui fit basculer l'homme sur le pavé où son dos claqua très fort. Une fraction de seconde, Pierre crut que la tête aussi avait porté, et se sentit envahi par une bouffée d'espoir. Mais il redoutait trop le corps à corps au sol, pour oser se laisser tomber sur l'homme qui déjà se relevait, toujours très maître de soi. Lui aussi avait compris qu'il tiendrait la victoire lorsqu'il pourrait empoigner son adversaire. Il y parvint rapidement. Alors que Pierre cherchait à placer une autre prise de jambes, l'homme lui porta une ceinture avant, simple, classique, mais qui lui fit croire un instant qu'une machine allait lui broyer la cage thoracique. Le souffle coupé, sur le point d'abandonner, il réussit pourtant à crocheter une jambe de son adversaire qui perdit l'équilibre mais ne desserra pas son étreinte. Ils roulèrent sur le bitume où la lutte se poursuivit. Pendant longtemps, grâce à sa souplesse, à sa rapidité et à tout ce que Kid lui avait enseigné, Pierre résista. Il arriva même à placer une clef au bras, mais, en force pure, cet homme qui travaillait comme un cric, réussit aisément à se dégager. Pierre s'épuisait à vouloir remuer une telle masse. Le sol râpeux arrachait la peau de son dos et de ses bras, ravivant la douleur des cicatrices laissées par les chaînes. Enfin, la tête bourdonnante, le souffle court, aveuglé par la sueur et la poussière, il fut contraint de se laisser aller sur le dos. Il voulut encore ramener ses pieds en arrière pour tenter de se dégager en pont, la tête appuyée au sol, mais il ne commandait plus ses gestes, seul l'instinct de la lutte le guidait encore. Kid intervint et donna la victoire à l'amateur.

Ils se relevèrent. Pierre regarda Kid qui sourit et cligna de l'œil. Pierre voulut protester.

— Je pouvais encore...

— Non, souffla Kid. Tu te serais pété une vertèbre.

Le gros homme était écarlate et ruisselant, mais il riait. La foule, et surtout ses amis, lui firent une ovation. Pourtant il y eut quelques coups de sifflet hostiles, et, lorsque l'homme quitta le cercle, de nombreux spectateurs applaudirent Pierre. Kid saisit l'occasion, imposa silence et fit rapidement un tour en bonimentant pour retenir le public. Il retourna chercher l'homme dont il leva la main en signe de victoire.

— C'est la lutte, cria-t-il. L'amateur a battu le garçon plus jeune et plus léger que lui. Mais ça n'est pas fini, mesdames et messieurs. L'amateur a une demi-heure pour récupérer, et il prendra le vieux.

En disant cela, Kid se frappait la poitrine. Se voûtant le plus qu'il pouvait, toujours vêtu de son blouson, il avait l'air d'un moucheron vétuste que l'autre pouvait écraser d'une chiquenaude. Le grand gaillard voulait refuser, mais la foule, qui souhaitait du spectacle, vint au secours de Kid. Même les camarades de l'amateur s'étaient mis de la partie.

— Vas-y Sébastien ! criaient-ils. Tu l'auras. Te dégonfle pas... Pas de pitié... C'est lui qui l'aura voulu !

Pendant plus d'une demi-heure Kid jongla son poids et fit des discours. Il tenait le public et s'efforçait de faire pleuvoir l'argent. Il y avait d'ailleurs beaucoup de monde. Le cercle s'épaississait sans cesse de nouveaux venus qui se haussaient sur la pointe des pieds, pour regarder l'homme assis sur une valise et qui reprenait haleine. Pierre vint s'asseoir près de lui. D'une voix un peu rauque, l'homme demanda :

— Je t'ai fait mal ?

— Non, c'est le métier.

— Tu luttes souvent ?

— Plus depuis quelque temps.

— Tu te défends bien, reconnut-il. A poids égal, j'étais foutu.

— Où avez-vous lutté ? demanda Pierre.

— A l'armée. J'étais avec des vrais lutteurs. Et puis, je suis forgeron, ça entretient les forces.

L'homme qui avait jeté sa veste sur ses épaules, s'épongeait le visage avec un grand mouchoir à carreaux. Son regard trahissait une certaine crainte, tandis qu'il suivait le travail et les évolutions de Kid. Pierre l'observait. Cet homme l'avait fait souffrir. Il l'avait battu devant tout un public, et pourtant, il lui trouvait le visage d'un brave type. Ses yeux faisaient penser à ceux des chiens craintifs. Il se tourna vers Pierre pour demander :

— Et ton copain, il est fort ?

Pierre hésita. Pour lui, l'issue du combat ne faisait aucun doute. Il devinait même que Kid devait être heureux d'avoir affaire à un gaillard de cette taille. Pierre l'entendait lui dire : « Les grands, y savent jamais comment s'y prendre. » L'homme attendait sa réponse. Il avait envie de lui dire : « Tu es foutu », mais il se contenta de faire la moue.

— Oh, fit-il. Il est fort pour jongler ses poids. Mais ça fait des années qu'il n'a pas lutté. Ce qu'il veut, c'est retenir les gens, pour qu'on fasse notre journée.

L'autre parut rassuré. Son visage était moins tendu, et il commençait de sourire en direction de ses amis.

— C'est sûr que vous l'aurez facilement, reprit

Pierre. Mais ce qu'il faudrait, c'est que ça dure un moment, pour qu'on ait pas l'air trop con.

L'homme n'eut pas le temps de répondre. Kid venait de s'approcher.

— Alors, lança-t-il. T'es prêt, Rigoulot ?

La foule se taisait, tendue. Au moment où Kid quitta son blouson, il y eut un murmure qui courut comme une vague pour aller mourir très loin, à l'extérieur du cercle. Jamais Pierre n'avait vu autant de monde autour d'eux.

Les lutteurs se serrèrent la main. Aussitôt, Kid s'écrasa d'une détente, comme il avait coutume de le faire, se fendant, une jambe en avant et l'autre en arrière. Décontenancé, le grand recula d'un pas.

Silence.

La place du marché tout entière semble écouter et regarder. Pierre s'est levé. Sa gorge est un peu serrée, mais il a cessé de penser.

Kid tourne autour de cette montagne de muscles qui se déplace lentement. La peur est visible sur le visage du grand forgeron. Il voudrait fuir. Ça se voit. A présent, il donnerait tout pour se trouver dans sa forge. Pierre se répète très vite.

— Tu vas payer... Tu vas payer, fumier !

Et pourtant, il n'a pas de véritable colère contre cet homme.

Quelques cris partent de la foule.

— Allez ! Vas-y Sébastien !

Sébastien essaie d'attaquer. Ses grands bras se déplient plusieurs fois dans le vide. Kid esquive, souple, rapide, paraissant parfois s'enfoncer dans le sol. L'homme a perdu son calme. Son bras droit vient de partir une fois de plus, mais sans aucune précision, seulement parce qu'il voulait empoigner son adversaire n'importe comment. L'empoigner et l'écraser. Mais Kid fait un bond. Il se porte légèrement sur la gauche de l'homme qui déplace sa main pour suivre le mouvement. Alors, avec une rapidité incroyable, Kid saisit ce bras des deux mains, s'accroupit comme s'il tombait aux genoux de l'homme dont les pieds ont déjà quitté le sol. Kid se relève, le dos ployé, et le grand corps décrit un cercle en l'air avant d'aller claquer sur la carpette.

— Je suis pas vache, lance Kid. J'ai choisi l'endroit.

Mais l'autre ne peut rien entendre. Il se relève. Son visage n'est plus le même. Est-ce la douleur ? Est-ce la peur ? Est-ce la colère ? Le forgeron grimace, soudain hideux. Trois fois de suite Kid l'évite d'un bond rapide. L'homme revient encore, mais Kid n'esquive qu'à moitié. Tirant le forgeron par le bras, il l'aide dans son mouvement. Emporté par cette force ajoutée à son propre élan, l'homme passe devant Kid en lui offrant son dos. Le petit hercule penche le buste à gauche, porte une ceinture à rebours et se redresse soudain. Les pieds en l'air, l'homme a la tête à quelques centimètres du sol.

— T'abandonnes ? demande Kid.

— Non, rugit l'homme.

Alors, comme un ouvrier qui voudrait enfoncer dans la terre un énorme piquet, Kid frappe deux fois le bitume avec le crâne du forgeron qui essaie en vain de se protéger avec ses mains. Tout le monde a pu entendre sonner les coups. Kid ouvre les bras, et le grand corps se plie, se casse comme une poupée désarticulée pour tomber sur le sol, les bras en croix et les jambes écartées.

La foule un instant silencieuse, se met soudain à bouillir. Des gens applaudissent, d'autres sifflent, d'autres encore crient à l'assassin et Pierre pense un instant que tous les spectateurs vont se battre. Le cercle se déforme. Craignant de le voir se disloquer, Kid se remet à gesticuler et à tourner en réclamant le silence. Dès que les cris diminuent, il recommnece son boniment.

— C'est la lutte, mesdames, messieurs. C'est les risques du métier. Il n'a pas de mal. Il est fort comme un bœuf.

Le cercle se rompt du côté où se tiennent les amis du forgeron, et un garçon arrive portant un arrosoir plein d'eau. Pierre, qui s'était penché sur l'homme, s'écarte d'un pas. Kid s'est emparé de l'arrosoir et verse de l'eau en douche sur la tête de l'homme qui remue, s'ébroue et se frotte le crâne. Assis au centre d'une large flaque, il reste un instant à se demander où il est. Il grimace. Les gens commencent à rire.

— Vingt dieux, grogne le forgeron, tu m'as eu !

— Excuse-moi, dit Kid, mais t'es trop fort pour qu'on puisse te faire des cadeaux.

Une ombre passe sur le visage de l'homme, puis son sourire revient.

— J'ai été con, dit-il. Mais aussi, c'est les copains...

— Faut jamais écouter les copains, dit Kid. A présent, fous-moi la paix, faut pas que je laisse partir les mecs.

Il reprend son boniment, mais déjà une partie de la foule s'est dispersée. Quelques pièces tombent encore pendant que Kid jongle avec son bilboquet, mais un grand souffle de vent s'est levé, tout au fond de la plaine bressane. Il court sur la place. Le ciel s'assombrit. Les bâches des forains claquent et les premières gouttes tombent, larges et tièdes.

— Bon Dieu, rage Kid, grosses comme des thunes.

Et ils n'ont que le temps de boucler les valises avant le fort de l'averse.

38

Le forgeron et deux de ses camarades les aidèrent à démonter le trépied et à porter le matériel jusqu'au café le plus proche. Ils s'engouffrèrent dans la salle que l'averse venait d'emplir de gens bruyants.

— Je suis un con, dit le forgeron. Je vous ai fait perdre du pognon.

— Tu ne nous as rien fait perdre, dit Kid, mais tu es un con tout de même. Tu as fait tout ça pour rien et, à présent, tu as une grosse bosse sur le citron.

L'homme toucha son crâne.

— C'est rien, fit-il.

— Peut-être, mais dans trois jours tu auras encore mal.

Le forgeron avait retrouvé son sourire et son regard de brave homme.

— Je suis habitué, dit-il. Je ferre aussi les chevaux. Et pour ça, faut pas craindre les coups.

Les camarades de l'homme avaient trouvé une table libre tout au fond de la salle, derrière un billard. Ils crièrent pour les appeler. Devant eux, le forgeron répéta qu'il avait été ridicule, et ajouta qu'il n'avait encore jamais rencontré un homme aussi fort que Kid.

Ils se mirent à boire et à parler. Kid, qui s'était assis à côté du forgeron, l'appelait « mon petit ». Ils se racontaient des histoires d'hommes forts et ne cessaient de s'adresser des compliments. Un des camarades du forgeron lui demanda où il avait laissé sa voiture.

— Qu'est-ce que tu veux faire ?
— Dis-moi où elle est.
Le forgeron expliqua et l'autre disparut. Quand il revint, il posa sur la table de marbre deux fers à cheval tout neufs en disant :
— Fais-nous voir comment tu les arranges.
En parlant, l'homme observait Kid qui regarda les fers en écarquillant les yeux, l'air effrayé.
— Quoi, fit-il, tu arrives à tordre ça ?
— Oui.
— Ça alors, c'est formidable... Montre un peu ?
L'homme se leva, prit les deux branches du fer dans ses mains énormes et toutes marquées par les étincelles de la forge. S'arc-boutant, se cassant en deux, il les écarta jusqu'à les amener à l'opposé l'une de l'autre. Les consommateurs applaudirent. L'un d'eux tendit l'autre fer à Kid qui refusa de le prendre en disant :
— Moi, je ne travaille pas à l'œil.
Des gens riaient ; d'autres lui criaient d'essayer ; quelques pièces tombèrent sur la table
— On vous paye à bouffer à tous les deux, si tu arrives à tordre ce fer, dit un homme.
Kid parut hésiter. Il regarda le forgeron et lui montra le fer qu'il avait tordu en demandant :
— Est-ce que tu arrives à le redresser ?
— Non, c'est impossible. J'ai essayé, mais ça tourne dans les mains. On peut pas.
— Allez, cria une voix, te dégonfle pas, Kid Léon !
Kid prit le fer qu'on lui tendait, l'examina quelques instants puis, le reposant sur la table, il déclara :
— A quoi ça sert d'abîmer deux fers. Qu'est-ce que vous payez, si je redresse celui-là ?
Le forgeron se leva.
— Bon Dieu, cria-t-il, c'est pas possible. J'ai essayé vingt fois, je vous dis. Si tu le fais, c'est moi qui paye à bouffer. Et une cuite par-dessus le marché.
Tout le monde parlait, criait, engageait des paris. Kid demanda au forgeron dans quel pays il habitait.
— Cuiseau, dit l'homme.

— Ça m'intéresse. Mais la cuite, j'y tiens pas. Alors tes copains payent à bouffer à midi, et ce soir, tu nous invites chez toi.

L'homme accepta. Kid réclama le silence. Il leva le bras et dit :

— Avec les mains. Rien que les paluches.

Il tourna sur place pour montrer ses mains ouvertes, courtes, aux paumes saillantes.

— Impossible, répétait le forgeron. Je dis que c'est impossible.

Les consommateurs s'écartèrent. Kid enleva son blouson et reprit le fer. Il le regarda un instant. Le silence s'était fait. Kid faisait rouler les muscles de ses épaules et de ses bras. Il respirait, gonflant sa poitrine. Du fond de la salle, une voix lança :

— Chiqué !

Kid ne broncha pas. Il paraissait se concentrer. Enfin, ayant aspiré une ample bouffée d'air, il se fendit soudain des jambes avec un « Han ! » venu du fond de sa poitrine. Le plancher sonna. Cassé en deux, Kid ne montrait plus que sa nuque rasée, ses oreilles toutes déformées, comme grignotées par des rats, son dos et ses épaules où les muscles en boule paraissaient sur le point de faire éclater sa peau. Cela dura peut-être dix à vingt secondes, puis, le visage rouge et la sueur au front, le petit hercule se redressa. Il dissimulait le fer le long de sa jambe. Son visage consterné laissait à penser qu'il n'avait pas réussi. Des murmures de désapprobation s'élevèrent aussitôt. Alors, souriant, Kid leva lentement le bras pour montrer le fer dont les deux branches avaient repris leur place.

Quand les cris et les applaudissements se furent arrêtés, Kid prit l'autre fer et cria :

— Celui-là, on le garde pour ceux qui pensent que c'est du chiqué.

Un grand rire emplit la salle où les bruits des verres et des bouteilles se mêlaient au brouhaha des conversations.

Le forgeron était médusé. Tournant et retournant le fer dans ses grosses mains, il hochait la tête en répétant :

— Ça alors... Ça alors !

Et il observait à la dérobée, les mains musculeuses de Kid, que l'effort fourni faisait trembler un peu.

39

Durant tout le repas, ils parlèrent de la vie qu'ils avaient. La recette du matin avait été bonne, et le vin acheva de mettre Kid en verve. Les autres s'extasiaient ou riaient pour peu de chose, et le petit lutteur se montrait intarissable. Quand le forgeron portait la main à sa tête, son geste et sa grimace suffisaient à déclencher le rire. Il avait à présent une bosse grosse comme un œuf. Mais il la faisait voir et palper, l'exhibant déjà comme un trophée.

Kid fit part de leurs projets. Ces hommes étaient presque tous de villages différents, et chacun prétendit que son pays était celui où les gens comme Kid et Pierre seraient le mieux reçus.

— Vous faites pas de mouron, disait Kid, on n'est pas pressés, on ira partout. Nous autres, la route ne nous fait pas peur. Après cette région, on va filer sur la Côte d'Azur, comme des millionnaires, en pères peinards.

Et chaque fois qu'il parlait de la route et de ses projets, il adressait à Pierre un coup d'œil complice. Il était heureux.

Le repas terminé, le forgeron amena sa voiture devant le café. C'était une 403 fourgonnette où ils chargèrent les valises à côté des piles de fers à cheval retenus en paquets par des liens de métal.

— Faut que je passe à la poste, dit Kid J'ai une lettre à prendre.

Le forgeron les conduisit, et ils entrèrent tous trois dans un petit bureau. Kid y trouva deux lettres. Il ouvrit tout de suite la plus récente Pierre qui le regardait lire, comprit que les nouvelles n'étaient pas bonnes. Le visage de Kid était contracté. Son front était plissé et, lorsqu'il leva les yeux, ses lèvres étaient serrées.

— Faut que je téléphone à l'Angèle, dit-il. Elle me donne le numéro d'un café. La serveuse ira l'appeler.

Tandis qu'il attendait sa communication, il expliqua au forgeron que son meilleur ami était très mal. Le colosse hochait la tête, les mains pendantes, attristé comme si cette nouvelle l'eût réellement concerné. Kid s'enferma dans la cabine à porte vitrée. Pierre et le forgeron le regardaient sans mot dire, suivant les mouvements de son dos brun et de sa tête. La communication fut brève, et lorsque Kid revint vers eux, son visage était plus tendu encore, mais avec, dans le regard, quelque chose de dur. Pierre pensa qu'il avait les mêmes yeux que lorsqu'il s'apprêtait à lutter.

— Ça va pas du tout, dit-il. C'est pas l'Angèle qui m'a répondu, c'est la fille du café. L'Angèle est à l'hôpital... Elle ne le quitte presque plus.

Sa gorge devait être serrée. Il s'arrêta un instant, et le mouvement de son cou montra qu'il avait du mal à avaler sa salive. Les autres restaient muets.

— Faut qu'on parte tout de suite, dit-il. Ça doit être la merde pour eux tous.

Il avait prononcé cette dernière phrase avec une espèce de rage mal contenue. Il demanda ensuite comment on pouvait regagner Lyon rapidement, et le forgeron dit que le plus simple était encore d'aller prendre le train à Bourg.

— Bourg, bonsoir, fit Kid, faudrait trouver un taxi, ça fait une tirée.

Le forgeron regarda la pendule de la poste. Il était 4 heures moins le quart.

— Doit y avoir un train le soir, dit-il. Je vais vous emmener.

Kid remercia en s'excusant, mais l'homme souleva ses grands bras et murmura :

— Quarante kilomètres, c'est rien. Et quand les gens sont dans l'embarras...

Il n'acheva pas sa phrase, mais on sentait qu'il eût aimé faire davantage.

Ils s'installèrent tous trois sur la banquette où ils étaient un peu serrés. La pluie d'orage du matin avait cédé le ciel à une bruine froide et dense. Ils roulèrent un long moment sans parler sur la route couleur de nuages où les voitures soulevaient des gerbes d'eau.

— On aurait pourtant bien aimé aller dans ton bled, remarqua Kid. Mais c'est pas perdu. On reviendra.

— Vous n'avez qu'à me prévenir. J'irai vous chercher à la gare. Tu ne sais pas dans combien de temps ?

Il y eut un silence. L'homme fixait la route. Kid finit par dire :

— Je sais pas... Ces choses-là, ça peut aller vite comme ça peut traîner des semaines.

Il avait parlé d'une voix à peine perceptible, mais qui redevint normale lorsqu'il ajouta :

— La vogue n'est plus à Lyon que pour dix jours. Faudra qu'on y soit pour s'occuper de tout. Une femme toute seule... et avec des gosses.

Le forgeron hochait toujours la tête, l'air accablé. Sa lèvre inférieure s'avançait légèrement en une moue qui trahissait son embarras. Un long moment passa encore avant qu'il ne se décide à dire :

— Tu sais que tu m'en as bouché une tartine, avec ton truc de redresser le fer à cheval. Bon Dieu de bon Dieu, et dire que je voulais lutter avec toi. Ce qu'il faut être con !

— Ce qui compte, dans ce genre de travail, expliqua Kid, c'est la pince. La force de serre. Tout est dans les paluches.

Et Kid avançait sa main ouverte vers le volant, fermant et refermant ses doigts, faisant jouer ses muscles.

— C'est une spécialité, poursuivit-il. Moi, je pourrais faire un numéro uniquement avec ça. Le poids de vingt kilos par le petit rebord, le jeu de cartes déchiré en huit, le tarot en quatre, j'ai un tas de petits trucs comme ça, pas fatigants et qui rendent bien.

Il s'exprimait comme un bon ouvrier, très instruit de son métier et qui transmet quelques secrets à un débutant. Et son métier était banal. Il était comme ces travaux que l'on voit accomplir chaque jour dans les villes et les villages : pétrir le pain, conduire un taxi ou débiter de la viande.

Il parla ainsi jusqu'à l'arrivée. La voiture s'arrêta devant la gare. Il bruinait toujours. Avant de décharger les valises, ils entrèrent dans le buffet pour boire un verre. Debout devant le comptoir, ils burent lentement de la bière trop froide, sans échanger un mot. Il y avait entre eux quelque chose qui leur imposait silence. Mais cette chose sans nom, impalpable, les unissait plus qu'elle ne les séparait. Ils étaient comme soudés par ce silence.

— Bon, finit par dire le forgeron, il vous reste une petite heure à tuer. Mais moi, faut que je me rentre.

Il y eut une brève dispute quand il fut question de payer les bières, mais Kid s'imposa. Ils sortirent, descendirent les valises, puis ils se regardèrent un moment. Enfin, le forgeron tendit sa grosse main en disant :

— Ben ma foi, je sais pas trop quoi vous dire... De toute façon, vous avez mon adresse.

Kid remercia encore, et l'homme remonta dans sa voiture qui démarra aussitôt. Ils la regardèrent s'éloigner. Quand elle eut tourné l'angle de la rue, Kid soupira

— C'est un bon mec, fit-il.

— Oui, c'est un bon mec.

— Et costaud.

— Vachement, oui.

Kid empoigna deux valises qu'il souleva en disant :

— Bon Dieu, quand on est arrivé là, celui qui m'aurait dit...

Avant de se charger à son tour, Pierre le regarda faire quelques pas en direction de l'entrée des voyageurs. Les valises tiraient fort sur ses bras, mais le petit homme semblait ployer sous un autre poids qui lui voûtait le dos et l'obligeait à baisser la tête.

QUATRIEME PARTIE

LE DIABLE DANS LE BOCAL

40

C'était là première fois que Pierre demeurait si longtemps seul avec Kid sans l'entendre raconter des histoires. Le petit hercule s'était assis dans l'angle du compartiment ; les bras croisés, les épaules ramenées en avant, la tête tournée vers l'extérieur il regardait la campagne mouillée que la nuit éloignait peu à peu. Dans les gares, la lueur des lampes faisait scintiller les gouttes tremblotantes sur les vitres. La nuit s'épaississait. Kid, qui semblait s'être assoupi depuis un moment, ouvrit les yeux et dit :

— Au fond, j'aurais pu demander au forgeron de garder nos valises. Et tu aurais même pu rester chez lui en attendant.

Pierre eut envie de répondre : « En attendant quoi ? » Mais il n'osa pas. Il dit simplement :

— J'aime mieux être avec toi.

Kid décroisa ses bras, passa la main sur son crâne et soupira :

— Je suis fatigué.

Il ne le disait pas comme une plainte. Il constatait seulement qu'il était fatigué.

— C'est à cause de Gégène, dit Pierre.

— Non. Mais tu sais, on fait le malin. Seulement moi, je ne suis plus jeune. Ce fer à cheval, j'ai cru un moment que je n'arriverais pas à le redresser. Ça fait des années que je n'avais plus essayé (il marqua un temps), je crois bien que mes forces s'en vont, tu sais.

C'était surprenant de l'entendre parler ainsi. Pierre ne s'était jamais imaginé que Kid pût perdre un jour un peu de sa force ; qu'il pût vieillir. Le matin, lorsqu'il l'avait vu tout petit en présence de l'énorme forgeron, il n'avait pas eu peur du tout. Lorsqu'il l'avait vu empoigner ce fer à cheval pour le redresser, il avait même pensé qu'il y avait, dans sa façon de se plier en deux et de faire rouler les muscles de son dos, une part de comédie. Et à présent, Kid avouait sa fatigue. Il avouait même qu'il avait failli échouer.

— Le fer, demanda Pierre, c'est vraiment beaucoup plus dur de le redresser que de le tordre ?

Kid expliqua de nouveau pourquoi c'était si difficile, comment il était nécessaire d'employer une grande partie de sa force uniquement pour l'empêcher de tourner.

— La force, conclut-il, tu en as jusqu'à une certaine limite. Tout ce que tu déploies à le serrer, tu ne l'as pas pour le plier.

— Alors, si tu n'étais pas certain d'y arriver, pourquoi tu ne t'es pas contenté de tordre l'autre ? C'est tout ce que les mecs demandaient.

Kid fit la moue et hocha la tête. Il réfléchit quelques instants avant de répondre :

— Ça, mon petit gars, c'est justement ce qui est difficile à comprendre. Quand je l'ai pris, j'ai pensé à rien. Seulement à faire plus fort que l'autre. Je l'avais déjà fait, je pensais...

Il baissa la tête. Son front était plissé comme au moment où il avait quitté la cabine du téléphone. Il se redressa enfin, souleva ses mains qui retombèrent à plat sur ses genoux, et il dit :

— Je pensais pas que j'avais tant perdu.

Puis, presque aussitôt, son visage s'éclaira. Quittant son coin, il se pencha vers Pierre et reprit :

— Tu vois petit, toi, c'est le contraire. Il y a des choses que tu ne peux pas faire. Mais tu travailles.

Tu t'entraînes. Tu prends de la force sans même t'en rendre compte et un jour, comme ça, tu seras tout étonné de voir que tu peux arriver par exemple à tordre un fer... Ça va de la sorte pendant des années. Ensuite, on plafonne, et puis... et puis on commence à redescendre, et alors...

Il n'acheva pas sa phrase. Il avait prononcé ces derniers mots plus lentement que le reste, et, de nouveau, son visage s'était assombri. Pierre avait un peu le sentiment que sa présence était utile à Kid. Il revit soudain la route où il avait marché seul lorsqu'il voulait s'enfuir avec le portefeuille. L'envie lui vint de tout raconter à Kid, et de lui dire qu'il n'avait plus du tout envie de s'en aller. Il n'avait pas peur. Il savait que Kid ne se fâcherait pas. D'ailleurs, n'avait-il pas tout deviné ? Pourtant, Pierre ne dit rien. Il avait envie de parler, mais il ne parlait pas. C'était trop difficile. Il fallait trouver le premier mot. Dire ce premier mot. Et c'était ce qu'il ne parvenait pas à faire. Il essayait de le dire en lui : « Kid, faut que je t'explique. Je voulais partir, alors, ton portefeuille... » Il se répétait cela et il recommençait. Trouver les mots, c'était déjà difficile, mais la force pour les dire, c'était bien autre chose. Il se sentait capable de raconter cela sans aucune gêne, à n'importe qui, mais pas à Kid. Il ne comprenait pas pourquoi. C'était ainsi. Kid, c'était Kid. Ce n'était pas un homme comme les autres. Mais ce soir, Kid n'était plus le même.

— Dis-donc, demanda Pierre, où on va coucher ?

— Dans la turne à Pat.

Le petit hercule avait eu un léger haussement d'épaules, en disant cela. Ils se regardèrent. Pierre allait parler, mais Kid le devança :

— Quoi, fit-il, on lui a rien fait, à Pat. On est partis, mais c'était régulier. Il était prévenu.

Au moment où ils avaient quitté la vogue de Perrache, Kid avait dit : « Cette turne, j'y remettrai jamais les pieds. » A présent voilà qu'il voulait aller y passer la nuit. Pierre ne trouvait rien à dire. Ils se regardaient. Les yeux clairs de Kid semblaient fixer quelque chose d'insaisissable, très loin derrière le garçon.

— Qu'est-ce que tu veux, dit Kid d'une voix à peine perceptible, si ce pauvre Gégène est foutu, c'est pas le moment de foutre du fric en l'air.

Jusqu'à présent, il avait toujours parlé de la maladie de Gégène en disait qu'il était fort et qu'il s'en sortirait. Et ce soir, il parlait de sa mort. Il venait d'en parler pour la première fois, et ses yeux demeuraient perdus dans ce lointain que Pierre devinait sans comprendre vraiment ce qu'il pouvait représenter pour Kid.

Un long moment passa encore, avec le roulement du train et les propos échangés par d'autres voyageurs. De temps en temps, le visage de Kid s'animait un peu, une lueur traversait son regard, sa bouche s'entrouvrait, son front se plissait. Il avait aussi des hochements de tête à peine ébauchés et Pierre pensa que ce soir, Kid devait raconter comme d'habitude, mais pour lui seul.

Le train commençait de tanguer sur les aiguillages, la ville était déjà autour d'eux, avec ses milliers de fenêtres éclairées et qui semblaient toutes regarder vers la voie de chemin de fer. Kid s'étira un peu, puis, avant de se lever, il dit lentement :

— Tout de même, Gégène, c'était un pote.

41

Lorsqu'ils arrivèrent à Lyon, la pluie avait cessé. La fête foraine était mouillée et luisante de mille flaques où les promeneurs piétinaient le reflet des lampes. Ils se dirigèrent directement vers la petite loterie, mais, en débouchant sur l'esplanade, ils regardèrent vers le fond où se dressait la baraque des lutteurs. Une séance était en cours. La voix de Pat hurlait dans le haut-parleur pour les badauds restés à l'extérieur.

Dans la petite loterie, Angèle était seule. Elle actionnait la grande roue qui tournait en cliquetant. Elle regardait tour à tour ses clients et sa roue. Elle avait une voix monotone pour annoncer le numéro gagnant et la valeur des lots. Kid et Pierre attendirent la fin d'une partie pour s'avancer. Dès qu'elle aperçut Kid, Angèle se tut. Ils demeurèrent tous les trois immobiles durant quelques secondes, sans oser parler. La roue s'était arrêtée. La musique des manèges et le bruit des tirs semblaient s'être soudain absentés de la soirée. Les deux hommes étaient séparés de la femme par la petite banque recouverte de linoléum usé, où les planchettes numérotées s'étalaient en larges éventails.

— La gosse doit avoir fini de coucher les petits, dit Angèle. Va l'appeler, Kid. Elle viendra me remplacer.

Kid partit vers la roulotte. Angèle se remit à appeler les passants, faisant claquer ses planchettes sur la banque. Pierre se tenait immobile près des valises posées à l'angle de la baraque. Angèle distribua quelques planchettes, actionna la roue et le regarda. Elle essaya de sourire puis, s'approchant de lui, elle eut l'air de s'excuser en disant :

— Vous comprenez, je peux pas fermer ; on ne fait déjà pas de grosses journées.

— Bien sûr, bien sûr.

La petite arriva et prit la place de sa mère. Kid et Pierre portèrent les valises sous la roulotte où ils montèrent ensuite derrière Angèle. Dès que la porte fut fermée, Angèle regarda Kid, baissa la tête et se mit à sangloter. Kid parut hésiter, mais, s'avançant d'un pas, il la prit par les épaules et dit d'une voix douce et qui tremblait un peu.

— Angèle... tu vas pas pleurer... Ça peut s'arranger.

Elle secoua la tête et fit entre deux sanglots :

— Non... c'est fini... C'est une question d'heures... La sœur me l'a dit cet après-midi.

Comme si elle eût été soulagée par ces quelques mots, elle s'arrêta de pleurer et regarda Kid dont les mains retombèrent lentement. Elle répéta encore :

— Une question d'heures... Un jour ou deux, peut-être.

Puis elle alla s'asseoir sur une chaise, un coude sur la table, l'autre main posée sur sa cuisse large et courte qui tirait le tissu bleu de sa jupe. Kid alla s'asseoir sur le banc en face d'elle, et Pierre prit place sur un tabouret, au bout de la table.

— Bon Dieu, dit Kid, c'est pas possible... C'est pas possible !

L'Angèle eut un soupir saccadé qui fit trembloter sa poitrine. Elle les regardait tour à tour. Ses yeux étaient rouges et cernés. En quelques jours, son visage était devenu un visage de vieille femme.

— C'est comme ça, dit-elle. Ils ont pourtant bien dû le voir tout de suite, que c'était un cancer. Ils n'ont rien dit... Ils l'ont opéré. Et puis, ils n'ont rien fait... Alors voilà... C'est une question d'heures... C'est la sœur qui me l'a dit.

Elle parlait, s'arrêtant entre les mots qui ne finissaient jamais vraiment les phrases. Elle répétait sans cesse la même chose, comme si elle avait espéré que les mots emporteraient sa peine.

Un enfant remua dans l'une des couchettes qui se trouvaient au fond de la voiture. Une petite main empoigna le montant de bois et une tête parut, au ras du plafond.

— Kid... tu vas venir demain ?

Le lutteur se leva et glissa le long du banc, se cassant à demi sur la table pour se dégager.

— Laissez-nous tranquilles, dit la mère. Dormez.

Elle n'avait pas élevé la voix, et ces quelques mots étaient comme liés aux autres par deux silences pareils à ceux qui les unissaient tous au lieu de les séparer.

— Laisse, dit Kid, ils vont dormir, va.

Il alla jusqu'aux couchettes et parla un moment avec les petits. Quand il revint, l'Angèle s'était tue. Sans déplacer sa chaise, elle s'était tournée face à la table où elle appuyait ses deux bras dans un mouvement qui soulevait ses gros seins dont le haut se devinait, pâle à travers le tissu léger de son corsage. Sa tête inclinée en avant accusait l'épaisseur de son cou bourrelé. Ses paupières mi-closes battaient de loin en loin sous ses sourcils lourds. Une mèche échappée à son chignon se couchait sur son front. Sur plus de deux centimètres, ses cheveux étaient gris. Elle n'avait pas dû trouver le temps de les teindre depuis plusieurs semaines.

La soirée s'était immobilisée. Ils étaient là, tous les deux, à se regarder de temps à autre avec des soupirs à peine perceptibles, des gestes ébauchés et qui ne s'achevaient pas, des mouvements du visage annonçant des paroles qui ne venaient jamais. Pierre non plus n'osait pas parler. Il les regardait. Il écoutait vivre la nuit autour de la roulotte. Il y avait les musiques confondues de la fête. Les appels des haut-parleurs. Le crépitement des tirs. Le ronronnement des moteurs. Tout se mêlait pour faire un grand bruit régulier qui s'enflait par moments, comme soulevé par une énorme vague qui venait déferler tout près d'eux, enveloppant la roulotte le temps de son passage, avant d'aller mourir le long des maisons. Par moments, des pas et des voix, plus distincts, s'approchaient de la porte, puis s'éloignaient. Pierre pensa plusieurs fois aux valises. Elles étaient en dessous d'eux, dans l'ombre où personne ne pouvait deviner leur présence, mais quelqu'un avait pu les voir au moment où ils les posaient là. Il pensa au premier soir, lorsqu'il avait fait le guet tandis que Guy essayait de voler. Il eut envie de se lever pour aller voir si les valises étaient toujours là, mais il n'osa pas. Il se sentait tenu par l'immobilité et le silence des autres. Il se souvint d'une nuit où il était allé veiller la mère d'un ami. C'était un tout petit appartement de deux chambres et une cuisine. Ils étaient restés immobiles et silencieux dans la cuisine jusqu'au départ de deux membres de la famille qu'il ne connaissait pas. Son copain lui avait alors proposé une partie de cartes. Ils avaient joué une bonne heure, presque sans parler. Ensuite, le copain avait dit : « Elle va pas se sauver, va. On peut roupiller un moment. » Et ils s'étaient couchés tous les deux sur le lit du copain, après avoir allumé une bougie neuve à côté du cercueil. Et ce soir, Pierre pensait à cela. Ce soir, Gégène n'était pas encore mort, et pourtant, c'était une nuit qui faisait davantage penser à la mort.

Par deux fois encore, Kid demanda :

— Tu crois vraiment qu'il n'y a plus rien à faire ?

Deux fois l'Angèle répondit :

— Non... C'est une question d'heures... C'est la sœur qui me l'a dit...

Et, les deux fois, elle reprit son long monologue où les phrases ne finissaient jamais ; où les mêmes mots revenaient toujours, liés par ces silences qui éloignaient le bruit de la fête. Lorsque l'Angèle se taisait plus longtemps, le bruit revenait lentement, reprenant possession de la nuit. Mais, peu à peu, ce bruit changeait, et il n'y eut bientôt plus que quelques chansons, quelques détonations sèches et espacées, quelques cris mêlés aux bruits des pas. Enfin, la petite revint. Pierre l'entendit racler ses semelles sur les marches de bois. Il se retourna et, par la porte ouverte, une large bouffée de nuit fraîche entra qu'il aspira avec plaisir.

— C'est fini, dit la petite. Il y a eu pas mal de monde.

Elle posa sur la table une boîte à biscuits où grillotaient des pièces de monnaie.

— Je fermerai en partant, dit Kid.

— J'ai fermé, dit la petite. Il reste juste à mettre la barre de fer à la porte.

— Eh bien, fit Kid, je crois qu'on peut pas faire grand-chose ce soir.

— Où allez-vous coucher ? demanda l'Angèle.

— T'inquiète pas. On couchera chez Pat.

Elle eut un hochement de tête et un sourire triste, puis elle se leva lentement en disant :

— Mon pauvre Kid... On t'en fait...

Kid lui serra le bras, grommela quelque chose, et ce fut tout. Ils sortirent dans la nuit qu'éclairaient encore quelques lampes reflétées par des flaques où l'on voyait courir le vent.

42

Quand ils entrèrent sous la tente des Carminetti, Tine était en train de verser du vin aux hommes. Elle s'arrêta, son litre à la main, et tous se tournèrent vers la porte. Tandis que Kid et Pierre avançaient lentement, les autres les regardaient en silence. Pat passa son verre de vin de sa main droite à sa main gauche pour les saluer.

— On se doutait bien que tu allais venir, dit-il à Kid.

Il se tut, l'air embarrassé, et sa femme ajouta :

— Pauvre Gégène... Celui qui nous aurait dit ça...

Pat leur présenta trois lutteurs qu'ils ne connaissaient pas. L'un remplaçait Kid, les deux autres étaient les barons qui avaient pris la place du père Tiennot et de Pierre. Kid demanda s'ils pouvaient coucher sur le ring, et Pat lui tapota l'épaule en disant :

— Bien sûr, mon pauvre vieux, bien sûr. Ces trois-là, ils sont de Lyon, ils rentrent chez eux. Et puis même, ce n'est pas la place qui manque.

Les trois hommes vidèrent leur verre et s'en allèrent. Quand ils furent sortis, Tine proposa d'aller chercher à boire pour Kid et Pierre. Kid dit qu'ils n'avaient pas soif, mais Pat insista et Diane disparut pour revenir bientôt avec un litre moitié plein et deux verres. Ils s'étaient tous assis sur les bancs et se regardaient. Depuis que Pierre était entré, Diane n'avait pas cessé de l'observer, avec un demi sourire un peu inquiet qui éclairait mal son visage mince et son œil noir. Joseph aussi regardait Pierre. Il souriait avec des hochements de tête, mais un pli inquiet barrait son front. Kid demanda des nouvelles du père Tiennot. Tine était allée le voir trois fois. Il allait assez bien. Les sœurs de l'hôpital l'aimaient beaucoup et lui avaient trouvé une bonne maison de convalescence pour le jour où il sortirait. Ils parlèrent également du travail, puis ils revinrent à Gégène.

— Qu'est-ce que ça va faire, pour elle et les petits ? demanda Pat.

— Je sais pas, dit Kid... Comment veux-tu que je puisse te dire ?

— Il paraît qu'ils ont pas mal de dettes, dit la patronne...

Kid soupira.

— L'argent, tu sais, c'est pas le diable. Mais...

Il se tut. Et il y eut un long silence. Un vrai silence, cette fois, car toute la fête s'était assoupie. Seul le vent miaulait dans les cordages de la tente. Ils étaient là tous les cinq, sans oser parler, et c'était un peu comme si Gégène se fût trouvé entre eux. Pierre le sentait. Pour lui, c'était une impression neuve. Et, lorsque Kid rompit le silence pour répéter que ça n'était plus qu'une question d'heures, il pensa soudain que Gégène était peut-être déjà mort.

Lorsque le litre fut vide, les Carminetti et Joseph se levèrent. Diane sortit la dernière Elle portait les verres dans un petit panier en métal Elle se retourna et, de sa main libre, maintint le rideau, le temps de regarder Pierre. Elle sourit, devint grave, et le garçon eut le sentiment qu'elle voulait lui faire comprendre quelque chose. Il sourit aussi et le rideau retomba.

Dès qu'il fut seul avec Kid, Pierre se remit à penser à Gégène. Et il était étonné d'y penser autant. Il avait connu cet homme si peu de temps qu'il avait du mal à évoquer son visage de façon précise. Gégène était maigre, avec la peau d'une drôle de couleur, c'était tout ce qu'il voyait. Il eut envie de demander à Kid s'il se pouvait que Gégène fût déjà mort, mais quelque chose le retint. Il regardait Kid qui avait ouvert l'une des valises et préparait son lit. Le petit lutteur avait les mêmes gestes que le premier soir, mais il ne parlait pas. Son visage était tendu, ses lèvres légèrement crispées sur une espèce de grimace qui ressemblait à un sourire mal terminé.

Pierre déroula sa couverture et son sac, puis il monta sur le tabouret pour enlever l'ampoule. Kid était étendu, les deux bras repliés et la tête dans ses mains croisées sur son petit oreiller.

— Tu peux y aller, dit-il.

L'obscurité se fit, bientôt remplacée par la lueur verte qui suintait de la toile. Comme le premier soir, sur la place de Vienne, les lampes se balançaient. Pierre lutta un long moment contre l'envie de demander si Gégène risquait de mourir dans la nuit, puis il finit par dire :

— Demain on va aller le voir, Gégène ?

— Demain, répéta Kid... Bien sûr... Mais savoir si on n'arrivera pas trop tard.

Il laissa couler un peu de cette nuit qui continuait de miauler, puis il se remit à parler de Gégène. Tout d'abord, il parla de ce mal qu'il n'avait sans doute pas fait soigner assez tôt. Ensuite il parla du temps où Gégène travaillait dans le même cirque que lui. Peu à peu, sa voix avait retrouvé son timbre normal. Saccadée et hésitante au début, elle allait à présent d'un train régulier, presque monotone. Pierre connaissait ces souvenirs pour les avoir déjà entendus plusieurs fois par bribes ; ce soir, ils revenaient tous à la file, sans ordre apparent, l'un amenant l'autre. Il écoutait. Il s'agissait toujours de Gégène, mais d'un Gégène qu'il n'avait pas connu et qui chassait de sa tête celui qui était en train de mourir à l'hôpital.

Peu à peu, la voix de Kid s'éloigna. Une bonne tiédeur de vie s'installait sous la couverture, enveloppant le corps et les membres du garçon qui fixa encore un moment un angle de la bâche où l'ombre d'une pendille de cordage s'agitait au vent comme un petit serpent. Puis il ferma les yeux et s'endormit tandis que Kid continuait ou reprenait sa longue histoire.

43

Le lendemain, le ciel était assez clair. Un vent léger soufflait du sud et Tine leur annonça qu'il ferait sans doute très chaud. Elle leur servit à déjeuner et demanda à Kid d'aider Joseph à lever le vieux Pat. Le vieux parut heureux de les revoir, et sa main s'accrocha longtemps à eux. Il était toujours le même. Rien n'avait changé dans la roulotte. Ils commencèrent à manger dès que Diane eut apporté le pain.

— Tu n'as pas vu ton père ? lui demanda la patronne.

— Non, fit-elle d'un air dur. C'est bien parti, va !

— Il continue ? demanda Kid.

Tine eut un haussement rapide de ses épaules maigres, s'assit à table et expliqua :

— Il a eu une très mauvaise période, tout de suite après votre départ. Ensuite, ça s'est arrangé. Mais depuis deux ou trois jours, je voyais bien qu'il cherchait des occasions. Ce matin, il a filé sans même prendre une veste, pendant que je faisais ma toilette.

Sa voix se fit plus aigre, tandis qu'elle ajoutait :

— Bonsoir, je peux tout de même pas être sur ses talons même quand il va pisser un coup !

— C'est tout de même malheureux, soupira Kid.

— Faudrait que mon frère revienne, dit Diane. Faudrait... (Elle regarda Kid et Pierre.) Faudrait un homme pour le tenir, quoi.

Dès qu'elle eut terminé, elle parut regretter ce qu'elle venait de dire et baissa les yeux vers son bol de café au lait. Sa mère regarda le vieux Pat et grogna :

— Dire qu'il n'a même plus le respect de son père.

Après le petit déjeuner, Pierre accompagna Kid dans plusieurs magasins où il acheta quelques provisions pour Angèle et des friandises pour les enfants. Comme Angèle protestait en les voyant apporter leurs paquets, Kid l'interrompit.

— Tais-toi, dit-il, on s'invite. On ne peut pas manger chez Pat. Et le restaurant, on commence à en avoir notre claque.

Angèle le regardait intensément. Ses yeux brillaient. Elle se tourna vers Pierre et dit doucement :

— Des hommes comme lui, on n'en fait plus, vous savez.

Les enfants tournaient autour de Kid ou se pendaient à ses mains.

— Tu veux que je les emmène faire un tour ? proposa-t-il.

— Tu devrais bien, dit Angèle. Ils sont toujours à traînailler tout seuls, et je n'aime pas ça.

Les garçons se mirent à crier et il fallut sortir très vite. Debout en haut de son petit escalier, Angèle les regarda s'éloigner.

— Revenez avant 11 heures dit-elle, pour qu'on puisse manger et être à midi à l'hôpital.

Ils allèrent sur le bas-port de la Saône pour jouer au ballon. Le soleil était déjà fort. Les petits étaient rouges et ils riaient. Kid riait aussi, mais Pierre sentit que son rire n'était pas naturel. Chaque fois qu'ils se trouvaient isolés des enfants, Kid redevenait grave le temps de dire :

— Ça fait mal, de les voir heureux comme ça... Pauvres gosses.

La fille aînée était restée avec sa mère pour préparer le repas. Quand ils rentrèrent, elle était seule, assise sur une chaise à côté de la table où le couvert était mis. Elle avait les yeux rouges et gonflés. Dès qu'ils entrèrent, elle se leva et éclata en sanglots. Kid s'approcha et la prit dans ses bras.

— Mon pauvre petit, dit-il. Mon pauvre petit.

Elle ne pouvait pas parler, mais les deux hommes avaient compris que Gégène était mort. Lorsqu'elle se fut calmée un peu, elle expliqua que sa mère avait été prévenue par la bonne du café. Elle était partie aussitôt pour l'hôpital.

— Je vais y aller, dit Kid.

Les petits regardaient. L'aîné demanda plusieurs fois ce qu'il y avait. Kid les attira près de lui et dit doucement :

— C'est votre papa... Ça ne va pas bien. Il est très, très malade, vous savez.

Ils étaient là, tous les trois, à regarder Kid. Leur visage était encore rouge et humide de la course et des jeux. Leurs yeux brillaient d'un restant de joie qui n'arrivait pas à s'éteindre. Enfin, le plus grand demanda :

— Il va pas mourir, dis ?

— Je ne sais pas, mon petit, je ne sais pas.

L'enfant regarda encore Kid, puis sa sœur et lorsqu'il se mit à pleurer, les deux autres l'imitèrent. Kid leur donna des bonbons et de la limonade, mais leur chagrin fut long à s'apaiser.

Quand Angèle rentra, ils avaient fini de manger depuis longtemps. Elle se laissa tomber sur une chaise, prit le plus petit des garçons sur ses genoux et le serra contre sa poitrine. Elle était très rouge, et la sueur qui perlait encore sur son visage avait tracé des sillons gris dans la poudre de ses joues. Elle ne pleurait pas. Elle ne parlait pas et personne n'osait rien dire. Elle laissa passer un long moment avant de demander à Kid s'il voulait aller avec elle pour les formalités.

— Si tu veux conduire, dit-elle, on peut prendre la voiture.

— J'aime mieux pas. Surtout en ville. Si tu n'es pas trop fatiguée, j'aime mieux qu'on prenne le trolley.

— Je ne suis pas fatiguée, fit-elle, mais je ne me

sens pas de conduire. Je vais aller demander à Diane si elle peut me garder deux des petits.

— Non, dit Pierre, je resterai avec eux.

— Alors, dit Angèle, si vous pouviez les garder tous les trois.

Sa voix était calme. Pierre dit qu'il les emmènerait faire une promenade. Angèle regarda Kid, et, d'une voix moins assurée, elle demanda :

— Est-ce que tu crois que la petite peut ouvrir la loterie ?

— Bien sûr, dit Kid. Tu n'es pas assez riche pour faire des manières. Tout ce qu'on fait de ce genre ne ramène pas... ceux qui s'en vont.

Angèle fouilla dans un cartable noir qu'elle avait tiré de dessous son lit, et en sortit quelques papiers qu'elle mit dans son sac. Ensuite, elle but un grand verre d'eau.

— Tu n'as rien mangé, observa Kid.

— Je n'ai pas faim.

Elle paraissait pressée de partir. Elle embrassa les petits, prit son sac et dit :

— Allez, viens. Faudra encore qu'on repasse là-bas.

44

Pierre rentra peu de temps après le retour de Kid et d'Angèle. Il était à peine 6 heures du soir, et Pierre avait remarqué en passant que la baraque de Pat était déjà fermée. La jeune fille du tir était avec Angèle et Kid. Elle paraissait très énervée. Lorsqu'elle vit le garçon, elle se retourna vers lui et demanda tout de suite :

— Vous n'avez pas vu Pat ?

— Non.

— Ça vaut mieux.

— Qu'est-ce qu'il y a ?

Kid intervint.

— Rien, fit-il. Des conneries d'homme saoul, comme toujours.

— Tenez, dit la jeune fille, vos valises sont ici. C'est moi qui les ai rangées, il les avait foutues là, en plein milieu.

Elle montrait l'allée qui séparait la roulotte d'Angèle du stand voisin.

— Il est venu vous demander trois fois. Il était rond comme jamais je l'ai vu. Les yeux qui lui sortaient de la tête. Et il avait dû boire du blanc, il était vachement excité.

— Mais qu'est-ce qu'il me veut ?

— Ça alors... tout ce que je peux vous dire, c'est qu'il est question de Diane. Mais la pauvre gosse n'y est sûrement pour rien. Pat estime que vous les avez tous insultés en refusant d'épouser Diane.

Elle raconta encore que Pat était revenu deux fois

sans rien dire, apportant à chaque voyage deux valises qu'il avait jetées par terre.

— Ensuite, ajouta-t-elle, je ne sais pas au juste ce qui s'est passé, mais il paraît qu'ils se sont battus à la fin d'une séance. Avec celui qui a remplacé Kid et aussi avec Joseph. Vous devriez demander au Félicien de la grande loterie, il est pas loin, il a vu qu'on emportait Pat dans sa verdine.

— Il s'est encore fait sonner, dit Kid. Rien ne le corrigera jamais.

— Félicien dit qu'il avait un genou en sang. Il serait tombé sur un piquet de fer. Mais moi, hein...

Kid l'interrompit. La prenant doucement par le bras, il dit :

— Tu comprends que l'Angèle s'en fout. Avec ce qui lui arrive... Tout ce qu'on va te demander, c'est de garder les petits. Faut encore qu'on retourne à l'hôpital.

— Mais moi, dit Pierre, je peux...

— Toi, tu vas venir avec nous. J'ai pas envie que tu aies des histoires avec l'autre sac à vin.

La nouvelle de la mort de Gégène était déjà connue de tous les forains. Voyant qu'Angèle était rentrée, plusieurs vinrent lui serrer la main ou l'embrasser. Chaque fois, elle se remettait à sangloter.

— Si on peut faire quelque chose pour toi...

Tous répétaient ces mêmes mots. Plusieurs femmes proposèrent de faire manger les enfants, mais la fille du tir dit qu'elle les emmènerait. Quand la voyante arriva, Kid lui demanda :

— Est-ce qu'on peut coucher chez toi tous les deux ? On a nos sacs et nos couvertures, le tout, c'est de ne pas être dehors, les flics sont tellement cons.

— Bien sûr, dit-elle, mais vous serez par terre.

— On a l'habitude. Mais chez l'Angèle, avec les gosses, c'est trop juste. Et puis, il suffirait que l'autre dingue pique encore une crise.

La vieille tendit le poing vers la baraque des Carminetti, et lança :

— Il n'a qu'à venir vous emmerder chez moi. J'ai

une bonne hache pour le recevoir. C'était à prévoir, qu'il recommencerait !

Kid eut un sourire triste pour répondre :

— Même toi, tu pouvais le prévoir.

Sans conviction, la voyante murmura :

— Pauvre con.

Elle s'éloigna de quelques pas, puis, se retournant, elle ajouta, sur le même ton :

— Si vous voulez apporter vos valises tout de suite.

— C'est ce qu'on va faire, dit Kid.

Ils portèrent leurs valises dans la roulotte de la voyante qui avait repris sa place à sa table, derrière son bocal où naviguait le petit diable rouge et noir. D'une voix monotone et un peu vieillie, elle répétait inlassablement les mêmes phrases où revenaient toujours les mêmes mots, « amour, avenir, espoir », qui faisaient comme un écho maladif aux chansons des manèges.

45

L'homme qui tenait la grande baraque de nougat vint les rejoindre au moment où ils allaient partir.

— Je vais vous emmener en voiture, dit-il. Faudra qu'on s'arrête en route pour prendre des fleurs.

L'homme avait une Frégate noire où ils montèrent, l'Angèle devant, Kid et Pierre derrière. Ils roulèrent un moment sans parler, puis l'homme dit :

— On a fait une manche pour les fleurs, tout le monde a donné. (Il toussa et marqua un temps.) Je peux même dire que j'ai jamais vu donner autant. Il était rudement aimé, ton Gégène. Ça, on peut le dire.

L'Angèle sanglota deux ou trois fois et sortit son mouchoir. La voiture traversa une place très encombrée, puis emprunta une large avenue montante.

— Voilà, reprit le confiseur, je te parle comme si tu étais de ma famille, Angèle. Si j'achète des fleurs avec tout cet argent, ça va faire un machin énorme. Evidemment, ce serait bien. Mais on peut avoir une belle gerbe, et qu'il reste encore une bonne somme... J'en ai parlé aux autres, ils m'ont dit de faire comme ce serait le plus sage.

— Ma foi, soupira-t-elle.

— Il a raison, fit Kid. Faut penser aux gosses. Et puis Gégène, tu sais, les fleurs...

Il n'acheva pas. Mais c'était suffisant. On comprenait sa pensée. Le confiseur parla encore de l'argent. Il disait tout cela d'un ton presque détaché, et il répéta plusieurs fois que Gégène n'avait que des amis. A la fin, il finit par dire :

— C'est malheureux de parler comme ça, mais c'est bien vrai que ce sont toujours les bons qui partent et les mauvais qui restent. Quand je pense à cet abruti de Pat...

L'homme tenait à raconter ce qui s'était passé l'après-midi. Il n'avait rien vu, mais il donnait force détails.

— En tout cas, dit-il, ils ont bouclé la baraque. Pas de séance ce soir, et si ça se trouve, Pat va finir à l'hôpital avec une jambe dans le plâtre. Ils y arriveront, à bouffer leur fourbi.

La voiture s'arrêta devant un magasin de fleurs. Kid et le confiseur descendirent. Angèle demanda à Pierre si les enfants avaient été sages, et Pierre raconta qu'il les avait emmenés au parc, voir les animaux.

— Vous aimez bien les gosses ? demanda-t-elle.

Pierre ne répondit pas tout de suite. A vrai dire, il ne s'était jamais posé cette question. Les gosses, pour lui, ça ne voulait rien dire. Il y avait ceux de son âge, et puis les autres, les plus petits qu'on ne regardait pas, ou qu'on expédiait d'une mornifle quand ils devenaient encombrants. Les gosses de Gégène, c'était autre chose. Pierre chercha une réponse, et il trouva seulement à dire :

— Ils sont gentils, vous savez. Ils sont très gentils.

A présent, il pensait vraiment aux trois garçons. Dans l'après-midi, alors qu'ils étaient au parc, le plus petit avait eu envie d'aller aux cabinets. Pierre s'était trouvé devant un vrai problème. Il avait hésité un moment, puis, comme le gosse se mettait à pleurer, il l'avait emmené derrière un arbre. N'ayant pas de papier, il l'avait essuyé avec son mouchoir et avait jeté le mouchoir. Il revoyait cela. C'était stupide de s'attacher à ce détail, mais il lui semblait que c'était pourtant une chose importante. Il ne savait pas pourquoi, mais c'était important. Il répéta :

— Ils sont très gentils. Et ils sont costauds tous les trois.

— Mon pauvre Gégène, ce qu'il a pu m'en parler, de ses gosses, les derniers jours ! Et je ne pouvais même pas les emmener. Il n'y a que la grande qui est venue le voir deux fois.

Elle fut secouée d'un sanglot qui se mua en un long soupir. Elle dit encore :

— La vie, tout de même... Ce que c'est, la vie...

Kid et le confiseur revinrent chacun avec une petite gerbe.

— Nous avons pris ça pour qu'il ait quelques fleurs cette nuit, dit le confiseur. La grosse gerbe, ils la feront porter demain matin, directement à la chapelle.

Lorsqu'ils arrivèrent à l'hôpital, le corps était déjà dans le cercueil qui se trouvait dans la chapelle, posé sur deux tréteaux et recouvert d'un drap noir où était brodée une grande croix en fils d'argent. Il y avait deux cierges allumés de chaque côté de la bière. Il faisait sombre et frais. Trois religieuses en blanc étaient agenouillées sur des prie-Dieu, immobiles et la tête inclinée.

Devant cette longue caisse, Pierre imagina Gégène couché, tout raide, sans doute plus maigre encore que lorsqu'il l'avait vu pour la dernière fois. Gégène était là, tout près, et pourtant moins présent que la veille au soir, quand ils avaient parlé de lui. Ce drap noir, ces planches, ces cierges, ce silence glacé des murs de ciment, cette odeur indéfinissable, tout cela était si loin de Gégène tel qu'il vivait dans les récits de Kid ! Comme c'était loin du cirque et de la route ! Comme c'était étrange, cette immobilité des êtres et des choses ! Les voitures qui passaient dans la cour de l'hôpital étaient le seul bruit. Ici, c'était la mort, mais elle ne s'imposait pas. Elle n'avait rien d'effrayant. Kid et le confiseur se tenaient immobiles, les bras croisés. Angèle pleurait sans bruit, son mouchoir sur la bouche. Pierre pensa encore au mouchoir qu'il avait jeté dans l'herbe, l'après-midi, après avoir essuyé le petit. Et il pensa aussi à la joie des trois gosses devant la cage des singes. C'était la première fois que les petits voyaient ce parc, et c'était le jour où leur père était mort. Pierre se répétait cela, et il se disait que, peut-être, les gosses se souviendraient davantage des singes que de la mort de Gégène.

46

Durant le retour, Pierre ne pensa guère à Gégène, mais beaucoup aux enfants. Jusqu'alors, il les avait un peu ignorés. Il ne s'était jamais soucié de leurs prénoms. A présent, il se les répétait, tout surpris de s'y être attaché. C'était le plus jeune, surtout qui l'amusait. Il s'appelait Gil. Il avait quatre ans et ressemblait à un petit hercule en miniature. C'était la première chose qui l'avait frappé. Il avait remarqué aussi ses yeux noirs vraiment semblables à ceux de son père. Ils avaient d'ailleurs tous les yeux de leur père, même Pierrette. Chez elle, qui sentait mieux ce que représentait la mort du père, en plus de l'identité de forme et de couleur des yeux, il y avait la tristesse du regard. Pierre n'avait qu'un souvenir imprécis du visage de Gégène, mais, en faisant un effort — et peut-être à cause des enfants — il se souvenait de son regard qui restait triste même lorsque sa bouche souriait. La dernière fois qu'il avait vu Gégène, c'était à l'hôpital. Est-ce que Gégène sentait déjà que la mort était là ? Gégène avait fait du cirque durant toute sa jeunesse. Il avait vécu de cent métiers, mais le sien, le vrai, c'était le trapèze. Pierre avait vu des trapézistes dans les cirques et au cinéma. Lorsqu'il en avait parlé, Kid avait souri en disant que du temps de Gégène, on avait encore le droit de travailler sans filet. Durant des années, Gégène avait joué avec la mort, et la mort était venue le tirer de sa roulotte au moment où il ne jouait plus avec elle. Kid l'avait dit, la veille au soir. Il avait remarqué cela, puis il avait ajouté : « Si je devais crever comme ça, je regretterais de n'être pas mort le jour où je suis tombé avec mon extenseur. » Est-ce que Gégène avait regretté, lui aussi, de ne pas s'être tué en tombant d'un trapèze ?

Lorsqu'ils arrivèrent et que le confiseur arrêta sa voiture derrière son stand, Pierre pensa soudain à Pat et à Diane. Il les avait oubliés durant tout le trajet. Il en fut surpris. C'était important. Qu'est-ce que Pat pouvait bien savoir ? Est-ce que la gosse avait parlé ?

Angèle rejoignit ses enfants tandis que Kid et Pierre suivaient le confiseur dans une longue caravane moderne, très propre, où tout était blanc et luisant. L'homme sortit de la charcuterie du réfrigérateur et fit chauffer un reste de cassoulet. Pendant tout le repas il parla de Gégène, de Pat, des gens de la vogue et de tout ce qui était leur vie. Pierre écoutait, regardant parfois Kid qui demeurait silencieux, hochant la tête de loin en loin. Lorsqu'ils eurent quitté la caravane et que le confiseur eut repris place derrière sa banque chargée de nougat, Kid dit simplement :

— Il en sait plus que la voyante, celui-là. Une vraie pipelette. Mais quand je pense que Pat avait une affaire comme la sienne ! Tu as vu un peu comment qu'ils sont logés ! Le nougat, tu sais, c'est peinard, et ça laisse de l'oseille. (Il soupira.) Quand je pense que Pat n'a même pas pu vendre sa boutique ! Tout le matériel est dans une grange, du côté de Voiron. Il devrait vivre comme eux, avec un frigo et la télévision.

Ils firent encore quelques pas entre les groupes de jeunes qui s'amusaient. Tout au bout de l'esplanade, la baraque des lutteurs était fermée. Kid eut un geste dans sa direction, puis, comme ils arrivaient près de la table où la voyante était accoudée, il dit encore, suivant toujours son idée :

— Une taule bouclée ici, une autre démontée, un jour, il les boira toutes les deux, et après, ils n'auront plus qu'à crever.

Quand la voyante les aperçut, elle se leva de sa

chaise et demanda s'ils voulaient se coucher tout de suite.

— Moi, fit Kid, je vais y aller.

Pierre regarda autour de lui. La foule était dense et les pieds soulevaient une poussière légère qui montait vers les lampes. Il y avait beaucoup de garçons et de filles, par groupes de trois ou quatre ou par bandes plus nombreuses. Pierre resta un moment indécis. Depuis des semaines, il n'avait jamais eu de temps vraiment à lui. La vie avait coulé très vite, où tout était nouveau, où tout arrivait sans qu'il y eût jamais d'heures vides. Ce soir, il se trouvait libre, mais sans véritable envie d'user de cette liberté pour se mêler à la fête. Il se retourna. Kid était toujours immobile à côté de la table où la voyante avait repris place derrière son grand bocal. Il eut un sourire inquiet.

— Tout ce que je te conseille, dit-il, c'est de pas trop traîner du côté de chez Pat... Et si tu vois des mecs de la bande qui t'avait piqué ton fric, cherche pas la bagarre. On a assez de tuiles comme ça.

Pierre fit encore des yeux le tour de la place. Il n'était pas fatigué. Mais il éprouvait une espèce de lassitude qui le surprenait, car il en ignorait la cause.

— C'est bon, fit-il. Je vais avec toi.

— Vous n'aurez qu'à repousser la table, dit la voyante ; que j'aie la place de passer sans vous marcher dessus.

Ils entrèrent dans la roulotte et Kid alluma. La lumière était faible. Elle venait d'une petite ampoule accrochée dans un angle, au ras du plafond de tôle dont la peinture était boursouflée d'énormes cloques. Certaines, qui avaient crevé, laissaient voir la tôle rouillée. Les parois latérales étaient en petites lattes de bois assez sombre dont le vernis s'écaillait. Le sol était recouvert d'un linoléum usé et râpeux, sauf à l'endroit où se trouvait la table qu'ils poussèrent vers le fond, avant d'étaler leurs sacs de couchage.

— On laissera ouvert, dit Kid. C'est son greffier qui doit puer comme ça.

Kid inspecta la roulotte pour voir si le chat était là, mais il ne trouva rien. Ils déroulèrent leurs sacs, et se couchèrent après avoir éteint, mais en laissant la porte grand ouverte.

— On aurait mieux fait d'aller sur un bas-port du Rhône, remarqua Kid, il fait pas froid, et ça puerait moins.

Comme Pierre ne répondait pas, Kid demanda :

— Tu trouves pas que ça pue ?

— Chez mon oncle, dit le garçon, c'était bien autre chose. Et en plus, il y avait la vermine.

— Chez ma mère, dit Kid, c'était propre. Ça puait aussi, mais c'était pas pareil. Elle était blanchisseuse. Alors, c'était une odeur de linge, de savon, de feu... C'est marrant, tu vois, c'est peut-être ce qui me reste le plus, l'odeur.

Il s'arrêta. Jamais encore il n'avait parlé de sa mère. Pierre attendit. Le bruit de la fête et la lumière mouvante entraient. En face, il y avait une autre roulotte et, par-dessus, le feuillage noir et rouge d'un arbre éclairé par une enseigne. Des lueurs plus claires passaient parfois.

— Ma mère, reprit Kid, je m'en rappelle, mais moins que de l'odeur de sa boutique. On couchait derrière. C'était tout petit. Et ça sentait encore plus que dans la boutique. C'était au bout de la rue Norvin, tu connais ?

— Non.

— J'ai toujours dit que je voulais y retourner, et ma foi, ça s'est pas trouvé... Peut-être que la boutique y est toujours... On sait pas.

Il parlait plus lentement que d'habitude, avec de longs silences après chaque phrase. Il devait réfléchir. Revoir tout cela. Il parla encore du quartier, puis il finit par revenir à la boutique pour insister sur l'odeur. A la fin, il répéta encore :

— Ma mère, elle était blanchisseuse.

Puis il se tut. Pierre n'avait pas sommeil. Il regardait l'arbre où la lumière changeait. Kid devait le regarder aussi. Un long moment s'écoula. Pierre pensait à Gégène, tout seul dans sa longue caisse de bois. Il pensait à la route. Aux villages. Aux foires. Au forgeron. A Pat. A Diane. Tout passait devant lui parce qu'il était sans rien faire et qu'il ne pouvait s'endormir.

Il entendit s'arrêter le grand huit. C'était toujours le premier manège qui s'arrêtait.

— Tu dors pas ? demanda Kid.

— Non.

— Tu te fais du mouron à cause de Pat ?

— Non. Qu'est-ce qu'il peut me faire ?

— Rien. C'est une patate.

Il y eut un frôlement contre la roulotte, et une ombre monta devant la porte. Son pas sur l'escalier de bois se répercutait dans le plancher.

— T'as fini ? demanda Kid.

— Oui, fit la voyante. Vous dormez pas ?

— Non.

— T'aurais dû fermer, c'est la lumière qui vous gêne.

Elle poussa la porte derrière elle.

— Ferme pas, dit Kid, à trois là-dedans, on va crever. Surtout avec ta saloperie de greffier qui pue comme un bouc.

— Pauvre con, c'est toi qui pues. Je vais ouvrir la fenêtre... Et si tu le vois rentrer, le chasse pas. Il ira pas vers toi, va.

— Il a intérêt. S'il a jamais fait du vol plané...

Elle le traita encore de pauvre con, mais ils se chamaillèrent sans colère, sur le ton de la conversation la plus normale. La voyante ouvrit une toute petite fenêtre dont elle entrebâilla les volets. Puis elle se dirigea, sans allumer, jusqu'au fond de la roulotte où Pierre l'entendit se déshabiller et se coucher.

— Dire que tu n'as même pas pu le revoir, fit-elle.

— Je sais que ça lui aurait fait plaisir, dit Kid, mais au fond, moi j'aime mieux pas.

— Pourtant, c'était ton pote.

— Sûr, que c'était mon pote. Mais justement, je l'avais connu fort... Bon Dieu, quand j'y pense.

Sa voix vibrait légèrement. Il se tut quelques instants, puis, plus bas, comme s'il parlait les dents serrées, il ajouta :

— Je l'avais vu trop vivant. J'aime mieux pas l'avoir vu à la mort.

47

Au cours de la nuit, Pierre se réveilla. Cela ne lui arrivait jamais. Il se demanda l'heure qu'il pouvait être et regarda autour de lui. Les lumières de la fête étaient éteintes, et, par la fenêtre aux volets entrebâillés, filtrait seulement une lueur trouble qui devait venir des lampes de la rue. Pierre fut intrigué par un autre point lumineux qui devait se trouver à côté de la porte. Il crut tout d'abord que la cloison de planches était percée, puis il pensa que ce pouvait être un objet luisant. C'était pourtant une lueur étrange, légèrement verte. Pierre se souleva sur le coude pour mieux voir, et la lueur se mit à vaciller.

— Qu'est-ce que tu as ? demanda Kid.

— Rien.

— Tu dors pas ?

— Je me suis réveillé.

La respiration de la vieille était régulière.

— Elle en écrase, dit Kid.

Pierre se laissa tomber sur le dos, et la lueur tremblota de nouveau.

— On a pris l'habitude de la paille et des plumards d'hôtel, dit Kid. C'est ça qui t'empêche de pioncer.

— Je sais pas. Et toi ?

— Moi, je pense à Gégène... Et les lardons... Je sais pas si tu te rends compte. L'Angèle va avoir tout à banquer. L'hosto, l'enterrement, les toubibs, tout quoi ! Et elle m'a dit qu'elle a encore d'autres dettes à la traîne.

Pierre essaya de penser à Angèle et aux enfants, mais Kid venait de remuer en parlant, et la lueur bougeait de nouveau. Elle semblait même se déplacer très lentement vers la gauche. Il se souleva encore pour regarder et demanda :

— Qu'est-ce que c'est qui éclaire, près de la porte ?

Kid se redressa et la lueur remua davantage.

— Quoi ? Ce machin qui bouge ? Mais c'est son guignol. Le diable qui est dans le bocal. C'est son gratin, tu parles qu'elle va pas le laisser coucher dehors pour qu'on lui barbote.

Pierre eut envie de rire. Il n'avait pas eu peur, mais il avait été impressionné tout de même. Il n'avait jamais vu ce petit diable dans l'obscurité.

— A quoi ça sert, qu'il soit lumineux ? demanda-t-il.

— Je sais pas. Peut-être que c'est fait pour des gonzesses qui font leur numéro dans la nuit. Bon Dieu, quand je pense qu'elle peut tout prévoir, je voudrais bien qu'elle me dise ce qui va se passer pour les gosses à Gégène.

— On va repartir ?

— Faudra bien. Surtout si je veux pouvoir aider un peu l'Angèle.

Pierre réfléchit un moment. Depuis qu'il était avec Kid, il avait gagné de l'argent, et leurs dépenses étaient toujours assez faibles à cause des gens qui les invitaient. Jamais encore il ne s'était trouvé avec une telle somme. Il y avait pensé à plusieurs reprises en se disant qu'il pourrait rapidement acheter une moto. Il se demanda soudain ce qu'il ferait d'une moto. Un jour, Kid avait dit : « Si on pouvait se payer une bagnole d'occasion, ça serait plus facile. » Puis aussitôt, il avait rectifié : « Pour les longs trajets, ça vaut pas le train. Pour le reste, on trouvera toujours des mecs pour nous transporter à l'œil. En fin de compte, ce serait du pognon foutu. » Une moto, qu'est-ce qu'il en ferait ? Il s'arrêta sur cette interrogation et demanda :

— Tu veux du fric, pour l'Angèle ?

— J'ai déjà pas mal, tu sais.
— Mais si tu en veux plus.
— T'es un bon gars, dit Kid... T'es un bon gars, on verra bien.

Kid se tut. Pierre fixait toujours du regard le petit diable lumineux qui s'était immobilisé. Il avait parlé de cet argent sans bien réfléchir, et pourtant, à présent, il sentait en lui quelque chose d'agréable. Quelque chose de curieux qui faisait comme une bonne tiédeur où il trouva le sommeil.

48

Lorsqu'ils se levèrent, la place était encore déserte, et ils empruntèrent une cuvette à la voyante, pour aller se laver en prenant l'eau à l'une des bouches qui servent à nettoyer les rues. Les gens qui allaient à leur travail les regardaient. L'aube était lourde comme l'avait été la nuit.

De retour à la roulotte, ils trouvèrent Tine qui les attendaient en buvant du café avec la vieille. Elle les salua, et Kid, presque brutal, répondit :

— Qu'est-ce que tu veux ? Tu vas pas venir nous emmerder ici ? Tu sais que c'est pas le jour.

— Je sais, tout le monde a bien du malheur.

— Tu vas pas te plaindre, non ? Il y en a qui n'ont que le malheur qu'ils cherchent.

Tine le regarda un instant. Son visage paraissait plus décharné encore que d'habitude. Ses yeux étaient cernés et sa bouche semblait une ride sans lèvres. Elle baissa la tête.

— Kid, murmura-t-elle simplement, on est foutus.

Le petit hercule s'était accroupi devant sa valise où il rangeait sa couverture et sa trousse de toilette. Il paraissait indifférent. Pierre le regardait, un peu surpris. Tine laissa Kid refermer sa valise et, au moment où il l'empoignait, elle dit très vite.

— Kid, faut que tu m'écoutes. J'ai rien fait moi. Et la petite non plus. Et le vieux Pat...

Sa voix s'étrangla. Comme elle se taisait, Kid reposa la valise et dit sans colère :

— Vous n'avez rien fait. Mais vous êtes dans le bain avec Pat. Et Pat est un salaud. Moi je ne suis pas de la famille. Je vais pas passer toute ma vie à bosser pour qu'un mec puisse se saouler la gueule, et emmerder le monde quand il est rond.

— Mais Kid...

Il l'interrompit. Posant les mains sur la table, il se pencha vers elle pour crier :

— Kid, vous lui avez cassé les bonbons. Ça suffit. Pendant longtemps, j'ai supporté ton gros sac parce que j'avais pitié de vous...

Il se tut un instant comme pour chercher ses mots, puis se reprenant, il ajouta :

— C'était surtout du vieux, que j'avais pitié. C'est un homme, le vieux Pat ! Et je donnerais cher pour qu'il retrouve ses forces le temps de mettre une trempe à ton sac à vin.

Tine s'était mise à sangloter en répétant :

— On est foutus... On est tous foutus.

Kid tira un tabouret pour s'asseoir de trois quarts, à l'angle de la table où Tine s'était accoudée. Sans crier, mais d'une voix toujours dure, il reprit :

— Si j'avais manqué de réflexes le jour où il a pris la masse, c'est moi qui serais foutu. Et pour de bon... Et toi, tu t'en laverais les mains.

Tine releva la tête. Elle allait répondre, mais la voyante la devança.

— Tu es dur, moustique, fit-elle. Je ne t'aurais pas cru comme ça.

Sans quitter sa place, Kid se tourna vers elle.

— Alors quoi ? lança-t-il. Qu'est-ce que tu veux que je fasse ? Que j'aille les tirer du merdier, pour que ça marche huit jours, et que l'autre abruti me remercie avec un coup de masse derrière le citron ?

Il avait crié très fort, et il y eut un silence lourd. Après un temps, Tine dit doucement.

— Ça m'étonnerait. Dans l'état où il est.

— Tu parles !...

— Il avait une bonne cuite, mais il s'est pourtant réveillé à minuit. Il souffre. Son genou a doublé. C'est tout bleu et noir et je crois qu'il a des esquilles d'os qui pointent.

— Je suis pas toubib, trancha Kid.

Il parut hésiter. Pierre crut un instant qu'il allait faiblir, mais il se leva brusquement, porta sa valise jusque derrière la porte et sortit en disant :

— J'ai autre chose à foutre. Démerdez-vous.

Il ajouta quelques mots en dégringolant les marches, mais Pierre ne put saisir ce qu'il disait. Il le regarda s'éloigner et disparaître à l'angle de la roulotte arrêtée devant celle de la voyante. Il y eut un long silence. Lentement, comme écrasée de fatigue, Tine se leva en s'aidant de ses deux mains maigres posées sur la table.

— Qu'est-ce que tu vas faire ? demanda la voyante.

Tine eut un sourire aigre et un hochement de tête.

— Qu'est-ce que je peux faire ? Rien. Joseph est parti. Avec la tête de bois qu'il a, il ne reviendra pas, c'est sûr. L'autre qui s'est battu avec Pat, on ne le reverra pas non plus. Il reste un baron. Et toquard en plus de ça.

Elle s'était tournée vers Pierre. Son regard était pénible à supporter.

— Vous auriez pu revenir avec Kid, fit-elle. Il va avoir besoin d'argent pour aider l'Angèle.

Elle soupira et fit un pas vers la porte.

— Qu'est-ce qui s'est donc passé, avec Joseph ? demanda Pierre.

Il avait parlé sans réfléchir. Il fut presque surpris de sa propre question, et se trouva gêné quand Tine se retourna pour lui répondre :

— C'est pas compliqué. Quand Pat s'est battu avec l'autre, Joseph a voulu s'interposer. Et Pat l'a insulté en lui parlant de Diane...

Elle sembla sur le point de repartir sans en dire davantage, pourtant, elle ajouta :

— Il a parlé comme il n'aurait jamais dû faire... Non. Sûr qu'il n'aurait pas dû. Joseph, c'est un nègre, mais c'est un bon type. Et il a toujours été correct avec la petite.

Elle les regarda encore tous les deux, puis, marchant vers la porte, elle reprit :

— Quand il est saoul, il ne sait pas ce qu'il dit. C'est sûr, il ne sait pas ce qu'il dit. Il a fait beaucoup de conneries, mais cette fois, on est foutus.

Ses épaules étroites eurent un drôle de mouvement qui fit pointer ses os sous sa blouse, et elle descendit l'escalier en sanglotant.

49

L'enterrement de Gégène était prévu pour 11 heures. Toute la matinée, Kid demeura près d'Angèle qui recevait encore des visites d'autres forains. Pierre était parti sur les quais avec les enfants, et Angèle avait demandé à la fille du tir de les garder pendant l'enterrement. En marchant avec les petits, Pierre pensait à la scène du matin. Avant de le laisser sortir, la voyante lui avait dit : « Kid est un imbécile. Je sais bien qu'il ne va pas laisser tomber l'Angèle. Dans ces cas-là, il n'y a que le pognon qui compte. Et si les Carminetti sont vraiment obligés de boucler, ils seraient sûrement prêts à vous donner pas mal pour vous avoir, le moustique et toi. »

Pierre avait mal compris cette colère de Kid. Le petit hercule avait toujours plaint beaucoup ceux qui devaient partager l'existence de Pat, et, aujourd'hui, il s'en prenait à cette femme qui n'avait fait qu'endurer la colère de l'ivrogne.

Le nègre était parti. Il était parti à cause de Diane. Pat avait dû le traiter de sale nègre, et lui reprocher de tourner autour de sa fille. C'était vrai que Joseph était toujours très correct avec Diane. Il la regardait, c'était tout ce qu'il se permettait. Et il regardait d'un sale œil tous les hommes qui approchaient la petite. Sans se l'avouer jamais, Pierre avait toujours eu un peu peur de Joseph, et ce départ le soulageait. Kid avait souvent répété : « Le nègre serait foutu de crever la paillasse d'un mec qui toucherait à la gosse. » Tine avait expliqué que Pat était tombé seul sur un piquet de fer, n'était-ce pas Joseph qui l'avait rossé ? Est-ce que Pat était vraiment blessé sérieusement ? Ne jouait-il pas la comédie pour les attendrir et les faire revenir chez lui ? Pat mentait constamment, et Kid prétendait que la patronne était capable de faire n'importe quoi pour sauver la baraque.

Depuis son retour, Pierre n'avait pas rencontré Diane. Il l'avait seulement aperçue, mais il s'était caché. Il ne savait même pas pourquoi il s'était caché. S'il avait pu la revoir seule, un soir, ou retourner avec elle dans un hôtel, il y serait allé. Il en avait eu envie. Il y avait pensé plusieurs fois depuis quelques jours, parce qu'il gardait un bon souvenir des moments passés avec elle. Diane n'était pas une beauté, mais il avait pris du plaisir avec elle. Elle était douce et gentille. Beaucoup plus que toutes les filles un peu folles que Pierre avait rencontrées. C'était même sans doute avec elle qu'il avait découvert ce qu'était la douceur. Malgré tout, elle lui faisait un peu peur.

Jusqu'à présent, tous les contacts qu'il avait eus avec des filles avaient été rapides, parfois même un peu brutaux. Avec Diane, c'était autre chose. Elle n'avait jamais parlé beaucoup, mais elle avait toujours une façon de le regarder qui le gênait. Elle était souvent triste. Elle parlait un peu de son frère, et puis elle se taisait. Avec Pat, d'ailleurs, on ne pouvait pas parler beaucoup. Pat, c'était un sac à vin. Kid le disait depuis le premier jour : « Une patate qui n'avait pour lui que ses cent kilos de graisse et sa grande gueule. »

Pierre marcha longtemps avec les enfants qui trottaient devant lui en s'amusant. Au retour, il prit le petit Gil sur ses épaules. Lorsqu'il courait, le gamin se cramponnait en mettant ses deux mains sur son front. Quand il fallait changer de direction, il prenait Pierre par les oreilles et l'obligeait à tourner la tête. Il criait :

— A gauche... A droite...

Et souvent il se trompait. Pierre le tenait par ses

mollets ronds et fermes sous une peau douce qui sentait la savonnette.

Le petit riait. Il était 10 heures, et, à 11 heures on allait enterrer son papa.

Pierre n'avait pas connu son père, mais il se rappelait sa mère. Il devait avoir cinq ans lorsqu'elle était morte. Il ne savait pas au juste. Ce qui comptait le plus, ce n'était même pas l'oncle qui l'avait si mal nourri, mais la gargote. Une sale turne noire dont il s'échappait dès la dernière bouchée avalée, pour rejoindre les copains sur le terrain vague. Au fond, son enfance, c'était surtout ce terrain. Les hautes herbes, l'étang que l'on comblait peu à peu avec les ordures où les gamins piotaient, disputant aux clochards un vieux bout de tissu ou de ferraille.

Le terrain avait disparu à mesure que Pierre grandissait. Il avait été mangé par de hauts immeubles en béton armé. Le chantier avait été une période de transition agréable, avec ses baraques de bois où logeaient les Nord-Africains et les Portugais. Puis, les immeubles terminés, des bulldozers avaient rasé palissades et baraques. Il y avait eu un grand feu pour tout débarrasser avant que l'on achève de niveler. A présent, entre les casernes de ciment et de verre, l'espace était occupé par des pelouses et des parkings. Les gosses du quartier devaient sans doute aller chercher très loin un peu de vie sauvage.

Pour les enfants de Gégène, c'était tout de même une autre existence. Ils avaient la route. Ils n'auraient pas à se cacher pour échapper à l'école. Ils iraient de l'une à l'autre, un mois ici, une semaine là.

Ce qui avait meublé l'enfance de Pierre lui paraissait pauvre, aujourd'hui, comparé à la vie des forains.

Est-ce que le petit Gil se souviendrait de son père ?

Pour le moment, il riait, sur les épaules de Pierre qui le ramenait vers la fête où tout le monde devait se préparer pour l'enterrement de Gégène.

50

Quand Pierre regagna le cours de Verdun, la plupart des forains avaient déjà dégagé leurs voitures. Elles attendaient, entre les stands fermés et les manèges aux bâches baissées. Une seule loterie continuait de vivre, celle où l'on ne gagne que des oiseaux. Il fallait la laisser ouverte pour que les animaux aient de l'air et de la lumière. Le pépiement continu des oiseaux, leur remuement coloré contrastaient avec l'immobilité et le silence. Pas un souffle de vent. Rien que le soleil qui repoussait entre les baraques des ombres de plus en plus étroites. Des gerbes de fleurs, débordant de seaux en matière plastique, mettaient là des taches de couleurs plus vives que celles des confetti, des serpentins, des papiers à bonbons et des cartons de tir estompés par la poussière.

Les hommes, assemblés près de leurs voitures, transpiraient dans des costumes qui dégageaient une forte odeur de penderie.

Pierre entra chez la voyante pour enfiler son blouson. La vieille était déjà prête, toute vêtue de noir et son chignon serré par un fichu à franges. Elle tendit une cravate au garçon en disant :

— C'est le Moustique qui vient de l'apporter. Elle était à ce pauvre Gégène. Tu pourras la garder.

C'était une cravate bleue à petits chevrons noirs. A l'endroit où la barbe de Gégène avait frotté, le tissu, dont le dessin s'effaçait, était si mince que la doublure blanche apparaissait en transparence. Pierre se mit à batailler, et la voyante dut l'aider à faire le nœud. Elle se tenait devant lui, le menton levé, un œil fermé et la tête inclinée sur le côté à cause de sa cigarette qui continuait à fumer, plantée au coin de la bouche.

— T'es rudement empoté, remarqua-t-elle. Je plains ta femme, mais, des niasses comme toi, ça se marie pas.

Lorsqu'ils sortirent, la jeune fille du tir emmenait les enfants en direction du fleuve. Il y en avait une dizaine, et, parmi eux, les trois fils de Gégène. La jeune fille portait le petit Gil sur son bras et tenait Denis par la main. Pierre rejoignit Kid qui parlait avec le confiseur et le propriétaire du manège d'autos tamponneuses. Le petit hercule était vêtu d'un costume bleu foncé qui le serrait aux épaules et dont il n'eut sans doute pas pu boutonner la veste. Il regarda la cravate que portait le garçon, et il dit :

— Moi, j'avais pas de chemise blanche, c'est l'Angèle qui m'a filé celle-là, mais il a fallu faire un nœud de cravate maous pour cacher le col qui ne ferme pas... Ça me serre rudement... C'est malheureux, on s'habille jamais, et on pense jamais qu'un jour on peut être obligé.

Il se tenait les bras décollés du corps, osant à peine remuer, les veines du cou gonflées.

— Bah, observa le confiseur, le pauvre Gégène, c'était pas un gars qui attachait de l'importance à toutes ces foutaises. Le tout, c'est d'être là et de penser à lui.

Angèle descendit de sa roulotte et tout le monde se tut. Elle était en tailleur noir et portait un chapeau tout petit et rond, d'où s'évasait un voile qui couvrait entièrement son visage. Pierrette la suivait. Elle était en noir également, mais avec une jupe d'emprunt beaucoup trop longue et très plissée. Sur son corsage blanc, elle avait passé une veste de laine dont les épaules tombaient. Un foulard noir noué derrière la nuque cachait complètement ses cheveux, lui donnant l'air d'une petite vieille à visage de poupon.

Elles montèrent toutes deux dans la grosse voiture du confiseur, où deux autres femmes prirent également place. Kid et Pierre partirent avec l'homme des autos tamponneuses et sa femme. Les voitures qui suivaient étaient pleines de gens qui tenaient presque tous des fleurs sur leurs genoux. Le conducteur dit à Kid :

— Tu as rudement bien fait de ne pas mettre tout le fric de cette quête dans une gerbe. Les gens ont donné beaucoup, mais ils ont quand même tous acheté des fleurs ce matin.

— C'est bien la moindre des choses, dit sa femme qui avait posé à ses pieds une gerbe de glaïeuls.

Les vitres de la voiture étaient baissées, mais elle avait séjourné un long moment au soleil et la tôle brûlait. Il entrait de larges bouffées d'air étouffant chargé d'odeurs d'essence. Les visages rouges luisaient.

A l'hôpital, ils traversèrent une immense cour où le soleil, réverbéré par les longues façades blanches aux stores baissés, tuait toute vie. C'était un monde écrasant, fermé et désert. Dans la chapelle, l'air était frais, mais fade, épaissi par une odeur indéfinissable que combattait mal le parfum des fleurs et de l'encens. Les premiers arrivés étaient à peine entrés que le prêtre commençait déjà ses prières. La cérémonie fut très courte, et tout le monde sortit pour former le cercle autour du corbillard noir où le cercueil et les fleurs furent chargés. La lumière était plus pénible encore après la pénombre. Des crânes chauves luisaient. Des mouchoirs blancs sortaient des poches pour essuyer des yeux que brûlait la sueur. Angèle sanglotait, tenant contre elle la petite Pierrette qui pleurait. Kid était à côté, raide, les bras paralysés, le dos voûté sous sa veste prête à craquer. Il paraissait plus petit que jamais. Pierre fixait sa nuque brune où coulaient de grosses gouttes qui venaient tremper son col.

Ils remontèrent dans les voitures qui suivirent le

corbillard. Personne ne soufflait mot. Pierre regardait les rues de banlieue qu'il découvrait.

A un carrefour, ils furent bloqués quelques minutes par un embouteillage, et un automobiliste arrêté à leur droite se mit à klaxonner. Il gesticulait au volant.

— En voilà un qui est plus pressé que les autres, dit calmement l'homme des autos tamponneuses. Quand il sera dans une caisse, il aura tout son temps.

Ils longèrent une voie ferrée qui luisait en contrebas, tournèrent dans une large avenue où les voitures s'alignèrent le long d'un mur d'où émergeaient des croix. Le cimetière paraissait immense, avec de petites tombes et de gros mausolées, avec des croix et des colonnes plaquées sur le ciel bleu.

— C'est un chouette cimetière, remarqua Kid.

Ils marchèrent en rangs inégaux derrière le corbillard. Les fleurs se fanaient déjà. L'odeur du moteur semblait se coller au goudron des allées où les semelles enfonçaient.

La fosse s'ouvrait au fond du cimetière, en bordure d'un vaste espace sans arbres ni tombes, tout envahi d'herbes jaunes. Dès que le cercueil fut descendu, le défilé commença. Les gens se passaient de main en main un goupillon, et Pierre regarda quel geste ils faisaient. C'était un mouvement assez vague, et qui n'était pas toujours le même. Pierre fit aussi un geste vague et, intérieurement il dit :

— Pauvre Gégène !

Angèle regardait, soutenue par la voyante et une autre vieille. Kid tenait par la main la petite Pierrette qu'accompagnait une autre fille de forain, empruntée, les yeux baissés vers le sol.

Une fois libérés, les gens s'éloignaient lentement dans l'allée où certains s'arrêtaient, attendant le passage d'un groupe pour reprendre leur marche. Diane, que Pierre avait déjà remarquée à l'église, accompagnait sa mère et deux autres femmes. Elle portait une robe bleue toute droite et un foulard gris sur ses cheveux. Elle se retourna plusieurs fois pour regarder Pierre avec insistance. Comme ils approchaient de la grille, elle resta sur place, laissa s'éloigner sa mère et s'approcha du groupe où Pierre se trouvait. Le garçon hésita un instant, puis, sans réfléchir, il partit au-devant d'elle. Ils se serrèrent la main et Diane lui dit :

— Faudrait qu'on puisse se voir.

— C'est pas facile.

— Vers 5 heures, j'irai sur le quai de Saône.

— Où ça ?

Elle parut se concentrer avant de répondre. Son visage semblait plus mince encore que d'habitude, à cause du foulard qui emprisonnait ses cheveux et dégageait toute la longueur de son cou.

— A l'endroit où les voyous t'avaient emmené pour te piquer ton fric, dit-elle.

— J'essaierai, promit-il. Mais je peux pas savoir ce que Kid va décider. Si ça se trouve, on va repartir ce soir.

Comme un groupe important arrivait à leur hauteur, Diane rejoignit sa mère sur le trottoir où tout le monde se rassemblait. Ils attendirent Angèle, sa fille et Kid, puis un homme proposa d'aller boire.

— Ça te remettra un peu, dit-il à Angèle. Il fait tellement chaud !

Ils traversèrent l'avenue et, l'un après l'autre, ils entrèrent dans la grande salle d'un café où il faisait sombre et frais. Ils se glissaient sur des banquettes ou se laissaient tomber sur des chaises. Il y eut quelques minutes avec le seul bruit des pas et des chaises, puis une espèce de demi-silence meublé de soupirs, de froissements et du roulement atténué des voitures. Comme un forain retirait sa veste, tous l'imitèrent, ôtant leur cravate pour se donner de l'air. Pierre roula la sienne qu'il glissa dans la poche de son blouson. Angèle releva son voile, les femmes dénouaient leur foulard. Il y eut encore un temps de repos, mais, dès que le garçon eut apporté de la bière glacée dans des verres tout couverts de buée, la conversation s'engagea.

51

Il était une heure de l'après-midi lorsque les voitures regagnèrent le cours de Verdun. Tine voulait emmener Kid et Pierre manger chez elle, mais la femme du confiseur dit qu'elle avait préparé le repas avant de partir et que les deux hommes viendraient avec Angèle et sa fille. Tine n'insista pas et partit avec Diane. Pierre et Kid aidèrent le confiseur à installer une longue table sur des tréteaux entre le dos du stand et la longue caravane blanche. Une bâche verte, tendue d'un toit à l'autre, protégeait du soleil cet espace ouvert des deux bouts sur les allées séparant les roulottes. Des gens passaient. Il faisait chaud et la poussière lourde montait sous leurs pas. Kid avait sa chemise blanche échancrée jusqu'à sa ceinture, et ses manches retroussées. Ils sortirent des chaises et s'installèrent pour boire l'apéritif en attendant que les femmes servent le repas. Le confiseur apporta une bouteille de pastis, des verres, de l'eau fraîche et de la glace dans un petit seau de métal brillant comme de l'argent. La nappe était bien blanche. Ils étaient assis dans des fauteuils de camping, confortablement, comme pour un repas de vacances. Angèle et Pierrette aidaient la femme du confiseur à préparer les plats et à dresser le couvert.

— Quand je pense que Pat devrait être installé comme vous autres, dit Kid.

— Quand j'étais gosse, expliqua le confiseur, le vieux Pat était le roi. Il gagnait mieux sa vie que le plus gros manège. Il avait déjà la même roulotte, et à ce moment-là, c'était la plus moderne de toutes. A présent, je me demande ce qu'ils vont devenir.

Kid l'écoutait, renversé en arrière dans son fauteuil, son verre embué dans sa grosse main, buvant à petites gorgées. Comme il ne répondait pas, l'homme demanda :

— La Tine ne t'a pas proposé de revenir avec eux ?

— Si, mais ça ne m'intéresse pas.

— Tu as peut-être tort, tu pourrais poser tes conditions.

Kid eut un ricanement.

— Des conditions, avec un maboul pareil ? Mais le jour où il est rond, tu sais bien ce qu'il est capable de faire.

L'homme eut un geste d'impuissance.

— C'est vrai, fit-il, avec lui, on peut s'attendre à tout. Mais pourtant...

Il s'arrêta. L'Angèle venait de sortir de la caravane, portant un long plat blanc où étaient alignées des tranches de pâté en croûte et de saucisson garnies de cornichons et de petits oignons au vinaigre.

— Ta femme s'est dérangée, remarqua Kid.

— Mais non, dit l'homme, faut bien manger.

Angèle avait quitté sa veste, son chapeau et son voile. Elle paraissait toute ronde dans un corsage blanc brodé dont les manches courtes serraient ses gros bras rouges. Son soutien-gorge noir se devinait sous le tissu mince et tendu dont la transpiration augmentait la transparence. La sueur et les larmes avaient sillonné son maquillage. Ses traits étaient tirés, mais elle essayait de sourire.

— On vous fait des misères, disait-elle.

— Ma pauvre Angèle, fit le confiseur, s'il n'y avait pas de plus grande misère, le monde serait beau à vivre.

Ils commencèrent par manger en silence, puis, peu à peu, la conversation s'amorça. Ils parlèrent d'abord de Gégène. Ils en parlaient comme s'il eût été simplement absent pour une journée. Presque sans tristesse, en racontant ce qu'il avait fait, ponctuant seulement leur récit à plusieurs voix de cette phrase qu'ils reprenaient tour à tour.

— Pauvre Gégène, quand on l'a connu si fort !

Ils en étaient à manger un gros saladier de fraises au vin rouge, quand le confiseur demanda :

— Tu ouvres, cet après-midi, Angèle ?

— Tout de même, soupira-t-elle. Je ne peux pas.

— Tu aurais tort. On sait tous que tu es dans l'embarras. Personne n'a rien à dire, fit le confiseur.

— D'ailleurs, Pierrette peut tenir sans toi.

— Moi, dit l'Angèle, il faut que je fasse mes comptes. Avec tout ce que j'ai payé, je ne sais plus où j'en suis.

— Si tu as besoin...

Elle leva la main en signe de remerciement.

— Je sais, dit-elle, tout le monde est gentil. Mais je ne veux pas me mettre des dettes sur le dos.

— Avec nous, fit l'homme, ce ne sont pas des dettes.

Ils restèrent à table jusqu'au moment où les haut-parleurs des manèges commencèrent à moudre leurs rengaines. Là, sans se concerter, ils se levèrent. Le confiseur entra dans la caravane et ressortit bientôt, vêtu de sa veste blanche et coiffé d'une haute toque amidonnée.

— Voilà qu'il est l'heure, dit-il.

Et il ouvrit la petite porte qui donnait accès à sa boutique. Les femmes débarrassèrent la table, tandis que Pierre et Kid repliaient les fauteuils. Tout près, sous le soleil, la fête recommençait, avec les cris, les crépitements et les rires qui se mêlaient à la musique et au grondement sourd des moteurs.

52

Tandis que Kid accompagnait Angèle dans sa roulotte où elle voulait faire ses comptes, Pierre aida la petite à ouvrir la loterie. Il resta quelques minutes près d'elle, puis se mit à flâner sur la fête. Il s'arrêtait de temps à autre pour bavarder avec un forain, repartait, regardait les groupes de jeunes qui marchaient lentement d'un tir à un manège, comme écrasés par la chaleur. Il demeura un long moment devant le Palais des Jeux. Il avait de l'argent et l'idée lui vint d'entrer là. Et pourtant, il n'avait pas vraiment envie de jouer, de s'installer devant un flipper et d'actionner les manettes pour allumer des ampoules, aligner des chiffres et tenter de gagner une partie gratuite. Il regardait, et il se sentait étranger aux joueurs. Il n'avait pas envie non plus d'aborder les garçons et les filles qui se trouvaient là. Bientôt il repartirait avec Kid. Il reprendrait son travail sur les places. Travailler, changer de pays, rencontrer des gens comme le forgeron de Louhans, ou les paysans, c'était une bonne vie, après tout. Il se sentait plus proche des forains qui besognaient derrière leurs baraques ou sur leurs manèges, que des jeunes désœuvrés qui tentaient de s'amuser sans y parvenir vraiment.

Kid lui avait dit : « Tu reviendras dans un moment. » Un moment, ça veut rien dire. Il retourna vers la petite loterie. Les enfants d'Angèle étaient installés devant la porte. Les deux petits jouaient aux billes et le plus grand, assis sur une marche, feuilletait une revue de bandes dessinées. Quand ils le virent, ils se précipitèrent.

— Tu nous emmènes... Tu nous emmènes !

Angèle parut sur le seuil et cria :

— Laissez-le un peu tranquille !

Pierre allait répondre lorsque Kid sortit à son tour et lui fit signe de monter.

— Viens une minute.

Pierre entra. Les volets étaient clos, et la seule lumière qui pénétrait par la porte ouverte laissait dans la pénombre tout le fond de la roulotte.

— Assieds-toi, dit Kid. Faut qu'on cause.

Pierre tira un tabouret et s'adossa à la cloison. Angèle lui versa un verre de bière. Kid le regardait. Il avait son front plissé et son œil inquiet. Il passa plusieurs fois sa main sur son crâne, avant de dire :

— Voilà, l'Angèle a fait ses comptes. Si on n'a rien oublié, elle doit un peu plus de quatre cents tickets.

— Mais moi, dit Pierre, j'ai...

Kid l'interrompit.

— Je lui laisse ce que j'ai. Je voulais seulement savoir si tu es d'accord pour qu'on reparte avec ce que tu as. Bien entendu, je te rembourserai plus tard de tout ce que...

Il s'arrêta. Tine montait. Elle cogna du doigt contre le chambranle en demandant si elle pouvait entrer.

— Bien sûr, dit Angèle.

Elle fit un pas. Elle était à contre-jour et Pierre ne voyait pas ses traits, mais il devinait qu'elle fronçait le visage, encore éblouie de soleil, et cherchant à les distinguer dans la pénombre.

— Qu'est-ce que tu veux ? demanda Kid. C'est nous, ou l'Angèle que tu veux voir ?

— Vous tous, fit-elle.

— Si c'est pour recommencer ta comédie, c'est pas la peine. Tu perds ton temps.

Elle prit le tabouret qu'Angèle venait d'avancer et s'assit près de la table.

— Ecoute Kid, dit-elle. Il m'arrive un gros pépin...
Il l'interrompit en grognant :
— Le malheur, on en a notre part.
— Je sais. Oh ! je sais bien, va ! Et je sais aussi que vous autres, vous ne l'avez pas cherché. Mais moi non plus, va, moi non plus...
Sa voix montait. Elle vibrait de plus en plus et sa phrase s'acheva dans une espèce de sanglot avorté, comme si elle allait s'étrangler.
Il y eut un silence. Des mouches entraient et sortaient, tourbillonnant autour des têtes en sueur, frôlant les visages de leur vol saccadé.
— Tu veux un verre de bière, demanda Angèle, ou si tu préfères du café ?
— Si tu as du café, j'aime autant. Je n'ai même pas eu le temps d'en faire.
Sa voix était redevenue à peu près normale, mais son regard était comme celui d'une bête apeurée. Il allait de l'un à l'autre. On ne voyait que ses yeux dans son visage étroit.
— Alors ? demanda Kid.
— On va emmener Pat à l'hôpital... C'est une sale affaire. Le toubib est venu... C'est la rotule qui est comme qui dirait écrasée. Et avec la chaleur, ça s'est envenimé très vite. Il a une grosse fièvre.
— Qu'est-ce qu'on va lui faire ? demanda Angèle.
Tine eut un geste de ses mains maigres qui retombèrent sur la table. Elle soupira.
— Est-ce que je peux savoir ? Le toubib n'a rien pu me dire. Tu sais comme ils sont. Dès que ça leur paraît compliqué : l'hôpital. Mais l'hôpital, ça veut dire qu'on risque de l'opérer.
Kid ne disait rien. L'avant-bras posé sur la table, il tambourinait doucement du bout des doigts sur la toile cirée. Ses muscles roulaient sous sa peau brune. Tine remua lentement son café qu'elle se mit à boire à petites gorgées. Gil entra et vint se coller contre les jambes de Pierre qui le prit sur ses genoux. Le bruit de la fête augmentait peu à peu. Des gens passaient sans cesse devant la porte ouverte.

— Alors, finit par demander Kid, qu'est-ce qu'on peut faire pour t'aider ?

Tine les regarda encore tour à tour. Elle devait chercher un moyen d'expliquer son idée sans agacer Kid. Elle parla prudemment, comme à regret.

— Des fois, quand on est tous dans l'embarras, si on se prête la main, ça sert à tout le monde.

Elle marqua une pause. Kid ne bronchait pas. Il s'était arrêté de tambouriner sur la nappe. Le petit Gil demanda :

— Tu viens nous promener, Pierre ?

Pierre regarda Angèle, mais ce fut Tine qui reprit la parole.

— J'aimerais bien que Pierre donne son avis. Si Kid voulait revenir avec nous, si Pierre revenait aussi, on pourrait peut-être rouvrir, et ça vous éviterait d'aller courir les routes.

Kid s'apprêtait à répondre, mais Angèle le devança :

— Tu as dit que tu m'aiderais, Kid. Est-ce que ce serait pas mieux, de rester ici ? La semaine prochaine, on monte à Chalon, qu'est-ce que je vais faire, toute seule ?

Le petit hercule la regarda un instant sans rien laisser paraître sur son visage, puis, se tournant vers Tine, il demanda :

— Qu'est-ce que tu proposes, au juste ? Que le petit et moi on fasse marcher la taule à nous deux ?

— Je ne suis pas si con. Mais enfin, Kid, tu connais du monde. Tu peux trouver deux hommes. Avec toi, ils accepteront tous de travailler.

Il eut un ricanement.

— Avec moi, oui. Mais la taule de Pat n'est pas à moi. Elle est à Pat.

Tine se redressa soudain. D'une voix tranchante elle lança :

— Elle était à lui tant qu'il pouvait la faire marcher. A présent, il est sur le flanc. Et il n'a plus droit à la parole. Ses cent kilos et sa grande gueule, il va les mettre dans un lit. Pour le reste, c'est moi qui décide. Et si je prends un homme pour tout mener, je suis disposée à le payer en conséquence.

Kid laissa passer un moment durant lequel Tine se recroquevilla sur elle-même, comme si cette brusque colère l'eût vidée de toute force.

— Payer, observa Kid. Faut pouvoir.

— Pour moi, dit-elle, il s'agit de sauver la taule et de bouffer. L'hôpital ne me coûtera pas plus cher que les cuites qu'il prenait. Et je vais demander qu'on en profite pour le désintoxiquer.

— Ça, c'est ton affaire.

Elle le regarda bien en face, attendit quelques secondes et dit d'une voix ferme.

— Tu n'as qu'à faire ton prix... Je sais que tu es honnête.

Kid se frotta le crâne. Il paraissait embarrassé. Son regard s'attacha un long moment à Angèle et au petit Gil que Pierre tenait toujours sur ses genoux et qui crayonnait sur un morceau de carton à sucre. Personne n'osait parler, mais tous observaient Kid. Le petit hercule recommença à tambouriner sur la table, s'arrêta soudain et demanda :

— Est-ce que tu en as parlé à Pat ?

— Bien entendu... Il voudrait te voir... Il voudrait voir Joseph... Il est bien emmerdé. Il ne se souvient même pas de ce qu'il a fait.

Kid réfléchit encore, se pencha légèrement vers Tine, et finit par dire :

— Va vers lui... A quelle heure on l'embarque ?

— Il faut une ambulance, il ne peut pas plier la jambe, et dès qu'on le remue, ça le fait hurler. Ils doivent venir vers 5 heures.

— C'est bon, j'irai dans un moment.

Tine se leva, fit un pas, s'arrêta, fit encore un autre pas et demanda :

— Tu ne m'as rien dit, pour les conditions ?

— Je n'ai pas encore dit oui.

La voix de Kid était de nouveau plus dure, et Tine sortit sans se retourner.

53

Après le départ de Tine, Kid s'était avancé jusque sur le pas de la porte. Il y demeura un long moment, appuyé de l'épaule contre le chambranle, avec les mouches qui passaient sans cesse, décrivant de brusques détours au ras de son crâne. Il portait encore son pantalon bleu et sa chemise blanche, mais il était pieds nus. Petit Gil s'étant endormi sur les genoux de Pierre, sa mère l'avait pris pour le porter sur son lit. Elle avait tiré les rideaux derrière elle en disant :

— Je vais me changer.

Quand elle reparut, vêtue d'une longue blouse noire, Kid se retourna et dit :

— Il y a du monde, Angèle, tu devrais aller un peu vers la petite.

Elle fit oui de la tête, prit sur son bras deux culottes d'enfant et une petite trousse à ouvrage. Arrivée près de Kid, qui s'effaça pour la laisser passer, elle s'arrêta.

— Je ne sais pas ce que tu vas décider, dit-elle, mais faut rien changer à cause de moi.

— Va, dit-il. T'inquiète pas.

Il la regarda descendre et tourner l'angle de la roulotte. Il revint s'asseoir et versa de la bière dans son verre et celui de Pierre. Puis il demanda :

— Qu'est-ce que tu en penses ?

Pierre n'eut pas à réfléchir. Il répondit sans hésiter :

— Moi, Kid, je reste avec toi. C'est toi qui décides.

Le visage de Kid se détendit. Il demeura un temps à hocher la tête en regardant Pierre, puis il dit :

— Tu vois, petit gars, dans la vie, faut jamais faire de projets.

— On peut toujours rester avec eux le temps que Pat sera malade. Si on gagne plus, ça permettra d'aider l'Angèle.

— Gégène, c'était mon copain. J'aurais eu un frère, ça pouvait pas être autre chose. Mais toi, tu ne dois rien à personne.

Pierre ne savait comment répondre. C'était vrai. Il n'avait pas le sentiment d'une dette envers Angèle et ses gosses. Et pourtant, il lui semblait que quelque chose le liait à eux. C'était peut-être simplement parce qu'il se trouvait attaché à Kid. Il eut envie de dire que si Gégène était comme un frère pour le petit hercule, c'était par conséquent son propre parent. Il sentait confusément cela, mais il ne trouva pas les mots pour l'exprimer. Ce n'était pas facile. Kid avait de la chance, il savait parler, lui. Il savait se libérer de ce qui était en lui. Il trouvait des mots en toutes circonstances.

— Ça ne te gêne pas de retourner chez les Carminetti ? demanda Kid.

— Non. Pourquoi ?

— Je ne sais pas, dit Kid. Une idée comme ça.

Là non plus, Pierre n'osa pas parler de Diane. C'était pourtant le nom qui lui venait à l'idée. Et il était évident que Kid pensait aussi à elle.

— Tu te souviens, demanda Kid, un jour, je t'ai dit que si j'avais eu des gosses comme ceux de Gégène, j'aurais monté un petit cirque avec eux. Un petit cirque de famille, juste pour gagner la croûte sans dépendre de personne. Avec un truc comme ça, tu n'es pas obligé de suivre les fêtes. Au contraire, vaut mieux rouler les petits bleds, comme ceux où on tirait la fonte ces temps-ci.

A mesure qu'il parlait, il s'animait. Il se mit à expliquer tout ce qu'on pouvait faire avec des garçons sans les abîmer. Il avait vu des camarades quitter de grands cirques pour en monter de petits, et qui avaient vécu heureux sans se soucier des contrats. C'était une bonne chose, mais il fallait du temps pour tout préparer, et de l'argent pour démarrer.

Il s'arrêta sur cette question d'argent, réfléchit une minute puis, de nouveau plus grave, il conclut :

— Enfin, tout ça, c'est des paroles en l'air. Pour le moment, ce qui compte, c'est de bouffer et d'aider l'Angèle à se tirer du merdier.

Déjà il ne parlait plus pour lui seul. Il semblait associer Pierre à cette idée d'aider Angèle, et le garçon en éprouva une sorte de bien-être. Peut-être un peu de fierté.

Kid se leva, alla jusqu'au fond de la roulotte et ôta sa chemise blanche et son pantalon bleu.

— Je vais me remettre en travail, dit-il. Je me sens pas bien, comme ça. D'abord, ça me serre, et puis... et puis, j'ai toujours l'impression d'être prêt pour un autre enterrement.

Pierre n'avait pas à se changer. Pour l'enterrement, il avait seulement ajouté, à ses vêtements de tous les jours, cette vieille cravate qui avait appartenu à Gégène. Il l'avait enlevée dès la sortie du cimetière. Il la tira de la poche de son blouson suspendu derrière la porte, l'examina et demanda :

— C'est vrai, je peux la garder ?

— Bien sûr, qu'est-ce que tu veux qu'elle en fasse, la pauvre Angèle ?

Pierre roula soigneusement la cravate et la remit dans sa poche.

— Je la rangerai dans la valise, dit-il.

Il se retourna vers Kid qui avait fini de se changer. Il le regarda un moment avant de dire :

— Je la mettrai peut-être jamais, mais ça me fera un souvenir de Gégène.

Kid ne répondit pas, mais Pierre vit comme une lueur de joie un peu triste passer dans ses yeux.

54

— Quand je pense, remarqua Kid, que c'est les derniers jours de vogue et qu'ils laissent passer ça, j'en suis malade. C'était un jour à s'envoyer quatre relevées dans l'après-midi, avec la taule bourrée à bloc.

Ils traversaient la place où le public ne cessait d'augmenter depuis que les premiers manèges s'étaient mis à tourner. Seule la baraque des Carminetti demeurait fermée, son auvent baissé.

Lorsqu'ils arrivèrent, Diane était à côté de la roulotte, cassée en deux vers un grand baquet de zinc où elle lavait du linge. Elle se redressa pour les regarder, passant son avant-bras sur son front où des mèches s'étaient collées à sa peau moite.

— Comment il est ? demanda Kid.

— Il a mal, évidemment, fit-elle en haussant les épaules.

Avant de suivre Kid, Pierre regarda Diane qui lui sourit.

Dans la roulotte où l'air immobile était presque palpable, Pat était allongé sur sa couchette rabattue à côté de la table. Il ne portait qu'un caleçon court d'où la chair molle de son ventre débordait, laiteuse, sous le poil gris. Tout son corps ruisselait de sueur. Le soleil avait dessiné sur sa poitrine la forme de son maillot. Ses mains, ses avant-bras et son cou étaient bruns, mais ses épaules rouges pelaient par endroits. Son visage était cramoisi. Dans son fauteuil, le vieux Pat dormait. En les entendant parler, il leva la tête, battit des paupières et se mit à grogner en agitant la main. Ils allèrent le saluer et, comme toujours, il s'accrocha, tout secoué de tremblements.

— Alors Pat, disait Kid... Alors, ça ira... Ça ira. Faut pas vous faire du souci.

Le vieux voulait dire quelque chose. Pierre le voyait sur son visage et dans ses yeux mouillés. Sa chemise à manches courtes laissait voir ses bras noueux où les tendons et les muscles se contractaient sans cesse. Quand il se fut enfin calmé, les deux hommes se tournèrent vers le gros Pat qui gémissait. Il les regarda et se mit à pleurnicher.

— Bon Dieu, Kid, fit-il... Je suis un con... Je suis un salaud.

Kid l'arrêta d'un geste. Très ferme, il lança :

— Ecoute, Pat. On n'est pas venus pour que tu nous fasses ton numéro de sentiment. Moi, on ne m'a pas à l'arnaque.

— Mais Kid...

— Tais-toi. Laisse-moi parler, ou je me tire.

Le gros homme se redressa péniblement, pour porter la main à son genou enveloppé d'une serviette éponge tenue par deux épingles de nourrice. Toute sa cuisse, enflée et rougeâtre, était sillonnée de violet.

— Si tu voyais mon genou, Kid.

— C'est pas la peine. Ça ne m'attendrirait pas. Si j'avais morflé un coup de masse dans la gueule, tu serais pas venu me plaindre...

— Bon Dieu, m'accable pas...

— Je ne t'accable pas. Mais je ne risque pas de te plaindre non plus. Je ne suis pas venu pour ça. Tu es ce que tu es. Je me garderais bien de t'insulter à un moment où tu ne peux pas te défendre, mais ce que je pense de toi, il y a longtemps que tu le sais. Si j'accepte de revenir, je veux que tu saches bien que ce n'est pas pour toi.

— Bon Dieu, il y a le vieux Pat !

Kid se pencha vers lui. Il parla bas pour ne pas être entendu du vieux, mais sa voix était sifflante.

— Le vieux Pat est ton père. Je n'en ai pas la

charge. Si je viens, c'est pour moi. Pour gagner de quoi aider l'Angèle. Le reste, je m'en fous !

Pat écoutait sans mot dire. Ses yeux se fermaient de temps à autre. Ses mains se levaient pour chasser les mouches qui l'agaçaient. Chaque fois qu'il laissait retomber ses bras sur sa couchette, il poussait un gémissement. Une odeur fétide, qui devait venir de son genou, emplissait la roulotte.

— Si j'étais vache, observa Kid, je dirais que même si tu restes estropié, ce sera un bien si ça t'empêche de boire. Mais pour aller te saouler, tu serais encore capable de te traîner à plat ventre.

Tine était immobile au pied du lit. Elle n'avait pas prononcé un mot. Elle les observait tous les deux, le visage crispé.

— Tu as raison, Kid, dit-elle. Mais cette fois, je crois qu'il a compris. Il voulait seulement te faire des excuses.

Kid se mit à rire. Un rire aigre, mauvais, qui fendait sa joue brune pour laisser voir ses dents bien blanches.

— Y peut se les foutre au cul, trancha-t-il. Je suis venu pour dire que j'accepte de m'occuper de la turne, à deux conditions. Premièrement, c'est moi seul qui commande. Deuxièmement : le petit fait le baron, mais tu le payes à la prime, au tarif que tu donnais à Tiennot. Pour moi, c'est la moitié de ce qui reste, une fois déduit le montant des primes versées aux hommes... Et c'est moi qui décide du nombre de relevées.

Les autres ne bronchaient pas. Kid se tut. Pat regarda sa femme puis, d'une voix implorante, il dit :

— Tu m'étrangles, Kid... C'est pas bien.

Le petit hercule pivota sur ses pieds et se dirigea vers la porte Le vieux Pat se remit à gesticuler et à grogner, tandis que son fils larmoyait :

— Non, Kid... t'en va pas... C'est d'accord.

Tine s'était plantée devant la porte. Très calme, elle dit :

— Kid, je t'ai expliqué que je voulais seulement

pouvoir manger et ne pas bazarder la baraque. Tes conditions, c'est toi qui les poses, mais crois-tu que je pourrai nourrir tout le monde avec ce qui restera ?

Kid leva les bras comme pour signifier que ces détails ne le concernaient pas. Il se retourna pourtant, le temps d'ajouter :

— Bien entendu, moi et Pierre, on ne sera pas nourris. On s'arrangera avec l'Angèle.

Doucement, mais d'un geste ferme, il écarta Tine et sortit en disant :

— Réfléchissez. Mais si tu veux avoir une chance d'ouvrir demain, viens me donner la réponse dans une demi-heure. Je serais chez l'Angèle.

Arrivé en bas de l'échelle, il laissa passer Pierre et se retourna pour lancer :

— Je prépare les valises. Je pourrai aussi bien les amener sous ton ring que les mettre aux bagages pour reprendre le large. Dans les bleds où on était, la placarde payait plus que ton arène.

CINQUIEME PARTIE

L'ÉVASION

55

Dès qu'ils se furent éloignés de quelques pas, Pierre demanda :

— Tu ne crois pas que tu y es allé un peu fort ?

Kid se mit à rire.

— Ils ne sont pas fous, va. Et surtout la Tine. Elle sait bien que si c'est moi qui fais marcher la taule, les recettes vont doubler. J'y gagnerai, mais elle aussi.

Ils regagnèrent la roulotte où Angèle les rejoignit aussitôt. Kid s'assit lourdement. Il paraissait épuisé.

— Alors ? demanda Angèle.

— J'ai posé mes conditions. J'attends la réponse.

Il s'essuya le front avec son avant-bras. Il ne les regardait que furtivement, puis baissait les yeux vers la toile cirée de la table.

— Donne-moi quelque chose de frais, dit-il.

Elle tira une bouteille d'eau minérale d'un grand seau qui se trouvait sous l'évier.

— Je n'ai que ça, fit-elle.

— C'est très bien.

Kid vida son verre d'un trait, le remplit à nouveau et le vida encore.

— Qu'est-ce que tu as, demanda Angèle, ça ne va pas ?

— Si. Ça va très bien. Mais j'ai chaud. Voilà tout.

Les questions semblaient l'agacer. Angèle demeura

silencieuse un moment, mais, n'y tenant plus, elle demanda encore :

— Vous vous êtes disputés ?

— Pas du tout. J'ai posé mes conditions.

— Tu as peur qu'ils refusent ?

— Ça m'étonnerait.

— Tu regrettes de rester là. De perdre ta liberté. Vous étiez sur la route, tous les deux, et vous êtes revenus à cause de Gégène... Et ça te manque.

Kid leva les yeux. Il la regarda intensément. Il semblait faire un effort pour retrouver tout son calme. Comme Angèle allait parler, il dit très vite :

— Non. C'est pas ça. Mais j'ai été dur. Je voulais pas m'attendrir sur cet abruti. Alors, j'ai causé comme un sauvage... Et ça... J'en ai pas l'habitude. C'est tout.

Il se tut, but encore un demi-verre d'eau puis, comme pour préciser sa pensée, il ajouta :

— Mais il fallait le faire. Sans ça, ils allaient encore nous avoir au sentiment. Je les connais. Ils sont plus malins qu'on ne pense.

Angèle posa encore quelques questions, et Kid expliqua ce qu'il avait exigé. Angèle trouva que c'était excessif, mais Kid fit un calcul rapide des recettes probables qui montrait que les Carminetti s'en tireraient certainement très bien.

— Tu crois que tu pourras trouver des hommes, et faire de si grosses journées ? demanda Pierre.

— Quand on est partis sur la route, dit Kid, est-ce que tu m'as vu me tromper une seule fois ? Si tu veux faire un pari, avant chaque journée je peux te dire ce qu'on fera, à mille balles près.

— C'est bon, fit Angèle, si tu es certain...

Elle se leva et sortit en ajoutant qu'elle retournait à son travail. Elle ne fit que quelques pas et revint au pied de l'escalier pour annoncer que l'ambulance venait d'arriver.

— Et alors ? fit Kid.

Angèle haussa les épaules.

— Tu irais lui dire au revoir, ça ne t'écorcherait

pas la bouche, et peut-être que ça lui ferait plaisir.
Kid eut un geste de lassitude.

— Viens, dit-il à Pierre. Faut pas être vache, même avec les bêtes.

Ils se hâtèrent et parvinrent près de l'ambulance au moment où les infirmiers sortaient le brancard de la roulotte. Ce n'était pas facile, et le gros Pat geignait, cramponné aux longerons de fer de la civière. Kid fendit le cercle des curieux. Pat le regarda et leva la main. Kid empoigna cette main qu'il serra dans les siennes en disant :

— C'est rien va ! Et t'inquiète pas pour ta baraque.

— On est d'accord, dit Pat. La gosse allait partir pour vous le dire quand ils sont arrivés.

— T'inquiète pas, répéta Kid. Et si on a le temps, on ira te voir.

Pat bredouilla encore quelques mots que Pierre ne put saisir. Quand il s'approcha pour serrer sa main brûlante et mouillée, il vit que deux larmes coulaient sur les joues rouges du gros homme. Au moment où l'infirmier s'apprêtait à refermer la porte, Pat sanglota :

— Merci Pierrot... toi aussi, t'es un bon gars.

La voiture recula lentement. Kid s'approcha de Tine qui attendait pour monter.

— Ecoute-moi, dit-il. Tu vas avec lui ?

— Oui.

— C'est à Grange-Blanche ?

— Oui.

— Alors, tant que tu seras dans le secteur, fais un saut à Villeurbanne, Joseph avait un copain là-bas. Ce mec qui a une salle de judo. Tu sais où c'est ?

— Oui.

— Va lui demander s'il a vu Joseph, et s'il sait où on peut le pêcher.

Tine paraissait embarrassée. Diane s'avança.

— Vous perdez votre temps, dit-elle. Je sais que Joseph ne reviendra pas.

L'ambulancier s'impatientait. Tine monta.

— N'y va pas, lança Diane. C'est du temps perdu.

La voiture démarra et ils restèrent à la regarder sortir de la place pour s'engager dans le flot de la circulation. Quand elle eut disparu, Kid se tourna vers Diane et demanda :

— Qu'est-ce qui te fait dire qu'il ne reviendra pas, si c'est pour travailler avec moi ?

Diane avait un sourire curieux. S'adressant au petit hercule, elle dit :

— C'est pas tellement à cause de ce qui s'est passé. Mais je sais qu'il ne reviendra pas. C'est tout ce que je peux vous dire.

— Bon, fit Kid, si tu es sûre, ma foi, lui ou un autre...

Il se tourna vers Pierre et ajouta :

— Toi, tu vas aller chercher les valises et les amener dans la tente. Et tu resteras ici pour le cas où le mec de la fonderie viendrait. Moi, je vais faire un saut à Vaise. Je suis déjà sûr d'y dégoter au moins un boxeur.

Kid avait retrouvé son calme et son autorité. Avant de partir, il souleva l'auvent de la baraque et jeta un regard à l'intérieur.

— En attendant, tu pourras toujours nettoyer un peu.

Il eut un clin d'œil, tapa sur l'épaule de Pierre et conclut :

— Tu vas voir, petit gars, tu vas voir ce qu'on peut tirer d'une arène de lutteurs.

Sa voix n'était plus la même. Pierre le regarda s'éloigner. Le petit hercule avait retrouvé son aisance, et la même démarche que lorsqu'il bonimentait sur les places.

56

Pierre fit deux voyages, entre la roulotte de la voyante et la baraque des Carminetti, pour apporter les valises qu'il glissa sous le ring. Il faisait lourd à l'intérieur de cette tente fermée depuis plusieurs jours, et il dénoua une cordelette pour soulever le pan de bâche situé du côté de la roulotte. Il était presque heureux de se retrouver là, et il comprit que la lutte lui avait un peu manqué ces temps derniers. Il s'approcha du ring et le frappa plusieurs fois du plat de la main.

— Si Kid était là, il te dirait que tu tâtes l'établi.

Pierre se retourna. Diane était près du rideau fermant l'entrée. Elle s'avança lentement jusqu'à se trouver contre lui.

— T'es content d'être là ? demanda-t-elle.

Il ne répondit pas, mais il l'empoigna presque brutalement et l'embrassa. Lorsque leurs lèvres se séparèrent, Diane murmura :

— J'ai cru que Kid allait tout foutre par terre, tout à l'heure, quand il s'est mis à gueuler.

Pierre ne trouvait rien à dire. Diane lui montra le pan de la bâche qu'il avait soulevé.

— Va fermer ça, dit-elle. On sera tranquilles ici.

— Et s'ils reviennent ?

— Non. On a un moment... J'ai remis la barre de l'auvent.

Pierre alla rattacher la bâche et, quand il revint, Diane était déjà couchée sur le ring. Elle avait ouvert sa blouse sous laquelle elle ne portait qu'un slip et un soutien-gorge.

— Si ta mère arrivait ! dit encore le garçon.

Diane l'attira contre elle.

— Je t'aime, dit-elle. Je t'attendais... Je savais que tu reviendrais... Mais c'était long, tu sais.

En la prenant, Pierre comprit qu'il avait, lui aussi, attendu ce moment de plaisir.

Une fois leur fièvre apaisée, ils se rhabillèrent et restèrent allongés, fixant le plafond de toile où commençaient à se dessiner les ombres presque immobiles des arbres. La chaleur était de plus en plus étouffante, et la musique des manèges semblait s'engluer dans un air trop épais. Des silhouettes déformées passaient le long de la tente, montant et grandissant avec des gestes étranges.

— Qu'est-ce qui s'est passé, exactement, avec Joseph ? demanda Pierre.

— Ça devait arriver. Pat était rond. Il s'est engueulé avec un des hommes qui voulait être augmenté. Pat lui a dit qu'il ne foutait rien. L'autre l'a insulté ; comme Pat voulait cogner, Joseph s'est mis devant et c'est lui qui a reçu.

— C'est Joseph qui a trinqué ?

— Oui. Mais il a répondu. Alors Pat l'a traité de feignant et de sale nègre. Il lui a dit qu'il puait.

Elle se tut. Pierre tourna la tête vers elle pour demander :

— Et il a dit aussi qu'il te tournait autour ?

— Oui.

— Et c'est tout ?

— Non.

Pierre se souleva sur un coude et se pencha vers elle.

— Quoi encore ?

— Rien. Le reste, c'est moi qui l'ai dit. Parce que j'en avais envie depuis longtemps. J'ai dit que c'était pas vrai. Que Joseph ne puait pas et que c'était un brave type. Et j'ai dit encore que j'étais assez grande pour l'envoyer paître toute seule. Qu'il n'avait pas à tourner autour de moi parce que je ne voulais pas de lui. Et que je n'en voudrais jamais.

Elle s'était redressée aussi. Le visage tout proche de celui de Pierre, elle le regardait dans les yeux. Il sentait qu'elle voulait voir tout au fond de lui. Elle avait, dans le regard, comme une flamme fauve qui la rendait très belle. Le garçon eut de nouveau envie d'elle. Il essaya de l'embrasser, mais elle se déroba en disant :

— Attends... Après.

Elle se calma un peu et reprit :

— Pat a foncé sur moi. Il m'a crié que si cet abruti de nègre n'était pas si con, il m'aurait déjà obligée à l'épouser. Mais il trouvait Joseph trop con pour faire marcher la baraque... Je crois bien qu'il m'aurait tuée, s'il m'avait attrapée.

Elle s'arrêta. D'un mouvement de tête, elle rejeta ses cheveux en arrière. Son souffle était précipité comme après une longue course.

— Il allait m'avoir, dit-elle, mais Joseph l'a rattrapé. Il l'a pris par un bras et l'a balancé.

Elle se calma tout à fait pour dire encore, avec un sourire crispé :

— Le reste, tu le connais. Tu as vu son genou. C'est con, mais ça devait lui arriver.

Elle passa un bras autour de son cou et ils roulèrent de nouveau sur le tapis. Comme les caresses du garçon se précisaient, Diane l'arrêta.

— Non, dit-elle. Plus maintenant. Ils vont revenir d'un moment à l'autre. Ce soir, si tu veux. On ira à l'hôtel.

Il fit oui de la tête. Elle l'empêcha d'approcher son visage du sien pour mieux le regarder et, fronçant les sourcils, elle demanda :

— Est-ce que tu m'aimes ?

— Bien sûr. Sans ça, je serais pas là.

— C'est pas certain.

— Tu sais bien que je t'aime.

Le visage de Diane restait inquiet. Pierre comprit qu'elle voulait encore lui demander autre chose, et il éprouva soudain une appréhension.

— Pierre, fit-elle, en baissant la voix, faut que je te dise quelque chose.

— Quoi ?

— Je crois bien que je suis enceinte.

— Tu es folle ?

— Non. C'est à peu près sûr.

— Bon Dieu !... Bon Dieu !

Elle le regardait toujours. Pierre essayait de se reprendre.

— Ça peut pas être d'un autre, tu sais, dit-elle. Je peux te le jurer.

— Je te crois, dit-il. Je te crois, mais c'est quand même un sale coup.

Elle se leva sur les genoux. Son visage, un instant radouci, venait de se fermer à nouveau. Elle rajusta sa blouse d'un mouvement rapide et se dressa en disant :

— Je savais bien que tu ne m'aimais pas. Mais je te demande rien, va ! Tu peux être tranquille. Je prendrai sûrement une bonne trempe, mais mon gosse, je le garderai. Et je ne dirai à personne qu'il est de toi... A personne. Tu peux être tranquille.

Souple et rapide, elle passa entre les cordes et sauta du ring. Pierre se leva.

— Diane ! cria-t-il. Ecoute-moi.

Mais déjà elle courait vers le rideau qui retomba derrière elle. Pierre empoigna la corde pour sauter, mais il arrêta son élan. La barre de fer avait rebondi sur le plancher de l'estrade, et l'auvent soulevé retomba lourdement, ébranlant toute la façade de la baraque.

57

Parce qu'il avait promis à Kid de nettoyer la baraque, Pierre se mit au travail. Il releva un pan de la bâche, ouvrit l'auvent, arrosa le sol de la salle et le plancher de l'estrade et commença de balayer. Le sol était jonché de sacs vides piétinés, de papiers à bonbons, d'épluchures et de cachuètes, de paquets de cigarettes et de mégots. Il voyait tout cela sans le voir. Il déplaçait les bancs et maniait le balai sans penser un instant à ce qu'il faisait. Il se répétait sans cesse :

— Bon Dieu, c'est une sale affaire... Bon Dieu de bon Dieu, si Kid apprend ça, je sais ce qu'il va faire.

Il pensait beaucoup plus à Kid qu'à Diane ou à ses parents. Il imaginait le petit hercule, et il n'osait même pas se dire vraiment quelle serait sa réaction. Il ne pouvait que répéter les mêmes mots, qui ne signifiaient rien, et menaient une ronde effrénée dans sa tête sonore.

Quand il eut achevé sa besogne, il rangea le balai, puis vint s'asseoir à califourchon sur un banc. A présent qu'il n'avait plus rien à faire, il essayait de réfléchir. En fait, il se répétait seulement que Diane, c'était Diane. Elle avait l'air d'une bonne fille, mais elle avait certainement préparé son coup. Elle voulait le posséder. L'attacher comme elles font toutes. Mais ça, c'était impossible.

— Faut pas y compter... Faut pas y compter, grognait-il.

Il demeura encore un moment assis, la tête absolument vide. Puis, comme si on l'avait fouetté, il se leva, courut vers l'entrée, regarda vers l'extérieur, revint très vite près du ring et tira l'une des valises. Il en sortit deux chemises que Kid lui avait fait acheter, le sac où étaient ses objets de toilette, une serviette éponge et une paire d'espadrilles. Il étala sa serviette par terre, mit tout le reste au milieu et fit un baluchon qu'il serra avec deux branches d'extenseur.

— C'est tout ce que je lui pique, deux branches d'extenseur. Kid, je le connais, y m'en voudra pas pour ça.

Il faisait tout avec des gestes brusques, fébriles, et il retrouvait cette peur qu'il avait connue lorsqu'il roulait avec Guy, et volait des voitures. Il tâta la poche arrière de son pantalon. Son portefeuille y était avec tout son argent. Il regarda encore du côté de l'entrée, hésita un instant, puis alla jusqu'au pan de la bâche qu'il avait soulevé. Il passa la tête. Seuls des inconnus circulaient sur la place. Entre les groupes, il aperçut Angèle, debout derrière son petit comptoir, et qui actionnait sa roue à cliquet. Elle ne regardait pas vers lui. Il attendit que le mouvement de la roue se ralentisse un peu, car c'était toujours à ce moment-là que Angèle y prêtait le plus d'attention. Son cœur battait comme au moment d'entrer dans une bagarre. Il respira longuement, sortit d'un bond et fila vers la gare.

La circulation était dense et les voitures roulaient si lentement qu'il n'eut aucun mal à traverser la rue. Il grimpa le petit escalier latéral, monta encore, louvoya sur l'esplanade dans la mêlée des taxis, et arriva dans le hall. Il y avait énormément de monde, et Pierre se retournait sans cesse pour voir si Diane ne l'avait pas suivi. Elle avait pu le voir sortir depuis la roulotte.

— Faudrait pas qu'elle essaye de s'accrocher !

Une colère sourde se formait en lui. Il lui semblait que tout se liguait pour le rouler. La fille. Ce monde pour le retarder. Tous ces cons qui ne bougeaient pas ! Mais qu'est-ce qu'ils foutaient donc à s'agglutiner comme ça devant les guichets ?

Pierre se plaça derrière une file d'une dizaine de personnes. Il observait l'entrée du hall où il s'attendait à voir surgir Diane et sa mère, et peut-être Kid. Il regardait aussi l'énorme cadran, au-dessus de l'entrée des voyageurs. Il était presque 7 heures. Si Kid rentrait, il allait le chercher. Il ne se souvenait plus s'il avait remis la valise sous le ring, ou s'il l'avait laissée sur le banc. Si Kid voyait qu'il avait pris ses affaires, il viendrait à la gare. Kid était malin. Pierre arriva enfin devant le guichet.

— A quelle heure il y a un train pour Paris ? demanda-t-il.

— Faut aller aux renseignements ou consulter le tableau des horaires, dit calmement l'employé à blouse blanche. Mais le 18 h 27 est parti, il n'y a rien avant 22 h 25.

— Bon Dieu, ça fait... 10 heures.

— 10 h 25, oui, monsieur. Vous voulez un billet ?

Pierre avait posé son paquet sur la banquette à bagages et tiré son portefeuille de sa poche.

— Mais il y a bien un train pour... pour je sais pas, moi, dans la direction de Paris ?

Derrière lui, une femme s'impatientait.

— Où allez-vous ? demanda l'employé.

— A Paris.

— Alors, je vous donne une deuxième classe pour Paris ?

— Mais je peux pas attendre 10 heures...

L'employé haussa le ton :

— Ecoutez, monsieur, allez vous renseigner, vous aurez le temps de prendre votre billet ensuite.

Pierre réalisa rapidement qu'il courait trop de risques à revenir dans ce hall si proche de l'entrée. Mieux valait pénétrer dans la gare et s'y cacher en attendant l'heure de départ.

— Non, donnez-moi mon billet tout de suite.

Il paya et fila vers la porte d'accès aux quais. Là aussi, les voyageurs étaient nombreux, mais le flot s'écoulait assez vite. Au passage de contrôle, il demanda où se trouvait le train pour Paris.

— Paris, dit le contrôleur, mais vous n'avez rien avant 22 h 25 !

— Je sais, mais où il est ?

— En principe, il s'arrête sur le quatrième quai. Mais ça peut changer. Vérifiez une demi-heure avant le départ.

Pierre examina l'intérieur de cette gare. Il ne l'avait vu que le jour où il avait pris le train pour Bourg en compagnie de Kid, mais, ce jour-là, il s'était laissé conduire.

Il marcha sur le premier trottoir, dans le seul but de s'éloigner de l'entrée. En passant devant la salle d'attente, il ralentit le pas, mais il renonça à s'y installer. Si Kid venait, il penserait sûrement à la salle d'attente. Un peu plus loin, il remarqua que l'entrepôt des bagages permettait d'accéder directement à l'esplanade extérieure. Il pensa qu'il ne devait pas rester là, mais il se dit aussi qu'il avait peut-être eu tort de prendre un billet. Malgré quelques employés qui poussaient des chariots, on devait pouvoir traverser sans être repéré. Seulement, il pouvait y avoir un contrôleur dans le train. Et puis, il y avait les billets de quai. Oui, mais pour le contrôle roulant, c'était la même chose.

Pierre s'embrouillait. Il s'encombrait la tête d'idées sans importance. Il se reprit et marcha jusqu'au passage souterrain où il s'engagea. Des heures de départ étaient affichées, mais, au quai n° 4, c'était un train pour Chambéry et un pour Saint-Etienne. Il aborda un employé :

— Saint-Etienne, c'est la direction de Paris ?

— Tu vas à Paris ?

— Oui.

— Alors, c'est pas ça. Si t'as pas loué ta place, faut prendre celui de 23 h 06. Il ne vient pas du Midi, tu as plus de chances de trouver une place.

L'homme était un vieux à grandes moustaches qui

avait une bonne tête. Comme il allait s'éloigner, Pierre demanda encore :

— Je voudrais partir le plus tôt possible, même si je vais pas jusqu'à Paris. Pourvu que ce soit dans la direction.

— Ah !

Le vieux semblait étonné. Il examinait Pierre de la tête aux pieds, l'air soupçonneux. Le garçon comprit qu'il devait dire quelque chose.

— Je peux plus me voir dans cette ville, fit-il. J'aimerais autant attendre dans une petite gare.

L'employé souleva sa casquette pour passer son mouchoir sur son crâne qui brillait. Il eut encore une hésitation. Montrant du doigt l'autre extrémité de la gare, il expliqua :

— Tu as un omnibus qui va jusqu'à Villefranche. Il part à trente-sept. Il est au cinquième quai, là-bas au bout. Seulement, tu te méfieras, tous les express ne s'arrêtent pas à Villefranche.

Pierre remercia et repartit. Il se retourna plusieurs fois. Le vieux le regardait s'en aller.

Le wagon où il monta était pareil à ceux qui forment les trains de banlieue dans la région parisienne. Il n'y avait que quelques personnes, et Pierre s'installa tout au fond de la voiture, du côté opposé au quai. De sa place, il pouvait surveiller l'entrée des voyageurs. S'il voyait arriver Diane ou Kid, il pourrait se baisser. Et puis, ils n'auraient pas idée de venir le chercher dans un omnibus en partance pour Villefranche. Il lui restait un peu moins d'un quart d'heure à attendre. Il pensait à ce nom de ville, Villefranche. C'était là que Guy s'était fait arrêter. Pierre revoyait Kid, le jour où il lui avait pris le journal relatant cette arrestation. Kid, c'était un sacré mec. Est-ce que Guy était encore en taule ? Sûrement. Mais pas à Villefranche.

Un rapide arriva, qui lui boucha la vue de l'entrée des voyageurs. Il restait dix minutes à attendre, et le wagon s'emplissait peu à peu de gens qui bavardaient ou lisaient. Pierre surveillait tour à tour le quai et la porte de la voiture. Quand le rapide repartit, il observa l'entrée des voyageurs et se leva pour examiner chaque quai. Sur le premier, il remarqua le vieil employé qui sortait d'un bureau en compagnie d'un contrôleur et de deux agents.

— Bon Dieu, ce vieux con m'a pris pour un mec en cavale. Il a foutu les flics dans le coup.

Tout d'abord affolé, Pierre vient de retrouver soudain son sang-froid. La seule vue des agents suffit à le calmer. Immobile, il suit des yeux le groupe qui marche rapidement. Il a juste le temps de les voir hésiter sur le bord du trottoir avant qu'un autre train ne vienne les cacher. C'est un marchandises qui roule lentement. Pierre pense :

— J'ai du pot. Ils vont prendre le passage. Celui de la sortie sud sûrement, c'est plus près.

Il empoigne son paquet, saute du wagon et court vers l'escalier qui conduit à l'autre passage. Il se répète :

— J'ai une chance sur deux... Une chance sur deux. Ils ont peut-être foutu un flic à la sortie.

Il s'arrête.

— Mais pourquoi je me tire ? Qu'est-ce que je risque ? Guy ? S'il m'avait balancé, ce serait déjà râpé. Dans les hôtels, j'ai rempli des fiches...

Il repart. Les flics sont les flics. Mieux vaut éviter tout contact avec eux.

— Si je sors de la gare, mon billet est foutu. Merde. Cinq sacs. Je me taillerai en stop. C'est ce que j'aurais dû faire... Et s'ils ont foutu un flic à la sortie ?

Il n'y a pas d'arrivée en ce moment, et personne ne sort de la gare. Pierre transpire à grosses gouttes. Un seul portillon est ouvert. Pierre avance. Tout de suite après le portillon, une enseigne indique : « Commissariat de police ». Un agent est adossé au chambranle. Il regarde Pierre. Pierre fait lentement demi-tour, marche en maîtrisant ses nerfs jusqu'à l'angle du quai. Une fois hors de vue de l'agent, il accélère son allure sans se mettre à courir. Il vient de penser à ce hall des bagages. Par-là, il a une chance. Même s'il doit sonner un employé, il passera. Une fois sur l'esplanade, ils pourront toujours lui courir aux trousses. Dans la foule, on est vite noyé. Il le sait pour s'y être caché souvent.

Pierre avance, scrutant le quai où il redoute de voir réapparaître le vieux, le contrôleur et les deux agents. Le train de marchandises s'est arrêté, cachant le reste de la gare. Pierre remonte le flot des voyageurs qui s'écoule de l'entrée. Il va atteindre cette entrée au moment précis où Kid paraît. Le petit hercule sourit. Il dit calmement :

— Je savais bien que je te trouverais ici.

58

Dès que Kid l'eut pris par le bras pour l'entraîner vers la sortie, Pierre éprouva une impression de soulagement. L'agent se tenait toujours sur le pas de la porte, et Pierre fut sur le point de dire à Kid qu'il était préférable de passer ailleurs, mais Kid ne marcha pas vers le portillon de contrôle. Il obliqua sur la gauche et entra dans la salle du buffet.

— Tu as pris un billet pour Paris, je suppose ? dit-il.

— Oui.

— Alors, on a le temps de bavarder, hein ?

Ils trouvèrent une table libre tout au fond de la salle. Pierre continuait d'observer la sortie. De sa place, il pouvait voir la tête de l'agent. Fallait-il parler à Kid ? Il regarda le petit hercule assis en face de lui et qui l'observait, un demi sourire tordant son visage.

— Alors, dit Kid. Tu partais sans me dire au revoir ?

— C'est une petite salope. Elle l'a fait exprès.

Kid se mit à rire en disant :

— Mais de quoi tu me parles ?

— Fais pas le con. C'est pas elle, peut-être, qui t'a envoyé me chercher ?

— Personne ne m'a envoyé ici. Je suis assez grand pour savoir ce que j'ai à faire. Quand je suis arrivé, j'ai demandé à Tine où tu étais. Elle n'en savait rien. Je suis allé chez Angèle, et le petit Christian m'a dit qu'il t'avait vu courir vers la gare au moment où il revenait de la boulangerie. Quand on court vers une gare avec une paquet sous le bras, ça veut dire qu'on va prendre un train. C'est tout.

Pierre baissa la tête. Le petit hercule était là, devant lui, avec son regard clair et son visage étonné. Il attendait une explication.

— Faut que je parte, Kid. C'est simplement parce que j'ai envie de partir.

— Regarde-moi.

Pierre leva les yeux. Le visage de Kid était grave. Il le sonda un moment en silence et se mit à parler lentement :

— Faut pas te payer ma tronche, petit. Je ne suis même pas allé voir Diane pour savoir ce qui s'est passé tantôt, mais tout de même, je suis pas né de la dernière rosée. Et puis, tu viens de dire : « La petite salope. » Alors, hein ? C'est pas sorcier. Elle est en cloque, quoi !

— Tu vois bien qu'elle est allée chialer pour que tu me coiffes !

Le petit hercule haussa le ton :

— Je te dis que je l'ai même pas vue ! Mais tu me prends pour une bille. Si tu fous le camp comme un jet, je me doute bien que c'est pas parce qu'elle voulait te violer, non ! Il y a un moment que tu te l'es envoyée. C'est toi qui me l'as dit. Ce qui est arrivé, ça se devine.

Il se tut. Le serveur s'approcha, et Kid commanda deux bières. Quand elles furent sur la table, il paya, but une gorgée et demanda :

— Alors, c'est vrai ou c'est pas vrai ?

— C'est vrai. Mais elle l'a fait exprès. J'en suis sûr...

Il s'énervait déjà. Kid l'interrompit.

— Ça, mon vieux, c'est son affaire et la tienne. Moi, je ne suis pas venu te chercher. Je suis pas son père. Je suis venu te dire au revoir. Je ne t'ai rien fait ? Tu t'en vas comme si tu avais quelque chose contre moi.

— Kid, je voulais pas attendre.

Le petit hercule parla encore un moment de la vie qu'ils avaient eue. Il s'exprimait posément, comme si le départ de Pierre eût été tout à fait normal. Le garçon continuait de regarder autour de lui. Il pensait toujours au vieil employé et aux agents. Pourtant, avec Kid, il se sentait plus tranquille. Ils restèrent un moment sans parler, puis, d'une voix toujours calme, Kid demanda :

— Alors, c'est décidé, tu t'en vas ?

Pierre fit oui de la tête.

— Tu es libre. La petite est majeure. Rien ne prouve que ce soit toi, et...

— Oh ! ça !

Pierre s'était redressé.

— Quoi. Tu es sûr que c'est toi ?

— Sûrement, oui. Mais elle l'a fait exprès.

Le doute émis par Kid l'avait blessé. Il regretta un instant sa réaction, mais il répéta pourtant :

— C'est sûrement de moi.

— Ça ne change rien, dit Kid. Tu restes libre de te tirer. Mais si tu t'en vas en étant persuadé que ce gosse est de toi, tu es un beau fumier.

Le petit hercule s'était accoudé à la table. Il avait appuyé sur ce dernier mot, et laissa passer quelques secondes avant d'ajouter :

— Tu es un petit salaud, et moi, je suis un drôle de con. Je me suis gourré sur ton compte. Et rudement, encore !

Il attendit une réponse, mais comme Pierre se bornait à fixer son verre, il vida le sien et se leva.

Alors, soudain, Pierre eut le sentiment que si Kid s'en allait, tout était perdu pour lui. Il allait se retrouver seul. Les flics allaient venir. Kid les verrait peut-être l'emmener et il n'interviendrait même pas.

— Kid, dit-il, t'en va pas.

— Qu'est-ce que tu veux que je foute ici ?

— Reste un moment.

— J'ai pas le temps. Faut que je bouffe en vitesse. J'ai déjà dégoté un mec pour la taule à Pat, mais il m'en reste...

Il s'arrêta, hocha la tête et fit la grimace.

— C'est vrai, dit-il. Faut que j'en trouve un de plus, puisque tu te tires.

Il repoussait sa chaise sous la table, quand Pierre se leva.

— Non, Kid, non.

— Quoi ? Tu vas pas me retenir de force ?

Il y avait encore un mot que Pierre avait dans la gorge, mais qu'il n'arrivait pas à dire. Kid le prit par le bras et le serra très fort. Ils restèrent ainsi face à face, quelques secondes, à se mesurer des yeux comme avant un combat. Pierre avala un flot de salive, puis, très bas, il finit par dire :

— Si c'est toi qui me dis de rester, Kid, je reste.

59

Avant de sortir du buffet, Pierre avait expliqué à Kid ce qui s'était passé avec le vieil employé. Kid avait éclaté de rire. Il trouvait cette aventure très drôle.

— Tout de même, disait-il, ça aurait été poilant que tu te fasses ramasser par des flics, en voulant échapper à ton vieux Kid. Merde alors, c'est pas aimable pour moi !

Lorsqu'il fallut quitter la gare, Kid refusa d'emprunter la sortie.

— On passerait comme rien, expliqua-t-il, mais on va pas paumer cinq sacs ? Faut faire rembourser ton billet.

— Non, Kid. J'aime mieux perdre l'argent.

— D'accord. Viens à l'autre sortie.

Ils suivirent le quai. A présent, plusieurs trains étaient arrêtés. Pierre surveillait le quai devant et derrière lui. Il pensait à Guy et au signalement que la police pouvait avoir de lui. Quelque chose lui disait qu'il ne risquait rien, mais il brûlait de se trouver hors de la gare. La présence de Kid était rassurante, mais que pouvait le petit hercule contre la police ?

— Tu as peur que ton pote ait jaspiné, dit Kid. Mais figure-toi que si tu étais recherché, il y a longtemps que tu aurais des nouvelles de la maréchaussée. (Il se mit à rire.) Et avec ta bille rasée de près, t'as plus rien du blouson noir.

Cette sortie-là était vraiment déserte. Une grosse

femme en blouse bleue se tenait dans la guérite vitrée.

— Tiens, remarqua Kid, c'est une bonne mémère. Tu as du bol. Même si elle t'attend, elle doit pas avoir une pointe de vitesse terrible.

Il sortit de sa poche son billet de quai qu'il tendit à Pierre en disant :

— Sors avec ça. Et va m'attendre chez l'Angèle. Tu lui demanderas de tout tenir prêt. J'aurai juste le temps d'avaler la soupe. Et toi, commence à manger, tu viendras avec moi.

Il prit le billet que Pierre avait acheté, resta sur place le temps que le garçon ait passé le contrôle, puis, après un petit geste de la main, il disparut. Pierre ne s'attarda pas devant la gare. Il dégringola l'escalier qu'il avait emprunté pour venir, fit un petit détour pour éviter la roulotte des Carminetti, et entra chez l'Angèle où la mère et les trois garçons étaient à table.

— Kid vous cherche, dit Angèle.

— Je l'ai vu, il sera là dans quelques minutes.

Elle le servit sans poser d'autre question, et il se mit à manger. Le calme était revenu en lui. Durant une demi-heure, il avait beaucoup pensé à Guy, à la police, à la nécessité de se cacher. A présent, tout cela s'éloignait déjà. Un fossé se creusait soudain entre ce monde qui était lié à son passé, et cette soirée qu'il vivait. Ce repas, cette table, ces trois garçons qui mangeaient sans rien dire, le regard fixé sur lui.

— Où il est, Kid ? demanda Gil.

— A la gare. Il vient tout de suite, répondit Pierre.

— Tais-toi, et mange, fit Angèle.

Elle acheva sa soupe, se leva pour porter son assiette sur l'évier et dit :

— Je vais aller remplacer la petite, la soupe est sur le gaz.

Elle allait sortir, mais elle se ravisa. Elle prit une lettre sur un petit meuble et la posa sur la table.

— C'est du père Tiennot, dit-elle. Vous pouvez la

lire, et vous la ferez lire à Kid. Il me dit qu'il m'envoie cinq mille francs...

Elle s'arrêta. Kid venait d'entrer. Elle répéta ce qu'elle avait dit en ajoutant :

— Le père Tiennot dit que c'est pour des fleurs ou autre chose si ça m'arrange... Vous vous rendez compte, cinq mille francs, pauvre vieux !

Kid affirma que le Portugais avait un bon petit magot de côté. Ménageant ses effets, il tira cinq billets de mille francs de sa poche, puis trois pièces de cent francs.

— Tiens, dit-il, ça te fera dix sacs. La monnaie, c'est pour les lardons.

— Mais Kid...

Il interrompit Angèle, donna les trois pièces aux garçons et, poussant les billets au milieu de la table, il expliqua :

— C'est de l'argent sur lequel je comptais plus. Un copain à qui j'avais prêté de quoi prendre le train, il y a quelque temps. J'en avais fait mon deuil. Mais je viens de rencontrer le gars. Il avait du fric, y m'a remboursé.

Angèle voulut encore refuser, mais Kid se fâcha en disant qu'il n'avait pas le temps de discuter, et que c'était une avance sur sa pension et celle de Pierre. Dès qu'elle fut sortie, il se tourna vers Pierre et lança :

— Faut tout de même que tu sois bille. Cinq minutes, il m'a fallu pour être remboursé. Cinq minutes pour gagner cinq mille trois cents balles, c'est pas chez Pat que ça t'arrivera, même avec moi pour faire la postiche.

60

Le repas expédié, ils prirent un trolleybus pour gagner le centre de la ville, où Kid devait rencontrer des hommes susceptibles de travailler avec eux. Ils parlaient peu. De temps à autre, Kid disait seulement :

— Tu verras, petit môme, tu le regretteras pas.

Et il clignait de l'œil, comme il avait coutume de faire chaque fois qu'il voulait encourager Pierre avant un exercice difficile.

Lorsqu'ils rentrèrent, Kid avait réussi à constituer une équipe qui devait donner toute satisfaction. Pour la première fois, Pierre l'avait entendu parler en patron. Il avait discuté ferme le prix des salaires et les conditions de travail, avec ces gaillards qui le dominaient tous par la taille et le poids. Kid avait au moins une chose de plus qu'eux : il savait parler. Dans la discussion, les autres avaient à peine le temps de formuler une objection que déjà il lançait sa réponse. Il avait raison de dire qu'il s'y connaissait en hommes. Il les avait rencontrés l'un après l'autre, et il avait chaque fois adopté une tactique différente.

— Le tout, expliquait-il à Pierre sur le chemin du retour, c'est de ne jamais se payer la tête des mecs. S'ils te font confiance, tu peux tout leur demander... Tu vas voir, petit. Tu vas voir comment on fait marcher une taule comme celle de Pat.

Pierre se sentait heureux. Il marchait à côté de Kid, et il se trouvait bien. C'était tout. Il ne pensait à rien. Kid était là pour tout organiser, tout prévoir, tout arranger.

Lorsqu'ils arrivèrent cours de Verdun, Kid marcha droit sur la roulotte des Carminetti. Devant la grande tente, Pierre s'arrêta.

— Alors quoi, fit le petit hercule, tu viens pas avec moi ?

— Non. C'est pas la peine.

— Tu vas faire comme le soir où je t'ai emmené chez Gégène ?

— Demain, Kid. Je la verrai demain.

— Fais pas l'andouille, je te dis. Viens !

Ils montèrent. Le vieux Pat dormait dans son fauteuil, la tête cassée en avant, le menton touchant presque sa poitrine velue. Tine et Diane étaient assises côte à côte devant la table, à écosser des petits pois. Tine se leva.

— On n'a pas pu coucher le vieux Pat. Et j'ai pas voulu aller déranger des hommes. Je croyais pas que tu rentrerais si tard.

— Tu te figures que c'est facile ?

— Alors ?

— C'est fait. J'ai ce qu'il nous faut.

Diane regardait Pierre. Ses yeux montraient qu'elle avait pleuré. Il sourit, et le visage de Diane s'éclaira lentement, comme si elle hésitait devant la réalité. Elle semblait douter de sa présence. Pierre éprouva le besoin de dire quelque chose.

— Kid est formidable, fit-il. Il a trouvé des mecs terribles. Et il veut...

Il se tut. Le vieux Pat venait de se réveiller. Il grogna en agitant la main et en regardant les deux hommes. Kid s'approcha de lui, et, parlant très fort, il expliqua qu'il avait pu recruter des hommes de première force.

— Des mecs comme on en avait dans le temps, Pat. De première bourre. (Il se tourna vers Pierre.) Et le petit, je vais le mettre sur l'estrade. Je suis certain que ça va tourner.

Le vieux lui avait empoigné la main. Il grognait

toujours, très agité, mais son regard brillait. Il semblait heureux. Pourtant, ses paupières se mirent à battre, et deux larmes perlèrent un moment au bout de ses cils, avant de se mêler à la sueur qui coulait sur ses joues mal rasées.

Kid et Pierre couchèrent le vieux Pat et restèrent un moment vers les deux femmes, parlant de la façon dont s'organiserait le travail. Lorsque Tine demanda à Kid pourquoi il voulait mettre Pierre sur l'estrade, Kid se frotta le crâne, regarda Pierre, puis Diane, puis de nouveau la patronne, en disant :

— Je sais bien qu'il est jeune, mais je crois quand même qu'il faut l'habituer à faire le haut. Les barons, c'est plus facile à trouver.

Il s'arrêta, parut interroger Pierre du regard avant de demander :

— Enfin, c'est mon idée. Mais c'est tout de même à lui de savoir s'il veut vraiment apprendre le métier ?

Son regard vif vola vers Diane avant de revenir à Pierre.

— Alors, qu'est-ce que tu en penses, petit ?

— Moi, dit Pierre, si tu penses que je peux le faire, je ne demande pas mieux.

Quand ils sortirent, Diane descendit avec eux et fit quelques pas à côté du garçon. Tandis que Kid soulevait l'auvent, elle demanda :

— Tu voulais partir ?

— Non. Je reste.

— Mais tu voulais partir ?

— Puisque je te dis que je reste.

— Je t'aime, fit-elle. Mais tu sais, j'ai rien dit à personne, je peux te le jurer.

Elle se retourna. Sa mère était rentrée dans la roulotte, Kid avait disparu derrière l'auvent. Elle poussa Pierre dans l'espace d'ombre qui séparait la tente de la roulotte et répéta :

— Je t'aime. Je t'aime. On sera heureux, tu sais. Je suis certaine qu'on sera heureux.

61

Pierre trouva Kid déjà couché, bras repliés et mains derrière la tête, tout son torse bronzé émergeant du sac de toile blanche. Il ouvrit les yeux et sourit.

— Alors, lança-t-il, tu voulais te filer au page avant moi, mais c'est tout de même toi qui rentres le dernier.

Le garçon déroula son sac et sa couverture, et commença de se dévêtir.

— Tu déferas ton baluchon, dit Kid, sinon tes chemises vont être toutes froissées.

Il eut un petit rire narquois avant d'ajouter :

— C'est vrai qu'à présent, tu vas avoir une petite bourgeoise pour te repasser tes sappes.

— Déconne pas avec ça...

Le petit hercule se tourna sur le côté.

— Quoi, railla-t-il, c'est moi qui débloque ? Merde alors, elle est un peu bonne celle-là !

— Si tu te payes ma tronche avec ça, Kid, je foutrai le camp.

Pierre se tourna vers lui. Dans cette position, Kid, dont le biceps gauche reposait sur la poitrine, était impressionnant. Sa tête rentrée dans ses épaules donnait encore de la puissance à son cou tout en muscles. Il avait cessé de rire.

— Tu regrettes quelque chose ? demanda-t-il.

Pierre pensait aussi bien à son argent qu'à la promesse qu'il venait de faire à Diane. Il réfléchit un moment avant de répondre :

— Non. Tu as bien fait.

— Quoi ?

Kid voulait connaître le fond de sa pensée. Pour lui, la mort de Gégène et les enfants sans argent devaient compter beaucoup plus que Diane.

— Pour le pognon, dit Pierre. Je l'aurais donné, tu sais.

— Alors, tu vois, ça valait mieux comme ça. L'Angèle n'a pas eu à te remercier, et toi, tu n'as pas été obligé de lui dire qu'il n'y avait pas de quoi.

Kid se tut. Son visage un instant détendu redevint soucieux.

— Quand je t'ai demandé si tu regrettais, dit-il, c'était pas de ton fric, que je voulais parler. Je savais bien que tu serais d'accord, sinon, je l'aurais pas fait. Et puis, le fric, c'est pas le plus important. Mais Diane, c'est autre chose.

Pierre était prêt à se coucher. Il s'accroupit pour mieux regarder Kid, et il dit lentement :

— Non. Je regrette pas.

Le petit hercule eut un sourire qui s'attrista peu à peu. Il finit par baisser la tête et murmura :

— Dire qu'on a enterré ce pauvre Gégène à 11 heures. Ça paraît déjà terriblement loin... Bon Dieu, quand on s'en va de ce monde...

Sa phrase demeura inachevée. Lui qui savait si bien parler des vivants se trouvait à court de mots dès qu'il s'agissait des morts. Après un long silence, il ajouta pourtant :

— La vie, c'est comme ça : il y a des jours où il se passe tellement de choses, que ça vous fait une drôle d'impression.

Pierre s'était relevé. Il monta sur un tabouret et enleva l'ampoule qu'il alla poser à tâtons dans la valise. Une fois couché, il se mit à regarder le toit de toile où dansaient les lumières et les ombres. Tout autour, la fête battait son plein.

— Demain, à cette heure-là, observa Pierre, on sera en pleine bourre.

— Oui, et dans trois jours on pliera le matériel. Mais avant, faut qu'on trouve le temps d'aller voir le père Tiennot jusqu'à Vienne.

Pierre approuva. Ils étaient immobiles, côte à côte à écouter cet éternel concert des haut-parleurs, du ronflement des moteurs, du brouhaha de la foule où ils finissaient par ne plus rien distinguer. Un long moment coula ainsi, et Kid se remit à parler. Il parla de Gégène vivant, de l'Angèle, des gosses. Et c'était un peu comme les premiers soirs, lorsqu'il dressait le bilan de sa vie et faisait des projets d'évasion vers la route sans limite. Mais, à présent, il n'était plus question de départ. Plus question de liberté. Il ne disait plus rien de cette existence sans soucis, dont le seul fil conducteur était cette route capricieuse, toute pleine d'imprévus au goût de mystère, et dont on ne savait jamais vers quel point de l'horizon elle se dirigerait le lendemain. Tout ce qu'il envisageait à présent se traduisait d'abord en chiffres. Les dettes de l'Angèle, la baraque des Carminetti à remonter, tout cela c'était le travail à venir. Il s'en tint un bon moment à l'organisation de la besogne, avant d'en arriver à son idée de cirque.

— Ce sera pas du sucre, dit-il, à cause de l'Angèle. Elle en a tellement bavé ; elle a tellement vu d'accidents que ça va lui foutre la trouille, cette idée de cirque pour ses lardons. Et pourtant, plus j'y pense, plus je suis certain que c'est la seule solution.

Il se tut. Le bruit de la fête était toujours aussi intense. Il montait autour d'eux comme une marée sans cesse renouvelée. Mais Pierre n'y prêtait plus attention. C'est à peine s'il tournait la tête lorsque des pétards claquaient tout près de la baraque, illuminant un pan de bâche de petits éclairs jaunes ou rouges.

— Si tu t'étais tiré, demanda Kid, qu'est-ce que tu allais bricoler, à Paris ?

— Je sais pas.

— Tu voulais retourner dans ton usine de verres ?

— Sûrement pas. N'importe quoi, mais pas cette vacherie-là !

Il entendit à peine Kid murmurer :

— Bien sûr, n'importe quoi...

Usine. Ce seul mot avait suffi pour que tout un monde se mette à vivre. Un monde triste et dur. Un monde monotone. Un monde où le gris de l'émeri se mêlait à la rouille de cette poudre à polir qui vous collait à la peau et imprégnait les vêtements. Pierre revoyait les visages, gris et rouillés comme toute l'usine, se pencher vers les machines. Des bras répéter toujours et toujours le même geste, à la même cadence strictement minutée. Des dos voûtés à force d'être courbés vers les bacs de lavage où les mains devenaient molles et tendres avant d'être déformées par le rhumatisme. Le passage horaire des contremaîtres vérifiant les galbes, comptant les blocs.

Pierre n'était plus dans la baraque des Carminetti. Le vacarme de la fête avait cédé la place au grondement des moteurs énormes, au claquement des poulies, au roulement des chariots poussés par des manœuvres qui, toute une vie, accomplissaient sans trêve le même trajet dans les travées de l'usine. Pierre avait retrouvé cet univers où stagnaient chaque semaine quarante heures interminables, qui finissaient pourtant par déboucher invariablement sur les rues sans joie, les bistrots, les appareils à sous, les tourne-disques et le cinéma. Il lui semblait que tous ses copains de ce temps-là étaient loin de lui, plus éloignés et plus morts que Gégène qu'il avait à peine connu.

La lutte, la vie avec Kid, le travail sur les places, c'était tout de même autre chose. Pas un seul de ses anciens copains qui pût être comparé à Kid. Dans les bandes, il y avait des chefs, mais le petit hercule aussi en était un. Un caïd, un vrai. Il l'avait montré ce soir encore.

En quittant Paris avec Guy, il avait eu le sentiment de suivre un chef. Ils étaient partis pour échapper à l'usine, pour se donner de l'air. A Marseille, ils avaient trouvé autre chose qui ne valait guère mieux. Une corvée. Une nouvelle corvée à laquelle ils avaient encore voulu échapper.

Avec Kid, le travail n'était jamais une corvée.

Pierre se tourna sur le côté. Sa main chercha la fraîcheur de la bâche tendue sur le ring. L'établi, comme disait Kid. Sur cet établi, il s'était couché avec Diane. Là, à l'endroit où Kid avait déroulé son sac.

Habitué à la pénombre, Pierre se redressa sans bruit sur un coude pour regarder Kid qui tourna la tête vers lui. Les yeux du petit hercule brillaient, et Pierre pensa au diable qui flottait dans le bocal de la voyante. Kid savait deviner les choses et scruter les individus beaucoup mieux que cette vieille dont c'était pourtant le métier. N'avait-il pas également le pouvoir de vous imposer certaines décisions qu'on avait pourtant l'impression de prendre seul ?

— Tu ne dors pas non plus, observa Kid. Faudrait pourtant roupiller. Demain, les hommes seront là à 8 heures. Et si on veut faire trois séances l'après-midi, faudra bien toute la matinée pour tout mettre au point. La postiche, les combats...

— Mais le baratin, tu le connais à fond.

— Moi, oui. Seulement, faut se mettre d'accord avec ceux qui vont faire le bas. Tu sais bien qu'un nouveau baron, faut s'entendre avec lui. Si on veut que ça marche, faut rien laisser à l'improvisation.

Le petit hercule donna encore quelques explications sur la façon dont il entendait équilibrer ses spectacles, puis il se tut après avoir répété qu'il fallait se reposer.

Le grand huit venait de s'arrêter, et la fête était soudain un orchestre sans batterie, sans rien pour imposer un rythme.

— Ça ne va pas tarder de finir, observa Kid en

soupirant. Ce soir, on aurait fait de l'oseille, c'est moi qui te le dis !

Le haut-parleur des autos tamponneuses paraissait plus puissant à mesure que d'autres bruits s'éteignaient. Il continuait d'enfiler, l'une derrière l'autre, ses éternelles rengaines que dominait seulement l'énorme klaxon ponctuant chaque tour.

— Kid, murmura Pierre, je voulais te dire quelque chose.

— Quoi ?

— Quand on était dans la ferme, près de Bourg, le jour où tu m'as fait essayer l'évasion aérienne...

Le petit hercule l'interrompit d'un ricanement.

— Te fatigue pas, dit-il. L'évasion, t'en voulais une vraie. Je suis pas miraud, tu sais.

— Mais alors, pourquoi tu...

— Question de flair, petit. Et puis toi, t'aime jouer au flipper, moi, j'aime mieux jouer avec les bonshommes, même si je prends un gros risque. Mais laisse-moi roupiller. On parlera de ça plus tard. Ça nous fera des souvenirs, quand on n'aura rien d'autre à se dire.

Pierre se tut. Il tourna le dos à Kid et ferma les yeux pour tenter de trouver le sommeil. Mais trop de choses remuaient en lui. Il avait trop longtemps vécu la tête vide. Cette nuit, il se sentait bouillonnant, tout habité d'un tumulte plus fort que celui de la fête qui s'estompait lentement. Il s'imposa un moment de silence puis, n'y tenant plus, il se retourna.

— Kid, dit-il, faut encore que je te dise quelque chose.

Le petit hercule répondit par un grognement qui n'était ni un oui ni un non.

— Tu sais, reprit Pierre, Diane c'est sûrement pas une petite salope. J'ai eu tort de dire ça. Elle a sûrement pas cherché à me blouser.

Kid grogna encore, remua dans son sac, et lança d'une voix toute empâtée de sommeil :

— Ça aussi, je le savais. Sinon, je serais pas allé te chercher. Mais tu me les casses. Pense à ta souris si tu veux, et laisse-moi roupiller. Seulement, un conseil, lui fais pas un pilon par an, sinon, toi aussi tu seras obligé de monter un cirque. Et moi, tu sais, je supporte pas la concurrence.

ÉPILOGUE

Ce matin, les premières voitures de la fête foraine sont arrivées à Vienne. Pierre, qui conduisait le camion de la baraque des lutteurs, a regardé un moment la longue place descendant en pente douce jusqu'au quai du Rhône, avant de se mettre au montage avec deux des lutteurs. Avec un autre lutteur, Kid a monté la baraque de nougat que tiennent le gros Pat et sa femme, puis la petite loterie de l'Angèle. Depuis tant de mois qu'ils font ce travail, tout marche comme une mécanique parfaitement réglée. A peine un mot ou un juron de loin en loin. Pat regarde. Il donne des conseils ou lance des ordres que personne n'écoute. Il va d'un chantier à l'autre, clopinant sur sa jambe raide et versant à boire. Pierre le surveille. Pat a droit à un verre chaque fois que les autres boivent.

A présent, il est 4 heures de l'après-midi et tout est installé. Pierre se lave au robinet fixé derrière la remorque et regagne une petite caravane bleu clair arrêtée à côté de la vieille roulotte. Diane est assise à table.

— Qu'est-ce que tu fais ? demanda Pierre.

— Je viens d'écrire une lettre au vieux Tiennot. Ça fait plus d'un mois que je devais lui répondre. Une maison de repos, tu sais, c'est pas toujours drôle. Il ne doit pas recevoir beaucoup de nouvelles.

Pierre s'assied, il prend la lettre, hésite à lire.

— Tu ne regardes pas ce que je dis ?

— Tu en as mis trop long.

Diane paraît déçue. Pierre soupire. La lecture, ce n'est pas son fort. Il commence pourtant de lire :

« Mon cher Tiennot, je voulais toujours vous répondre, mais vous savez bien que chez nous, c'est le travail qui commande. Je vous donne tout de suite des nouvelles du petit. Il aura trois mois dans huit jours. Il se porte bien, et il a déjà tellement de poigne que Kid prétend que ce sera un lutteur fort comme son grand-père... »

Pierre s'est arrêté de lire. Il sait ce que raconte sa femme. C'est toute leur vie telle qu'elle est aujourd'hui. Telle qu'elle s'est faite en un an, depuis qu'ils ont quitté cette ville où le vieux Portugais a eu son accident.

Un an de travail avec une bonne équipe. Les dettes payées, cette petite caravane achetée à crédit, où ils vivent tous les trois, sa femme, son fils et lui. Le vieux Pat se cramponne à la vie. Il peut durer encore dix ans, mais il n'est pas encombrant. Il se rend compte que tout marche bien, et il sourit. Quand il voit le bébé, son œil devient tout luisant, comme si le soleil entrait avec l'enfant jusqu'au fond de la vieille roulotte.

Depuis quelques mois, Kid ne couche plus sous la tente. Il s'est mis en ménage avec l'Angèle. Il continue de travailler avec Pierre qu'il s'est mis à appeler Pat. Kid a graissé ses sabres qu'il a rangés avec son extenseur. Quand Pierre lui en parle, son visage s'éclaire, et il affirme qu'il se sent prêt à reprendre son numéro le jour où il ouvrira son cirque.

— Ça s'appellera le Cirque Gégène, explique-t-il, et tu verras ce que tu verras.

Et ce ne sont pas des propos en l'air. Angèle s'est bien fait tirer l'oreille, mais elle a fini par céder. Pierre l'avait prévu. Il sait bien que personne ne peut arrêter Kid lorsqu'il a une idée dans le crâne.

Chaque matin, Kid vient avec les gosses s'enfermer dans la baraque de lutte pour une séance de travail. La petite Pierrette a eu beaucoup de peine les premiers temps, mais elle y a mis tant de courage qu'elle fait le grand écart longitudinal, et qu'elle en sera bientôt à le réussir de face. Elle a acquis une grande souplesse des reins, et Kid qui ne se trompe jamais, affirme qu'avant deux mois, en faisant le pont, elle viendra ramasser avec ses dents un mouchoir posé entre ses pieds. Kid sait fort bien ce que l'on peut demander aux enfants sans leur faire courir aucun risque. Quand Pierre vient se mêler à leurs séances de travail, Kid lui dit :

— Dès que ton lardon aura deux ans, tu me le confieras, tu verras ce que j'en ferai. Ce qu'il faut éviter, c'est tout ce qui peut risquer de leur nouer les muscles. Mais pour tout ce qui est souplesse, on ne commence jamais trop tôt. Et l'équilibre, c'est la même chose.

Kid ne se vante pas. Le petit Gil marche déjà sans peine sur une corde tendue entre deux poteaux du ring. Ses deux frères en sont au saut périlleux arrière.

Pierre pense souvent à ce que disait Kid, les premiers temps qu'ils se connaissaient : « Moi, j'ai jamais voulu me marier pour rester libre. Gégène, il s'est foutu le bagne sur le dos, avec ses lardons à élever. Les pilons, c'est les travaux forcés à perpète... »

A présent, Kid ne parle plus jamais de cela. Il dit parfois :

— L'an prochain, j'installerai un petit trapèze. Seulement, faut pas le dire à l'Angèle. Elle a bien le temps de gueuler quand elle le verra. Les femmes, ça râle toujours, mais faut pas se laisser faire.

Lorsque le petit hercule parle de trapèze, Pierre sait très bien qu'il pense à Gégène. Ce matin, en descendant de la vieille Ford que Pierre a achetée pour tirer sa caravane, Kid a dit :

— Dans quinze jours, on sera à Lyon, et on ira sur sa tombe.

Il y aura bientôt un an que Gégène est mort. En arrivant sur cette place de Vienne, Pierre a regardé l'endroit où Gégène lui avait lancé ce tabouret qui l'a arrêté dans sa fuite. Où est Guy ? Qu'est-il devenu ? A présent, lorsque Pierre se trouve sur l'estrade et qu'il voit tous les jeunes pareils à ce qu'il était alors, il a envie de leur crier que la vie, c'est tout de même autre chose. Mais il se tait. Ces jeunes-là lui apportent leur argent, comme les autres. Il aimerait seulement retrouver la bande de Perrache qui lui a volé son portefeuille. A force de boxer et de lutter à longueur de journées, Pierre a perdu le goût de la bagarre. Pourtant, ceux-là, il aimerait les retrouver. A présent, il n'aurait plus besoin du secours de Kid pour les corriger. En un an, il a pris dix kilogs de muscles et beaucoup de métier. Il se sent capable d'en empoigner un par les pieds pour cogner dans le tas. Il est fort. Il le sait, et les autres le savent aussi ; surtout Pat qui n'oserait plus boire comme il faisait autrefois. Peu de temps après sa sortie de l'hôpital, malgré sa patte folle, il a réussi à se sauver. Il est rentré saoul et l'œil mauvais, prêt à cogner. Pierre s'est avancé, mais Tine et Diane l'ont arrêté. Kid a obligé Pat à se coucher et, le lendemain, quand il s'est réveillé, Pierre lui a dit simplement :

— Je vous préviens, je veux pas travailler pour qu'un autre boive. La prochaine fois...

Il n'a dit que cela. Pat a baissé la tête. Il sait qu'il n'est plus de taille. Et puis, il n'a plus à lui que sa confiserie.

Pierre a perdu le goût de la bagarre, et pourtant, c'est lui le patron. Il commande à tous, sauf à Kid qui est resté un conseiller précieux. Sauf à sa femme aussi. Diane est toujours douce et fluette, mais c'est tout de même elle qui prend la plupart des décisions.

Ce soir, avant de gagner la vieille roulotte où elle prépare les repas, elle lève son fils et l'habille.

— Pourquoi tu le réveilles ? demande Pierre. Il dormait, fallait le laisser.

— Non. Il faut le sortir pendant qu'il y a du soleil. Tu vas venir avec moi, on postera la lettre au père Tiennot.

— Moi, tu sais, je suis un peu crevé.

— Je te demande de venir avec moi.

Pierre soupire. Il grogne un peu, mais il se lève et prend le petit que sa femme lui tend.

Ils vont jusqu'à la boîte aux lettres qui se trouve à l'angle de la place, puis Diane se dirige vers le fleuve. Le petit s'est rendormi dans les bras de son père. Au sommet de l'escalier qui dégringole vers le bas du port, Diane regarde Pierre, et commence à descendre. A la troisième marche, elle se retourne pour dire :

— Fais attention, ça glisse un peu.

Pierre se met à rire.

— L'an dernier, dit-il, tu m'as déjà amené ici. Et c'était de nuit, mais tu ne t'es pas demandé si je risquais de me casser la gueule.

— L'an dernier, tu ne portais pas mon gosse sur les bras.

Une fois sur le bas-port, ils marchent pour atteindre un énorme tronc d'arbre charrié jusque-là par une crue. Pierre s'assied, face au fleuve que le soleil fait étinceler. Diane reste plantée devant lui à regarder le Rhône.

— Tu ne veux pas t'asseoir une minute ? demande Pierre.

Sans répondre, Diane marche en direction de l'eau. Arrivée au bord du quai, elle se retourne pour dire :

— Ne bouge pas, attends-moi ici.

Elle fait quelques pas sur la bordure, puis elle saute. Pierre sent son cœur se serrer un peu. Il pense qu'elle va se casser une jambe, mais il la voit sourire. Elle s'éloigne sur les rochers inégaux où l'eau a déposé une couche de vase que la chaleur craquelle. Elle atteint une petite plage de galets qui s'avance comme une langue noire posée sur la lumière.

Elle se baisse, et Pierre voit des gouttes de soleil gicler à côté d'elle. Il ne comprend pas cette idée subite d'aller se laver les mains dans le fleuve. Diane se redresse et revient en courant, les deux mains jointes. On dirait qu'elle sème des perles tout le long de son chemin. Elle garde ses mains ainsi pour grimper la pente raide, et elle doit s'y reprendre à deux fois.

Pierre pense qu'elle veut l'asperger. Mais, aussitôt arrivée, c'est au visage du petit que Diane jette les quelques gouttes restées à ses doigts. Le bébé grimace.

— Tu es folle ! Tu vas le faire chiâler. Pourquoi tu fais ça ?

Diane regarde Pierre. Son visage est entre la moue et le sourire. Ses yeux semblent chercher quelque chose qui pourrait l'aider à parler. Elle lève la tête vers le mur qui les sépare de la route où grondent les voitures, elle se retourne vers le fleuve.

S'étant assise à côté de Pierre, elle parle enfin :

— Un jour, un vieux de Condrieu m'a raconté qu'autrefois les bateliers baptisaient leurs gosses de cette façon...

Elle se tait. Pierre comprend qu'elle veut ajouter quelque chose. Elle se penche vers le petit et dit encore :

— C'est comme ça qu'on fait les hommes forts.

Chelles, 17 juin 1966.

ROMANS-TEXTE INTÉGRAL

ARNOTHY Christine
343** Le jardin noir
368* Jouer à l'été
377** Aviva

BARCLAY Florence L.
287** Le Rosaire

BIBESCO Princesse
77* Katia

BODIN Paul
332* Une jeune femme

BORY Jean-Louis
81** Mon village à l'heure allemande

BRESSY Nicole
374* Sauvagine

BUCK Pearl
29** Fils de dragon
127** Promesse

CARRIÈRE Anne-Marie
291* Dictionnaire des hommes

CARS Guy des
47** La brute
97** Le château de la juive
125** La tricheuse
173** L'impure
229** La corruptrice
246** La demoiselle d'Opéra
265** Les filles de joie
295** La dame du cirque
303** Cette étrange tendresse
322** La cathédrale de haine
331** L'officier sans nom
347** Les sept femmes
361** La maudite
376** L'habitude d'amour

CARTON Pauline
221* Les théâtres de Carton

CASTILLO Michel del
105* Tanguy

CESBRON Gilbert
6** Chiens perdus sans collier
38* La tradition Fontquernie
65** Vous verrez le ciel ouvert
131** Il est plus tard que tu ne penses
365* Ce siècle appelle au secours
379** C'est Mozart qu'on assassine (mars 1971)

CHEVALLIER Gabriel
383*** Clochemerle-les-Bains (avril 1971)

CLARKE Arthur C.
349** 2001 L'Odyssée de l'espace

CLAVEL Bernard
290* Le tonnerre de Dieu
300* Le voyage du père
309** L'Espagnol
324* Malataverne
333** L'hercule sur la place

CLIFFORD Francis
359** Chantage au meurtre
388** Trahison sur parole (mai 1971)

COLETTE
2* Le blé en herbe
68* La fin de Chéri
106* L'entrave
153* La naissance du jour

COURTELINE Georges
3* Le train de 8 h 47
59* Messieurs les Ronds de cuir
142* Les gaîtés de l'escadron

CRESSANGES Jeanne
363* La feuille de bétel
387** La chambre interdite (mai 1971)

MAUROIS André
71** Terre promise
192* Les roses de septembre

MERREL Concordia
336** Le collier brisé

MONNIER Thyde
Les Desmichels :
206* I. Grand-Cap
210** II. Le pain des pauvres
218** III. Nans le berger
222** IV. La demoiselle
231** V. Travaux
237** VI. Le figuier stérile

MORAVIA Alberto
115** La Ciociara
175** Les indifférents
298*** La belle Romaine
319** Le conformiste
334* Agostino
390** L'attention (juin 1971)

MORRIS Edita
141* Les fleurs d'Hiroshima

MORTON Anthony
352* Larmes pour le Baron
356* Le Baron cambriole
360* L'ombre du Baron
364* Le Baron voyage
367* Le Baron passe la Manche
371* Le Baron est prévenu
375* Le Baron les croque
382* Le Baron chez les fourgues (mars 1971)
385* Noces pour le Baron (avril 1971)
389* Le Baron et le fantôme (mai 1971)

MOUSTIERS Pierre
384** La mort du pantin (avril 1971)

NATHANSON E.M.
308*** Douze salopards

NORD Pierre
378** Le 13e suicidé

OLLIVIER Eric
391* Les godelureaux (juin 1971)

PEREC Georges
259* Les choses

PÉROCHON Ernest
69* Nêne

PEYREFITTE Roger
17** Les amitiés particulières
86* Mademoiselle de Murville
107** Les ambassades
325*** Les Juifs
335*** Les Américains

RENARD Jules
11* Poil de carotte

ROBLES Emmanuel
9* Cela s'appelle l'aurore

ROMAINS Jules
Les hommes de bonne volonté (14 volumes triples)

ROSSI Jean-Baptiste
354** Les mal partis

ROY Jules
100* La vallée heureuse

SAINT PHALLE Thérèse de
353* La chandelle

SALMINEN Sally
263** Katrina

SIMAK Clifford D.
373** Demain, les chiens

SIMON Pierre-Henri
83* Les raisins verts

SMITH Wilbur A.
326** Le dernier train du Katanga

STURGEON Theodore
355** Les plus qu'humains
369** Cristal qui songe

TROYAT Henri
10* La neige en deuil
La lumière des justes :
272** I. Les compagnons du coquelicot
274** II. La Barynia
276** III. La gloire des vaincus
278** IV. Les dames de Sibérie
280** V. Sophie ou la fin des combats
323* Le geste d'Eve

Les Eygletière :
344** I. Les Eygletière
345** II. La faim des lionceaux
346** III. La malandre

URIS Leon
143*** Exodus

VAN VOGT A.-E.
362** Le monde des Ã
381** A la poursuite des Slans (mars 1971)
392** La faune de l'espace (juin 1971)

VIALAR Paul
57** L'éperon d'argent
299** Le bon Dieu sans confession
337** L'homme de chasse
350** Cinq hommes de ce monde. T. I
351** Cinq hommes de ce monde. T. II
372** La cravache d'or

WEBB Mary
63** La renarde

J'AI LU LEUR AVENTURE

ALLSOP Kenneth
A. 50*** Chicago au temps des incorruptibles du F.B.I.

BEKKER Cajus
A. 201*** Altitude 4 000

BÉNOUVILLE Guillain de
A. 162*** Le sacrifice du matin

BERBEN P. et **ISELIN** B.
A. 209*** Les panzers passent la Meuse

BERGIER Jacques
A. 101* Agents secrets contre armes secrètes

BOLDT Gerhard
A. 26* La fin de Hitler

BORCHERS Major
A. 189** Abwehr contre Résistance

BRICKHILL Paul
A. 16* Les briseurs de barrages
A. 68** Bader, vainqueur du ciel

BUCHHEIT Gert
A. 156** Hitler, chef de guerre. T. I
A. 158** Hitler, chef de guerre. T. II

BURGESS Alan
A. 58** Sept hommes à l'aube

BUSCH Fritz Otto
A. 90* Le drame du Scharnhorst

CARELL Paul
A. 9** Ils arrivent !
A. 27*** Afrika Korps
Opération Barbarossa:
A. 182** I. L'invasion de la Russie
A. 183** II. De Moscou à Stalingrad
Opération Terre brûlée :
A. 224** I. Après Stalingrad
A. 227** II. La bataille de Koursk
A. 230** III. Les Russes déferlent

CARTAULT D'OLIVE P.
A. 178** De stalags en évasions

CARTIER Raymond
A. 207** Hitler et ses généraux

CASTLE John
A. 38** Mot de passe « Courage »

CHAPMAN Eddie
A. 243** Ma fantastique histoire

CLÉMENT R. et **AUDRY** C.
A. 160* La bataille du rail

CLOSTERMANN Pierre
A. 6* Feux du ciel
A. 42** Le grand cirque

CONTE A.
A. 108** Yalta ou le partage du monde

CRAWFORD John
A. 199* Objectif El Alamein

DIVINE David
A. 197** Les 9 jours de Dunkerque

DRONNE Raymond
A. 239** Leclerc et le serment de Koufra

FORESTER C.S.
A. 25* « Coulez le Bismarck »

FORRESTER Larry
A. 166* Tuck l'immortel, héros de la R.A.F.

GALLAND Général
A. 3** Jusqu'au bout sur nos Messerschmitt

GOLIAKOV et PONIZOVSKY
A. 233** Le vrai Sorge

GUIERRE Cdt Maurice
A. 165* Marine-Dunkerque

HANSSON Per
A. 211* Traître par devoir, seul parmi les SS

HAVAS Laslo
A. 213** Assassinat au sommet

HERLIN Hans
A. 248** Ernst Udet, pilote du diable
A. 257** Les damnés de l'Atlantique (mars 1971)

KENNEDY SHAW W.B.
A. 74** Patrouilles du désert

KNOKE Heinz
A. 81* La grande chasse

LÉVY C. et TILLARD P.
A. 195** La grande rafle du Vel' d'Hiv'

LORD Walter
A. 40** Pearl Harbour
A. 45* La nuit du Titanic
A. 261** Midway, l'incroyable victoire (mai 1971)

MACDONNEL J.-E.
A. 61* Les éperviers de la mer

McKEE Alexander
A. 180** Bataille de la Manche, bataille d'Angleterre

MARS Alastair
A. 32** Mon sous-marin l'Unbroken

METZLER Jost
A. 218* Sous-marin corsaire

MILLER Serge
A. 154** Le laminoir

MILLINGTON-DRAKE Sir Eugen
A. 236** La fin du Graf Spee

MONTAGU Ewen
A. 34* L'homme qui n'existait pas

MUSARD François
A. 193* Les Glières (juin 1971)

NOBÉCOURT Jacques
A. 82** Le dernier coup de dé de Hitler

NOGUÈRES Henri
A. 191*** Munich ou la drôle de paix

NORD Pierre
Mes camarades sont morts :
A. 112** I. Le renseignement.
A. 114** II. Le contre-espionnage.

PINTO Colonel Oreste
A. 35* Chasseurs d'espions

PLIEVIER Theodor
A. 132** Moscou
A. 179*** Stalingrad (avril 1971)

PONCHARDIER Dominique
A. 205*** Les pavés de l'enfer

RAWICZ Slavomir
A. 13** A marche forcée

RÉMY
A. 253* « ... et l'Angleterre sera détruite ! »

ROBICHON Jacques
A. 53*** Le débarquement de Provence
A. 116** Jour J en Afrique

RUDEL H.U.
A. 21** Pilote de Stukas

SCHAEFFER Cdt Heinz
A. 15* U. 977. L'odyssée d'un sous-marin allemand

SCOTT Robert-L.
A. 56** Dieu est mon co-pilote

SPEIDEL Général Hans
A. 71* Invasion 44

THORWALD Jürgen
A. 167*** La débâcle allemande

TOLEDANO Marc
A. 215** Le franciscain de Bourges

TROUILLÉ Pierre
A. 186** Journal d'un préfet pendant l'occupation

TULLY Andrew
A. 221** La bataille de Berlin

VON CHOLTITZ Général
A. 203** De Sébastopol à Paris

YOUNG Gordon
A. 60* L'espionne n° 1, La Chatte

CONNAISSANCE

C/2 TOUTE L'HISTOIRE, par HARTMANN et HIMELFARB

En un seul volume double, de 320 pages :
Toutes les dates, de la Préhistoire à 1945 ;
Tous les événements politiques, militaires et culturels ;
Tous les hommes ayant joué un rôle à quelque titre que ce soit.

Un système nouveau de séquences chronologiques permettant de saisir les grandes lignes de l'Histoire.

C/4 CENT PROBLÈMES DE MOTS CROISÉS, par Paul ALEXANDRE

LE TALISMAN, de Marcel DASSAULT

ÉDITIONS J'AI LU

31, *rue de Tournon, Paris-VIe*

Exclusivité de vente en librairie :
FLAMMARION

12.200. — Imp. « La Semeuse », Etampes. — C.O.L. 31.1258
Dépôt légal 1er trimestre 1971
PRINTED IN FRANCE